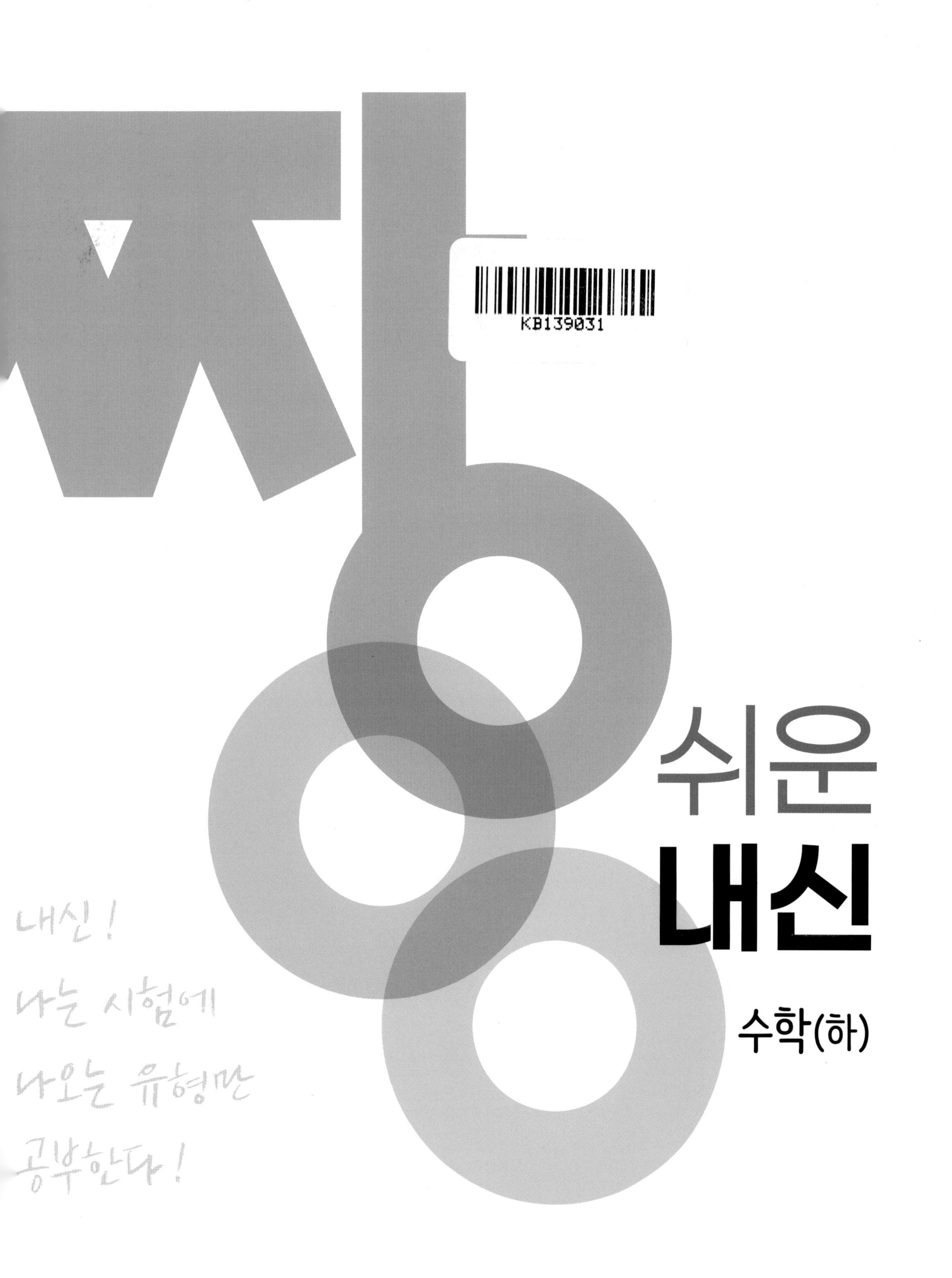
짱
쉬운
내신
수학(하)
내신!
나는 시험에
나오는 유형만
공부한다!

내신(학교시험),

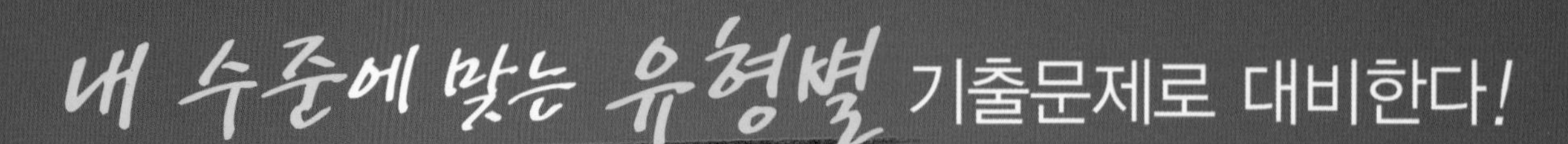

쉬운 시험문제 유형을 반복학습으로 빠르게~

• 학교시험 60점을 확보할 수 있는 교재이다.
• 90점을 목표로 하는 학생의 기본기를 점검하는 교재이다.

↓

중요한 시험문제 유형을 꼼꼼하게 점검을~

• 학교시험 90점을 확보할 수 있는 교재이다.
• 100점 만점을 목표로 하는 학생의 기본기를 점검하는 교재이다.

↓

중간/기말고사 대비 실전 연습을~

• 전국의 학교시험 문제를 완벽히 분석하여 반영한 교재이다.
• 실전 모의고사 10회, 부록 4회로 구성된 교재이다.
(실전 – 서술형 포함 23문항으로 구성)

◎ **대표저자 :** 이창주(前 한영고, EBS·강남구청 강사, 7차 개정 교과서 집필위원)
◎ **연구 및 편집 :** 박상원, 전신영, 김지민, 김세리

새 교육과정 문제기본서

(기본+유형), (유형+심화)로 구성된 **수준별 문제기본서!**

[Hi Math] 수학(상), 수학(하), 수학 I, 수학II, 확률과 통계, 미적분, 기하

[Hi High] 수학(상), 수학(하), 수학 I, 수학II, 확률과 통계, 미적분

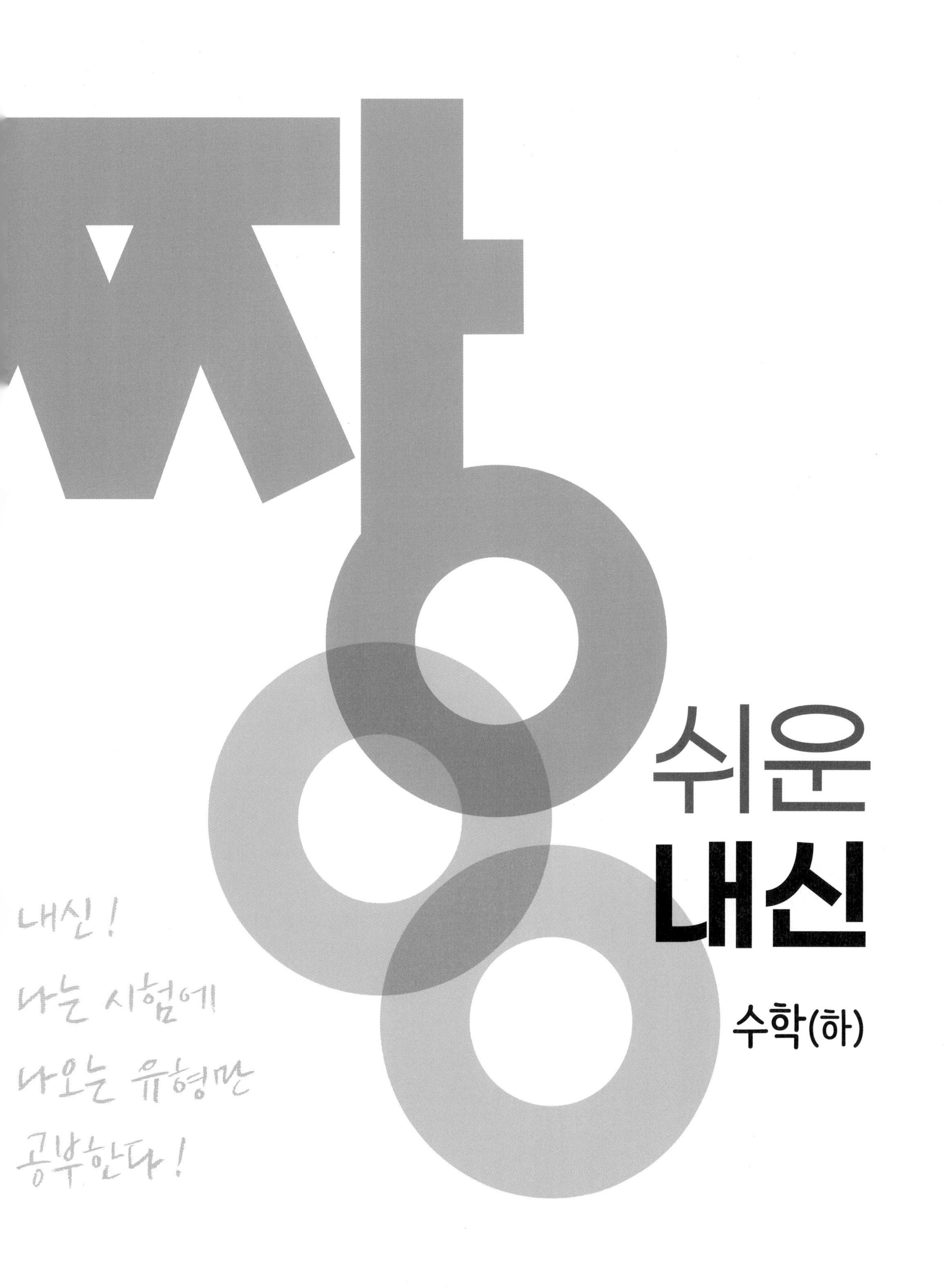
짱
쉬운
내신
수학(하)
내신!
나는 시험에
나오는 유형만
공부한다!

이 책의 **구성**과 **특징**

Structure

01 출제유형분석

전국 300여개 전국 고등학교와 학력평가의 기출 문제를 분석하여 출제 유형, 난이도, 출제가능성 등을 정리하였습니다. 각 문항은 유형 및 난이도에 따라 「짱 쉬운 내신 교재」 또는 「짱 중요한 내신 교재」에서 집중적으로 학습할 수 있도록 구분하여 수록하고 표시하였습니다.

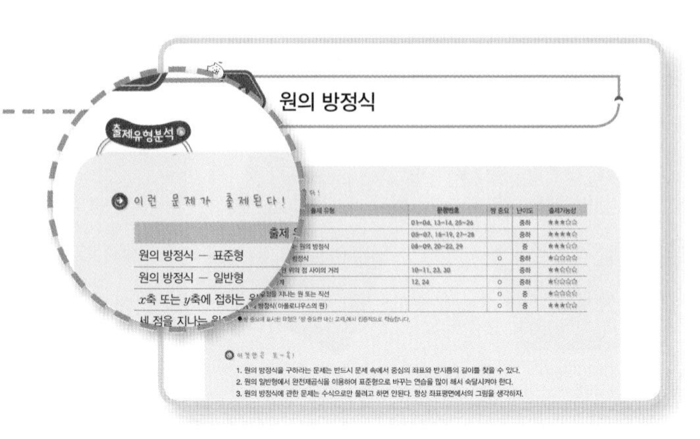

02 핵심개념 살피기

유형별 문제 해결에 필요한 필수 개념, 공식 등을 개념 확인을 통하여 점검할 수 있도록 하였습니다.

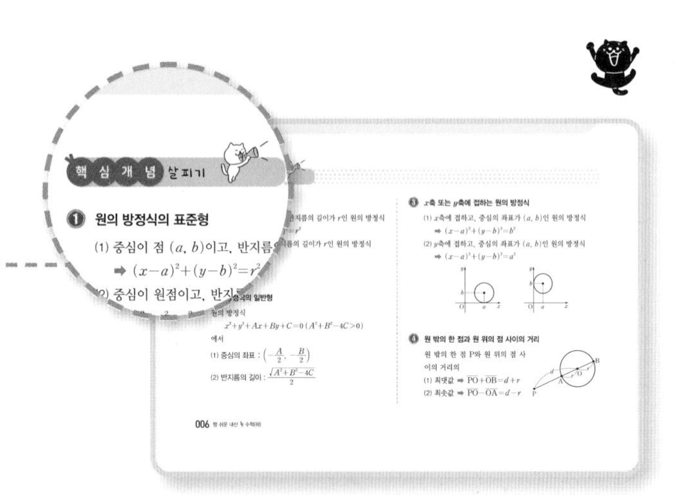

핵심개념 살피기
원의 방정식의 표준형
(1) 중심이 점 (a, b)이고, 반지름
⇒ (x−a)²+(y−b)²=r²
(2) 중심이 원점이고, 반지

「짱 쉬운 내신 수학(하)」

- **학교시험 및 학력평가의 15개의 출제 유형 중 쉬운 문제를 완벽 마무리한다.**
  「짱 쉬운 유형」은 학교시험 및 학력평가에 자주 출제되는 15개의 유형 중에서 각 유형의 쉬운 문항으로 구성된 교재입니다.
- **유형별 공략법에 대한 자신감을 갖게 한다.**
  「기본문제」 「기출문제」 「예상문제」의 3단계로 유형에 대한 충분한 연습을 통하여 자신감을 갖게 됩니다.

03 기본문제 다지기

각 유형의 기본 개념을 적용하여 해결할 수 있는 기본 문제 또는 바로 공식을 적용하는 연습을 할 수 있는 문제를 제시하였습니다. 기출 문제 해결의 바탕이 되도록 하였습니다.

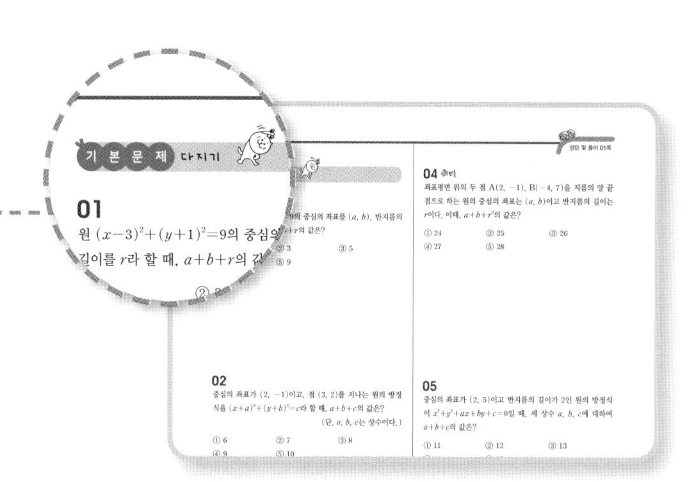

04 기출문제 맛보기

학교시험에 출제되었던 유형과 학력평가에 출제되었던 문제들 중 해당되는 문제를 제시하여 유형별 문제에 대한 적응력을 기르고 실제 시험에 대한 두려움을 없앨 수 있도록 하였습니다.

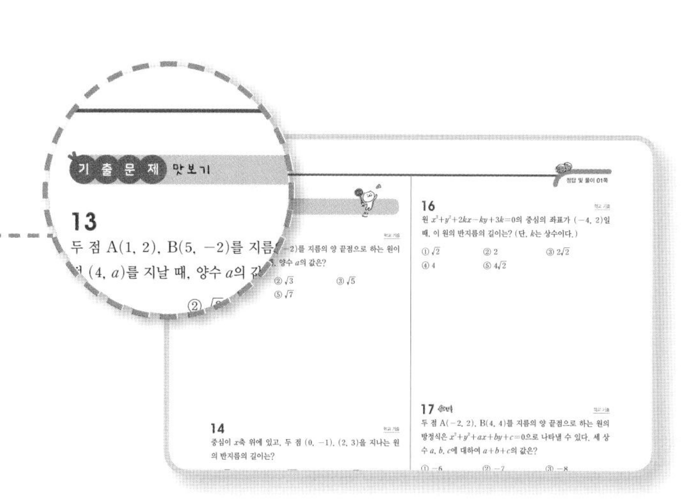

05 예상문제 점검하기

기본문제와 기출문제로 다져진 유형별 공략법을 기출문제와 유사한 문제로 실전 연습을 할 수 있도록 하였습니다. 또, 약간 변형된 유형을 제시함으로써 문제 적응력과 자신감을 기르도록 하였습니다.

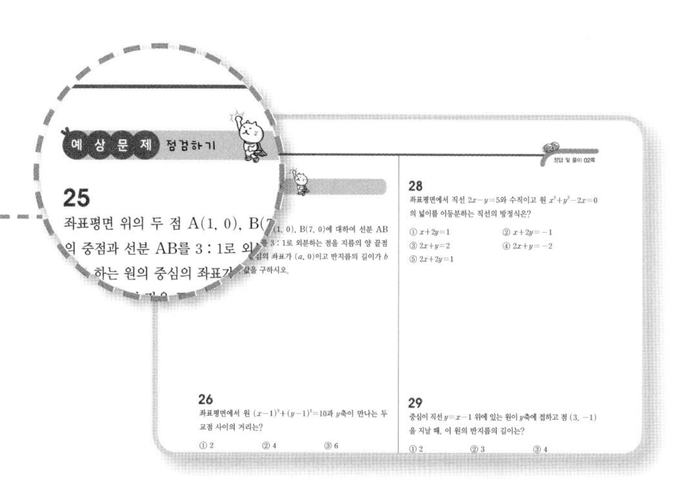

이 책의 차례

Contents

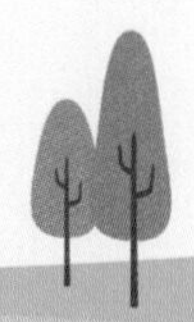

01 원의 방정식

출제유형분석

이런 문제가 출제된다!

출제 유형	문항번호	짱 중요	난이도	출제가능성
원의 방정식 — 표준형	01~04, 13~14, 25~26		중하	★★★☆☆
원의 방정식 — 일반형	05~07, 15~19, 27~28		중하	★★★★☆
x축 또는 y축에 접하는 원의 방정식	08~09, 20~22, 29		중	★★★☆☆
세 점을 지나는 원의 방정식		○	중하	★☆☆☆☆
원 밖의 한 점과 원 위의 점 사이의 거리	10~11, 23, 30		중하	★★☆☆☆
두 원의 위치 관계	12, 24	○	중하	★☆☆☆☆
두 원의 교점을 지나는 원 또는 직선		○	중	★☆☆☆☆
자취의 방정식(아폴로니우스의 원)		○	중	★★★☆☆

● 짱 중요에 표시된 유형은 「짱 중요한 내신 교재」에서 집중적으로 학습합니다.

이것만은 꼬~옥!

1. 원의 방정식을 구하라는 문제는 반드시 문제 속에서 중심의 좌표와 반지름의 길이를 찾을 수 있다.
2. 원의 일반형에서 완전제곱식을 이용하여 표준형으로 바꾸는 연습을 많이 해서 숙달시켜야 한다.
3. 원의 방정식에 관한 문제는 수식으로만 풀려고 하면 안된다. 항상 좌표평면에서의 그림을 생각하자.

핵심개념 살피기

① 원의 방정식의 표준형

(1) 중심이 점 (a, b)이고, 반지름의 길이가 r인 원의 방정식
➡ $(x-a)^2+(y-b)^2=r^2$

(2) 중심이 원점이고, 반지름의 길이가 r인 원의 방정식
➡ $x^2+y^2=r^2$

② 원의 방정식의 일반형

원의 방정식

$$x^2+y^2+Ax+By+C=0\ (A^2+B^2-4C>0)$$

에서

(1) 중심의 좌표 : $\left(-\dfrac{A}{2}, -\dfrac{B}{2}\right)$

(2) 반지름의 길이 : $\dfrac{\sqrt{A^2+B^2-4C}}{2}$

③ x축 또는 y축에 접하는 원의 방정식

(1) x축에 접하고, 중심의 좌표가 (a, b)인 원의 방정식
➡ $(x-a)^2+(y-b)^2=b^2$

(2) y축에 접하고, 중심의 좌표가 (a, b)인 원의 방정식
➡ $(x-a)^2+(y-b)^2=a^2$

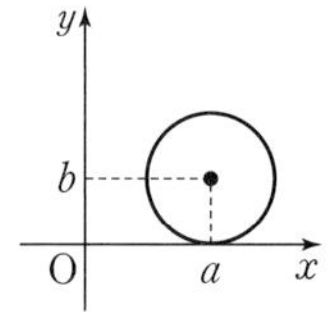

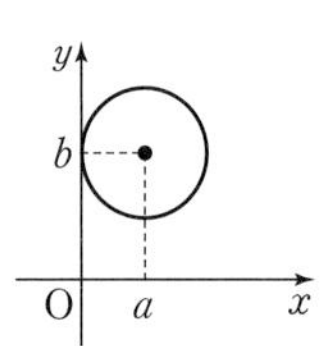

④ 원 밖의 한 점과 원 위의 점 사이의 거리

원 밖의 한 점 P와 원 위의 점 사이의 거리의

(1) 최댓값 ➡ $\overline{PO}+\overline{OB}=d+r$

(2) 최솟값 ➡ $\overline{PO}-\overline{OA}=d-r$

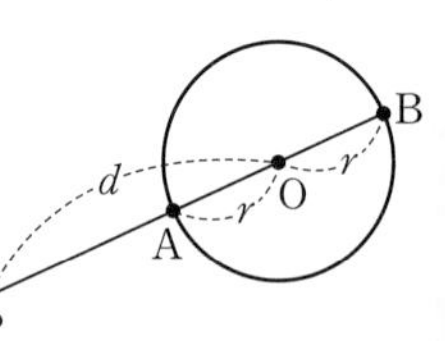

01

원 $(x-3)^2+(y+1)^2=9$의 중심의 좌표를 (a, b), 반지름의 길이를 r라 할 때, $a+b+r$의 값은?

① 1　② 3　③ 5　④ 7　⑤ 9

02

중심의 좌표가 $(2, -1)$이고, 점 $(3, 2)$를 지나는 원의 방정식을 $(x+a)^2+(y+b)^2=c$라 할 때, $a+b+c$의 값은?

(단, a, b, c는 상수이다.)

① 6　② 7　③ 8　④ 9　⑤ 10

03

중심이 $(3, 4)$이고 원점을 지나는 원의 방정식이 $(x-a)^2+(y-b)^2=r^2$일 때, $a+b+r$의 값은?

(단, $r>0$인 실수)

① 11　② 12　③ 13　④ 14　⑤ 15

04 빈출

좌표평면 위의 두 점 $A(2, -1)$, $B(-4, 7)$을 지름의 양 끝점으로 하는 원의 중심의 좌표는 (a, b)이고 반지름의 길이는 r이다. 이때, $a+b+r^2$의 값은?

① 24　② 25　③ 26　④ 27　⑤ 28

05

중심의 좌표가 $(2, 5)$이고 반지름의 길이가 2인 원의 방정식이 $x^2+y^2+ax+by+c=0$일 때, 세 상수 a, b, c에 대하여 $a+b+c$의 값은?

① 11　② 12　③ 13　④ 14　⑤ 15

06 빈출

원 $x^2+y^2-10x-2y+1=0$의 중심의 좌표를 (a, b), 반지름의 길이를 r라 할 때, $a+b+r$의 값을 구하시오.

07

두 원 $x^2+y^2=1$, $x^2+y^2-8x+6y+24=0$의 중심 사이의 거리는?

① 1 ② 3 ③ 5
④ 7 ⑤ 9

08

중심의 좌표가 $(5, -2)$이고, x축에 접하는 원의 반지름의 길이는?

① 1 ② 2 ③ 3
④ 4 ⑤ 5

09

중심의 좌표가 $(-1, 2)$이고, x축에 접하는 원의 방정식은?

① $x^2+y^2+2x-4y+1=0$
② $x^2+y^2+2x-4y+3=0$
③ $x^2+y^2+2x+4y+1=0$
④ $x^2+y^2-2x+4y+2=0$
⑤ $x^2+y^2-2x+4y+4=0$

10 빈출

원점 $O(0, 0)$과 원 $(x-3)^2+(y+4)^2=1$ 위의 점 P를 이은 선분 OP의 길이의 최댓값은?

① 3 ② 4 ③ 5
④ 6 ⑤ 7

11

점 $A(-1, 0)$과 원 $x^2+y^2-6x-8y+17=0$ 위의 점 P에 대하여 선분 AP의 길이의 최댓값은?

① $2\sqrt{2}$ ② $4\sqrt{2}$ ③ $6\sqrt{2}$
④ $8\sqrt{2}$ ⑤ $10\sqrt{2}$

12

원 $x^2+y^2=16$과 원 $(x-6)^2+(y+8)^2=a$가 외접하도록 하는 상수 a의 값을 구하시오.

13

학교 기출

두 점 A$(1,\ 2)$, B$(5,\ -2)$를 지름의 양 끝점으로 하는 원이 점 $(4,\ a)$를 지날 때, 양수 a의 값은?

① $\sqrt{2}$　② $\sqrt{3}$　③ $\sqrt{5}$
④ $\sqrt{6}$　⑤ $\sqrt{7}$

14

학교 기출

중심이 x축 위에 있고, 두 점 $(0,\ -1)$, $(2,\ 3)$을 지나는 원의 반지름의 길이는?

① $\sqrt{5}$　② $\sqrt{10}$　③ $2\sqrt{5}$
④ 5　⑤ 10

15

학교 기출

원 $x^2+y^2-2x+4y=0$과 중심이 같고, 점 A$(4,\ 2)$를 지나는 원의 방정식을 $(x-a)^2+(y-b)^2=r^2$이라 할 때, $a+b+r$의 값을 구하시오. (단, $r>0$)

16

학교 기출

원 $x^2+y^2+2kx-ky+3k=0$의 중심의 좌표가 $(-4,\ 2)$일 때, 이 원의 반지름의 길이는? (단, k는 상수이다.)

① $\sqrt{2}$　② 2　③ $2\sqrt{2}$
④ 4　⑤ $4\sqrt{2}$

17 빈출

학교 기출

두 점 A$(-2,\ 2)$, B$(4,\ 4)$를 지름의 양 끝점으로 하는 원의 방정식은 $x^2+y^2+ax+by+c=0$으로 나타낼 수 있다. 세 상수 a, b, c에 대하여 $a+b+c$의 값은?

① -6　② -7　③ -8
④ -9　⑤ -10

18 빈출

학교 기출

x, y에 대한 이차방정식 $x^2+y^2-6x+4y+k-3=0$이 나타내는 도형이 원이 되도록 하는 정수 k의 최댓값을 구하시오.

19

학교 기출

원 $x^2+y^2-2kx+4ky-20k-25=0$의 넓이가 최소일 때의 원의 중심과 원점 사이의 거리는?

① $2\sqrt{5}$ ② $3\sqrt{5}$ ③ $4\sqrt{3}$
④ $5\sqrt{2}$ ⑤ $6\sqrt{2}$

20

학교 기출

중심이 직선 $y=x$ 위에 있고 y축에 접하는 원이 있다. 이 원의 반지름의 길이가 2보다 크고 점 $(2, 1)$을 지날 때, 이 원의 반지름의 길이를 구하시오.

21 빈출

학교 기출

중심이 직선 $y=2x-4$ 위에 있고 제4사분면에서 x축과 y축에 동시에 접하는 원의 방정식이 $x^2+y^2+ax+by+c=0$일 때, $a+b+c$의 값을 구하시오. (단, a, b, c는 상수이다.)

22

학교 기출

점 $(2, 1)$을 지나고 x축과 y축에 동시에 접하는 원이 두 개 있다. 이 두 원의 중심 사이의 거리는?

① $5\sqrt{2}$ ② $4\sqrt{2}$ ③ $3\sqrt{2}$
④ $2\sqrt{2}$ ⑤ $\sqrt{2}$

23

학교 기출

좌표평면에서 점 $A(1, 2)$와 원 $(x+3)^2+(y-5)^2=4$ 위를 움직이는 점 P에 대하여 선분 AP의 길이가 정수가 되도록 하는 점 P의 개수를 구하시오.

24

학교 기출

두 원 $x^2+y^2=18$, $(x-2)^2+(y-2)^2=k$가 접할 때, k의 값을 구하시오. (단, $k<18$)

25

좌표평면 위의 두 점 A(1, 0), B(7, 0)에 대하여 선분 AB의 중점과 선분 AB를 3 : 1로 외분하는 점을 지름의 양 끝점으로 하는 원의 중심의 좌표가 $(a, 0)$이고 반지름의 길이가 b이다. $a+b$의 값을 구하시오.

26

좌표평면에서 원 $(x-1)^2+(y-1)^2=10$과 y축이 만나는 두 교점 사이의 거리는?

① 2 ② 4 ③ 6
④ 8 ⑤ 10

27

원 $x^2+y^2+ax-8y-16=0$의 중심의 좌표가 $(-2, 4)$이고, 반지름의 길이를 r라 할 때, $a+r$의 값은? (단, a는 상수이다.)

① 6 ② 7 ③ 8
④ 9 ⑤ 10

28

좌표평면에서 직선 $2x-y=5$와 수직이고 원 $x^2+y^2-2x=0$의 넓이를 이등분하는 직선의 방정식은?

① $x+2y=1$ ② $x+2y=-1$
③ $2x+y=2$ ④ $2x+y=-2$
⑤ $2x+2y=1$

29

중심이 직선 $y=x-1$ 위에 있는 원이 y축에 접하고 점 $(3, -1)$을 지날 때, 이 원의 반지름의 길이는?

① 2 ② 3 ③ 4
④ 5 ⑤ 6

30

점 A(3, 4)와 원 $x^2+y^2=4$ 위의 점 P에 대하여 $\overline{AP}$의 최댓값을 M, 최솟값을 m이라 할 때, M^2-m^2의 값을 구하시오.

02 원과 직선의 위치 관계

출제유형분석

이런 문제가 출제된다!

출제 유형	문항번호	짱 중요	난이도	출제가능성
원과 직선의 위치 관계	01~04, 13~18, 25~26		중하	★★★★★
원 위의 점과 직선 사이의 거리	05~06, 19~20, 27		중	★★☆☆☆
기울기가 주어진 접선의 방정식	07~09, 21~22, 28		중	★★★☆☆
접점이 주어진 접선의 방정식	10~12, 23~24, 29		중	★★★☆☆
원 밖의 한 점이 주어진 접선의 방정식	30	○	중상	★★★★★
현의 길이		○	중상	★☆☆☆☆
원의 방정식과 직선의 응용		○	상	★★★★☆

● 짱 중요에 표시된 유형은 「짱 중요한 내신 교재」에서 집중적으로 학습합니다.

이것만은 꼬~옥!

1. 원과 직선의 위치 관계는 원의 중심과 직선 사이의 거리를 반지름과 비교하는 방법이 쉽다.
2. 원의 방정식에 대한 문제들은 결국은 반지름의 길이나 기울기에 관한 내용임을 알고 있자.
3. 접선의 방정식 문제는 일단 기본 공식을 잘 외우고 적용하는 유형부터 착실히 연습해 나가자.

핵심개념 살피기

❶ 원과 직선의 위치 관계

(1) 원의 방정식과 직선의 방정식을 연립하여 만든 이차방정식의 판별식을 D라 하면

① $D>0$ ➡ 서로 다른 두 점에서 만난다.

② $D=0$ ➡ 한 점에서 만난다. (접한다.)

③ $D<0$ ➡ 만나지 않는다.

(2) 반지름의 길이가 r인 원의 중심과 직선 사이의 거리를 d라 하면

① $d<r$ ➡ 서로 다른 두 점에서 만난다.

② $d=r$ ➡ 한 점에서 만난다. (접한다.)

③ $d>r$ ➡ 만나지 않는다.

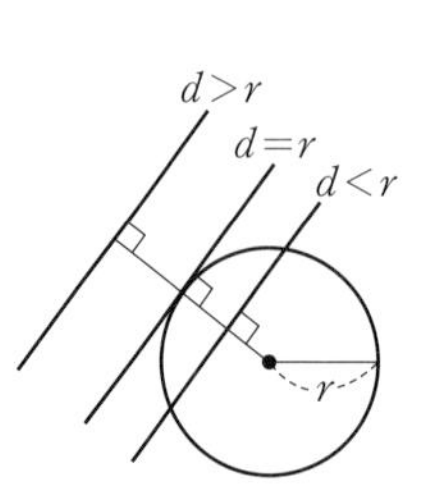

❷ 원 위의 점과 직선 사이의 거리

원의 중심 O와 직선 l 사이의 거리를 d, 원의 반지름의 길이를 r라 할 때, 원 위의 점과 직선 사이의 거리의 최댓값을 M, 최솟값을 m이라 하면

$$M=d+r,\ m=d-r$$

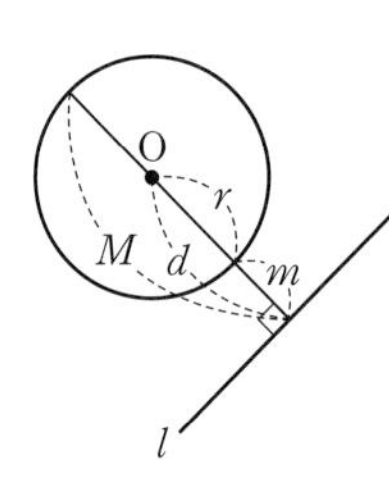

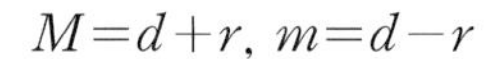

❸ 원의 접선의 방정식

(1) 원 $x^2+y^2=r^2$에 접하고, 기울기가 m인 직선의 방정식

➡ $y=mx\pm r\sqrt{m^2+1}$

(2) 원 $x^2+y^2=r^2$ 위의 점 $(x_1,\ y_1)$에서의 접선의 방정식

➡ $x_1x+y_1y=r^2$

[참고] 접선의 길이

원 밖의 한 점 P에서 원에 그은 접선의 접점을 Q라 하면

$$\overline{PQ}=\sqrt{\overline{OP}^2-\overline{OQ}^2}$$

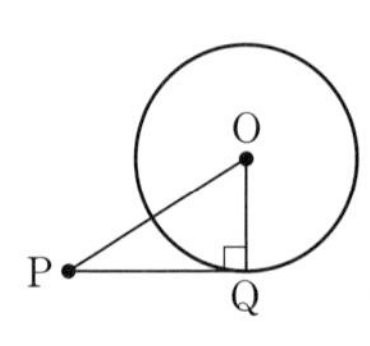

01

원 $x^2+y^2=k$와 직선 $x+y-4=0$이 접할 때, 양수 k의 값은?

① 6 ② 7 ③ 8 ④ 9 ⑤ 10

02

원 $x^2+y^2=4$와 직선 $x+y-k=0$이 서로 다른 두 점에서 만나도록 하는 정수 k의 개수는?

① 1 ② 3 ③ 5 ④ 7 ⑤ 9

03

직선 $y=\sqrt{2}x+k$가 원 $x^2+y^2=4$에 접할 때, 양의 실수 k의 값은?

① $\sqrt{2}$ ② $\sqrt{3}$ ③ $2\sqrt{2}$ ④ $2\sqrt{3}$ ⑤ $3\sqrt{2}$

04 빈출

원 $(x-2)^2+(y-1)^2=r^2$과 직선 $3x+4y+10=0$이 접할 때, 반지름의 길이 r의 값은?

① 1 ② 2 ③ 3 ④ 4 ⑤ 5

05

원 $x^2+y^2=4$의 중심과 직선 $y=ax+b$ 사이의 거리가 4이다. 이 원 위의 점 P에서 이 직선까지의 거리가 가장 클 때, 점 P에서 이 직선까지의 거리는?

① 2 ② 4 ③ 6 ④ 8 ⑤ 10

06

원 $x^2+y^2=5$ 위의 점 P와 직선 $y=2x+10$ 사이의 거리의 최솟값은?

① $\sqrt{5}$ ② $2\sqrt{5}$ ③ 5 ④ $3\sqrt{5}$ ⑤ $5\sqrt{5}$

07

원 $x^2+y^2=9$에 접하고 기울기가 2인 직선의 방정식을 $y=ax+b$라 할 때, $a+b$의 값은?

(단, a, b는 상수이고, $b>0$이다.)

① 6　② $2+3\sqrt{2}$　③ $2+3\sqrt{3}$
④ 8　⑤ $2+3\sqrt{5}$

08

직선 $y=x+2$와 평행하고 원 $x^2+y^2=9$에 접하는 직선의 y절편을 k라 할 때, k^2의 값을 구하시오.

09

직선 $y=\frac{1}{2}x+2$에 수직이고 원 $x^2+y^2=5$에 접하는 접선의 방정식은?

① $y=2x\pm2\sqrt{5}$　② $y=2x\pm5$
③ $y=-2x\pm2\sqrt{5}$　④ $y=-2x\pm5$
⑤ $y=-2x\pm5\sqrt{2}$

10

원 $x^2+y^2=10$ 위의 점 $(1, 3)$에서의 접선의 방정식은?

① $x+y-10=0$　② $3x+y+10=0$
③ $x+3y+10=0$　④ $3x+y-10=0$
⑤ $x+3y-10=0$

11

중심이 원점이고 반지름의 길이가 5인 원 위의 점 $(3, -4)$에서 이 원에 그은 접선의 방정식을 구하면?

① $3x+4y=25$　② $3x-4y=25$
③ $4x+3y=25$　④ $4x-3y=25$
⑤ $3x+4y=5$

12

원 $x^2+y^2=5$ 위의 점 $(2, 1)$에서의 접선과 평행하고 점 $(-1, 3)$을 지나는 직선의 방정식은?

① $x+2y-5=0$　② $x-2y+1=0$
③ $2x+y-1=0$　④ $2x-y+5=0$
⑤ $2x+2y+1=0$

정답 및 풀이 04쪽

기출문제 맛보기

13 학교 기출

직선 $y=-2x+k$와 원 $x^2+y^2=5$가 2개의 교점을 가지기 위한 상수 k의 값의 범위는 $a<k<b$이다. 이때, $b-a$의 값은?

① $2\sqrt{2}$ ② 4 ③ $2\sqrt{5}$
④ $2\sqrt{10}$ ⑤ 10

14 학교 기출

두 점 A(2, 4), B(−4, a)를 지나는 직선이 원 $x^2+y^2=4$에 접할 때, 상수 a의 값을 구하시오.

15 교육청 기출

좌표평면 위의 원 $x^2+y^2=4$와 직선 $y=ax+2\sqrt{b}$가 접하도록 하는 b의 모든 값의 합을 구하시오.

(단, a, b는 10보다 작은 자연수이다.)

16 빈출 학교 기출

직선 $x+y+k=0$이 원 $x^2+y^2-2x+2y-6=0$에 접할 때, 양수 k의 값은?

① 1 ② 2 ③ 3
④ 4 ⑤ 5

17 학교 기출

좌표평면에서 원 $x^2+y^2+6x-4y+9=0$과 직선 $y=mx$가 한 점에서 만나도록 하는 m의 값을 구하시오. (단, $m\neq0$)

18 빈출 학교 기출

원 $x^2+(y-1)^2=1$과 직선 $y=kx+4$가 서로 만나지 않도록 하는 정수 k의 개수는?

① 1 ② 3 ③ 5
④ 7 ⑤ 9

19 빈출

학교 기출

원 $(x+2)^2+(y-1)^2=1$ 위의 점과 직선 $3x-4y-5=0$ 사이의 거리의 최댓값은?

① 1 ② 2 ③ 3
④ 4 ⑤ 5

20

학교 기출

원 $x^2+y^2-4x-4y+7=0$ 위의 점에서 직선 $4x+3y+6=0$에 이르는 거리의 최댓값과 최솟값의 합은?

① 2 ② 4 ③ 6
④ 8 ⑤ 10

21 빈출

학교 기출

원 $x^2+y^2=20$에 접하고 직선 $y+2x-5=0$에 평행한 직선을 $y=ax+b$라 할 때, $a+b$의 값은?

(단, a, b는 상수이고, $b>0$이다.)

① 6 ② 7 ③ 8
④ 9 ⑤ 10

22

학교 기출

두 점 $A(-1,\ 2)$, $B(5,\ 0)$을 지름의 양 끝점으로 하는 원에 접하고, 기울기가 1인 접선 중에서 y절편이 양수인 직선의 y절편은?

① $-1+\sqrt{5}$ ② $-1+2\sqrt{5}$ ③ $\sqrt{5}$
④ $1+\sqrt{5}$ ⑤ $1+2\sqrt{5}$

23

학교 기출

원 $x^2+y^2=4$ 위의 점 $(1,\ \sqrt{3})$에서의 접선과 점 $(2,\ 0)$ 사이의 거리는?

① 1 ② $\sqrt{2}$ ③ $\sqrt{3}$
④ 2 ⑤ $\sqrt{5}$

24

학교 기출

원 $x^2+y^2=5$ 위의 점 $(2,\ -1)$에서의 접선과 수직이고 원 $x^2+y^2=1$과 접하는 접선의 y절편을 구하시오.

예상문제 점검하기

25

직선 $y=-x+k$가 다음 조건을 만족시킬 때, 정수 k의 개수는? (단, $k\neq0$)

> (가) 원 $x^2+y^2=9$와 서로 다른 두 점에서 만난다.
> (나) 원 $(x-3)^2+y^2=k^2$과 만나지 않는다.

① 4　② 5　③ 6
④ 7　⑤ 8

26

직선 $y=\sqrt{3}x+k$가 원 $x^2+y^2-6y-7=0$에 접할 때, 모든 실수 k의 값의 합을 구하시오.

27

점 $(3,\ 5)$에서 원 $x^2+y^2+2x-4y-11=0$ 위의 점까지의 거리의 최댓값을 M, 최솟값을 m이라 할 때, $M+m$의 값은?

① 4　② 6　③ 8
④ 10　⑤ 12

28

원 $x^2+y^2=4$에 접하고 직선 $x-3y+2=0$에 수직인 두 직선의 방정식을 $y=ax+b$, $y=ax-b$라 할 때, ab의 값은?

(단, a, b는 상수, $b>0$)

① $-6\sqrt{10}$　② $-3\sqrt{10}$　③ $-2\sqrt{10}$
④ $3\sqrt{10}$　⑤ $6\sqrt{10}$

29

원 $x^2+y^2=5$ 위의 점 $(-1,\ 2)$에서의 접선과 x축 및 y축으로 둘러싸인 도형의 넓이는?

① $\frac{25}{4}$　② $\frac{13}{2}$　③ $\frac{27}{4}$
④ $\frac{14}{2}$　⑤ $\frac{29}{4}$

UP 짱 중요 유형

30

점 $\mathrm{P}(4,\ 3)$에서 원 $x^2+y^2=9$에 그은 두 접선 중에서 기울기가 양수인 접선의 기울기를 $\frac{q}{p}$라 할 때, $p+q$의 값을 구하시오. (단, p, q는 서로소인 자연수이다.)

03 평행이동과 대칭이동

출제유형분석

➜ 이런 문제가 출제된다!

출제 유형	문항번호	짱 중요	난이도	출제가능성
점의 평행이동	01~02, 13~14, 25		중하	★★☆☆☆
도형의 평행이동	03~07, 15~18, 26~27		중	★★★★☆
점의 대칭이동	08~09, 19~20		중	★★★☆☆
도형의 대칭이동	10~12, 21~24, 29		중	★★★★☆
도형의 평행이동과 대칭이동	28, 30	○	중	★★★★☆
대칭이동을 이용한 거리의 최솟값		○	중	★★★☆☆
직선 $y=ax+b$에 대한 대칭이동		○	중상	★★☆☆☆
$f(x, y)=0$으로 표현된 도형의 이동		○	중상	★☆☆☆☆

● 짱 중요에 표시된 유형은 「짱 중요한 내신 교재」에서 집중적으로 학습합니다.

➜ 이것만은 꼬~옥!

1. 점의 평행이동과 도형의 평행이동에서 부호가 다르게 사용되는 이유를 이해하고 실수하지 않도록 주의하자.
2. 평행이동과 대칭이동이 한 문제에서 같이 나오더라도 한 단계씩 이동된 점이나 도형을 순서대로 구하자.
3. 원의 평행이동은 중심의 좌표, 포물선의 평행이동은 꼭짓점의 좌표를 이용하면 점의 평행이동과 같다.

① 점의 평행이동

점 $P(x, y)$를 x축의 방향으로 a만큼, y축의 방향으로 b만큼 평행이동한 점을 P'이라 하면 $P'(x+a, y+b)$이다. 즉,

$$(x, y) \longrightarrow (x+a, y+b)$$

② 직선의 평행이동

직선 $y=mx+n$을 x축의 방향으로 a만큼, y축의 방향으로 b만큼 평행이동한 직선의 방정식은

$$y-b=m(x-a)+n, \text{ 즉 } y=mx-ma+n+b$$

③ 곡선의 평행이동

(1) 원 $x^2+y^2=r^2$을 x축의 방향으로 m만큼, y축의 방향으로 n만큼 평행이동한 원의 방정식은

$$(x-m)^2+(y-n)^2=r^2$$

(2) 곡선 $y=ax^2+bx+c$를 x축의 방향으로 m만큼, y축의 방향으로 n만큼 평행이동한 곡선의 방정식은

$$y-n=a(x-m)^2+b(x-m)+c$$

④ 점의 대칭이동

점 (x, y)를 대칭이동한 점의 좌표

(1) x축에 대한 대칭이동 ➡ $(x, -y)$

(2) y축에 대한 대칭이동 ➡ $(-x, y)$

(3) 원점에 대한 대칭이동 ➡ $(-x, -y)$

(4) 직선 $y=x$에 대한 대칭이동 ➡ (y, x)

⑤ 도형의 대칭이동

방정식 $f(x, y)=0$을 나타내는 도형을

(1) x축에 대한 대칭이동 ➡ $f(x, -y)=0$

(2) y축에 대한 대칭이동 ➡ $f(-x, y)=0$

(3) 원점에 대한 대칭이동 ➡ $f(-x, -y)=0$

(4) 직선 $y=x$에 대한 대칭이동 ➡ $f(y, x)=0$

01

점 $(2, 3)$을 다음과 같이 평행이동한 점의 좌표를 구하시오.

(1) x축의 방향으로 5만큼

(2) y축의 방향으로 -2만큼

(3) x축의 방향으로 5만큼, y축의 방향으로 -2만큼

02

점 $(2, -1)$을 x축의 방향으로 3만큼, y축의 방향으로 2만큼 평행이동한 점의 좌표를 (p, q)라 할 때, $p+q$의 값은?

① 2 ② 4 ③ 6
④ 8 ⑤ 10

03

다음 도형을 x축의 방향으로 3만큼, y축의 방향으로 -2만큼 평행이동한 도형의 방정식을 구하시오.

(1) 직선 $y=2x$

(2) 원 $x^2+y^2=1$

04

직선 $3x+y-5=0$을 x축의 방향으로 1만큼, y축의 방향으로 a만큼 평행이동하면 점 $(2, 8)$을 지난다. 상수 a의 값은?

① 6 ② 7 ③ 8
④ 9 ⑤ 10

05

직선 $3x+2y+9=0$을 x축의 방향으로 a만큼 평행이동한 직선이 원점을 지날 때, 상수 a의 값은?

① 3 ② 5 ③ 7
④ 9 ⑤ 11

06

원 $x^2+y^2=9$를 x축의 방향으로 2만큼, y축의 방향으로 -1만큼 평행이동한 원의 방정식이 $x^2+y^2+ax+by+c=0$일 때, 세 상수 a, b, c의 합 $a+b+c$의 값은?

① -10 ② -9 ③ -8
④ -7 ⑤ -6

07

$y=x^2-2$의 그래프를 x축의 방향으로 m만큼 평행이동하면 점 $(-1,\ 7)$을 지난다. 평행이동한 포물선의 꼭짓점의 좌표는? (단, $m>0$)

① $(-2,\ -2)$ ② $(-1,\ -2)$ ③ $(0,\ -2)$
④ $(1,\ -2)$ ⑤ $(2,\ -2)$

08

점 $(2,\ -3)$을 다음 점 또는 직선에 대하여 대칭이동한 점의 좌표를 구하시오.

(1) x축
(2) y축
(3) 원점
(4) 직선 $y=x$

09

점 $(2,\ -1)$을 x축에 대하여 대칭이동한 후, 직선 $y=x$에 대하여 대칭이동한 것을 다시 x축의 방향으로 -2만큼 평행이동하였더니 직선 $y=ax+5$ 위의 점이 되었다. 상수 a의 값은?

① 1 ② 2 ③ 3
④ 4 ⑤ 5

10

직선 $y=2x+6$을 다음 직선 또는 점에 대하여 대칭이동한 도형의 방정식을 구하시오.

(1) x축
(2) y축
(3) 원점
(4) 직선 $y=x$

11

직선 $y=2x+6$을 x축에 대하여 대칭이동하면 x절편이 a, y절편이 b이다. $a+b$의 값은?

① -10 ② -9 ③ -8
④ -7 ⑤ -6

12

원 $(x-5)^2+(y-2)^2=a$를 원점에 대하여 대칭이동하면 점 $(3,\ -2)$를 지난다. 상수 a의 값을 구하시오.

기출문제 맛보기

13 빈출

교육청 기출

좌표평면 위의 점 $(2,\ 3)$을 x축의 방향으로 -1만큼, y축의 방향으로 2만큼 평행이동한 점의 좌표가 $(a,\ b)$일 때, $a+b$의 값은?

① 4 ② 5 ③ 6
④ 7 ⑤ 8

14

학교 기출

평행이동 $(x,\ y) \longrightarrow (x-1,\ y+3)$에 의하여 점 $(a,\ b)$가 점 $(5,\ 2)$로 옮겨질 때, $a-b$의 값은?

① 6 ② 7 ③ 8
④ 9 ⑤ 10

15 빈출

교육청 기출

직선 $y=3x-5$를 x축의 방향으로 a만큼, y축의 방향으로 $2a$만큼 평행이동한 직선이 직선 $y=3x-10$과 일치할 때, 상수 a의 값을 구하시오.

16

학교 기출

직선 $y=x-2$를 x축의 방향으로 -3만큼, y축의 방향으로 a만큼 평행이동하면 원 $x^2+y^2-4x-4y=0$에 접한다. 양수 a의 값은?

① 1 ② 2 ③ 3
④ 4 ⑤ 5

17

학교 기출

원 $(x+5)^2+(y-10)^2=2$를 x축의 방향으로 m만큼, y축의 방향으로 n만큼 평행이동하면 원 $(x-3)^2+(y+2)^2=2$가 된다. $m+n$의 값은?

① -8 ② -4 ③ 0
④ 4 ⑤ 8

18 빈출

교육청 기출

원 $x^2+y^2=1$을 x축의 방향으로 a만큼 평행이동하면 직선 $3x-4y-4=0$에 접한다. 이때, 양수 a의 값은?

① $\frac{8}{3}$ ② $2\sqrt{2}$ ③ 3
④ $\sqrt{10}$ ⑤ $\frac{7}{2}$

19 빈출

학교 기출

점 A$(2,\ 4)$를 x축에 대하여 대칭이동한 점을 B, 직선 $y=x$에 대하여 대칭이동한 점을 C라고 할 때, 삼각형 ABC의 넓이는?

① 2 ② 4 ③ 6
④ 8 ⑤ 10

20

교육청 기출

좌표평면에서 한 점 A$(-1,\ 3)$을 x축의 방향으로 a만큼, y축의 방향으로 b만큼 평행이동한 후, 다시 직선 $y=x$에 대하여 대칭이동하였더니 점 A와 일치하였다. 이때, ab의 값을 구하시오.

21

학교 기출

직선 $ax+y+2=0$을 x축에 대하여 대칭이동한 직선이 점 $(1,\ 5)$를 지날 때, 상수 a의 값은?

① -3 ② -2 ③ 0
④ 2 ⑤ 3

22

학교 기출

직선 $x+2y=1$을 직선 $y=x$에 대하여 대칭이동한 도형이 원 $(x-3)^2+(y-5)^2=k$에 접할 때, 실수 k의 값은?

① 20 ② 25 ③ 30
④ 35 ⑤ 40

23

교육청 기출

좌표평면 위에서 원 $(x-1)^2+(y-3)^2=4$와 이 원을 직선 $y=x$에 대하여 대칭이동한 원의 중심거리는?

① $\sqrt{2}$ ② 2 ③ 3
④ $2\sqrt{2}$ ⑤ $3\sqrt{2}$

24

학교 기출

원 $x^2+y^2-4x+6y+9=0$을 원점에 대하여 대칭이동한 후, 다시 x축에 대하여 대칭이동한 원의 중심의 좌표는?

① $(-2,\ -3)$ ② $(1,\ -3)$ ③ $(1,\ 3)$
④ $(2,\ -3)$ ⑤ $(2,\ 3)$

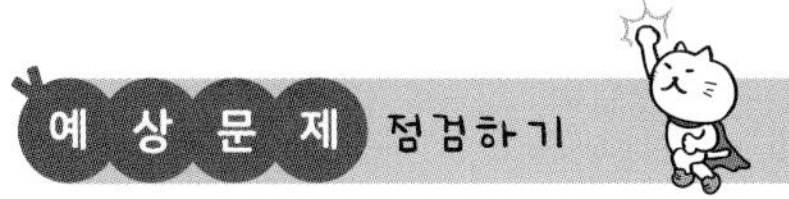

25

두 양수 m, n에 대하여 좌표평면 위의 점 A$(-2,\ 1)$을 x축의 방향으로 m만큼 평행이동한 점을 B라 하고, 점 B를 y축의 방향으로 n만큼 평행이동한 점을 C라 하자. 세 점 A, B, C를 꼭짓점으로 하는 삼각형의 무게중심의 좌표가 G$(2,\ 4)$일 때, $m+n$의 값을 구하시오.

26

평행이동 $(x,\ y) \longrightarrow (x+m,\ y+n)$에 의하여 점 $(3,\ 2)$가 점 $(1,\ 6)$으로 옮겨진다. 이 평행이동에 의하여 직선 $2x+3y=1$이 옮겨지는 직선의 방정식을 $ax+by=9$라 할 때, $a+b$의 값은? (단, a, b는 상수이다.)

① 1　② 3　③ 5　④ 7　⑤ 9

27

좌표평면 위의 원 $x^2+y^2+2x-4y-3=0$을 x축의 방향으로 a만큼, y축의 방향으로 b만큼 평행이동한 도형이 원 $(x-3)^2+(y-4)^2=c$일 때, 세 상수 a, b, c에 대하여 $a+b+c$의 값은?

① 5　② 6　③ 7　④ 8　⑤ 9

28

다음은 점과 도형의 평행이동과 대칭이동에 대한 설명이다. 〈보기〉 중에서 옳은 것을 모두 고른 것은?

보 기

ㄱ. 점 $(2,\ 4)$를 x축의 방향으로 4만큼, y축의 방향으로 -4만큼 평행이동하면 점 $(6,\ 0)$이 된다.

ㄴ. 직선 $x-2y+3=0$을 x축에 대하여 대칭이동하면 직선 $x-2y-3=0$이 된다.

ㄷ. 직선 $x-2y+3=0$을 직선 $y=x$에 대하여 대칭이동한 후 x축의 방향으로 3만큼 평행이동하면 직선 $2x-y-9=0$이 된다.

① ㄱ　② ㄱ, ㄴ　③ ㄱ, ㄷ　④ ㄴ, ㄷ　⑤ ㄱ, ㄴ, ㄷ

UP

29

원 C_1 : $(x-1)^2+(y+2)^2=1$을 직선 $y=x$에 대하여 대칭이동한 원을 C_2라 하자. C_1 위의 임의의 점 P와 C_2 위의 임의의 점 Q에 대하여 선분 PQ의 길이의 최댓값은?

① $2\sqrt{3}-2$　② $2\sqrt{3}+2$　③ $3\sqrt{2}-2$　④ $3\sqrt{2}+2$　⑤ $3\sqrt{3}-2$

UP 짱중요 유형

30

직선 $y=2x-5$의 그래프를 x축의 방향으로 2만큼, y축의 방향으로 1만큼 평행이동한 직선 위의 점 P와 원 $(x-3)^2+(y+2)^2=5$를 직선 $y=x$에 대하여 대칭이동한 원 위의 점 Q에 대하여 선분 PQ의 길이의 최솟값은?

① $\sqrt{5}$　② $2\sqrt{5}$　③ $3\sqrt{5}$　④ $4\sqrt{5}$　⑤ $5\sqrt{5}$

04 집합의 뜻과 연산

출제유형분석

이런 문제가 출제된다!

출제 유형	문항번호	짱 중요	난이도	출제가능성
집합의 표현과 원소의 개수	01~02, 13		하	★☆☆☆☆
부분집합	03~05, 14~15		중하	★★☆☆☆
집합과 원소, 집합과 집합 사이의 포함 관계	06, 16, 25	○	중	★★★☆☆
서로 같은 집합	07~08, 17~18, 26		중하	★★☆☆☆
교집합과 합집합	09~10, 19~22, 27~28	○	중하	★★★☆☆
여집합과 차집합	11~12, 23~24, 29	○	중	★★★★☆
세 집합 사이의 포함 관계		○	중	★★☆☆☆
조건을 만족하는 부분집합의 개수	30	○	중상	★★★★☆
$A\subset X\subset B$를 만족시키는 부분집합의 개수		○	중	★★☆☆☆

● 짱 중요에 표시된 유형은 「짱 중요한 내신 교재」에서 집중적으로 학습합니다.

이것만은 꼬~옥!

1. 조건제시법으로 주어진 집합의 원소를 구하는 것에 자신감을 가져야 한다.
2. $A\subset B$, $B\subset A$를 모두 만족하는 두 집합 A, B는 $A=B$임을 이해하고 기억하자.
3. 집합의 여러 연산들은 벤다이어그램을 그려서 이해하는 것이 수월하다.

핵심개념 살피기

① 집합과 원소

(1) 집합: 주어진 조건에 의하여 그 대상을 분명히 알 수 있는 것들의 모임

(2) 원소: 집합을 이루고 있는 대상 하나하나

(3) 원소의 개수

① 집합 A가 유한집합일 때, 집합 A의 원소의 개수를 기호 $n(A)$와 같이 나타낸다.

② 공집합은 원소가 없으므로 $n(\varnothing)=0$이다.

② 부분집합: 두 집합 A, B에 대하여 A의 모든 원소가 B에 속할 때, A를 B의 부분집합이라 하며 $A\subset B$와 같이 나타낸다.

③ 서로 같은 집합: 두 집합 A, B에 대하여 $A\subset B$이고 $B\subset A$일 때, 'A와 B는 서로 같다.'고 하며 $A=B$와 같이 나타낸다.

④ 교집합과 합집합

두 집합 A, B에 대하여

(1) 교집합: $A\cap B=\{x|x\in A$ 그리고 $x\in B\}$

(2) 합집합: $A\cup B=\{x|x\in A$ 또는 $x\in B\}$

⑤ 서로소: 두 집합 A, B 사이에 공통인 원소가 하나도 없을 때, 즉 $A\cap B=\varnothing$일 때, 집합 A와 집합 B는 서로소라고 한다.

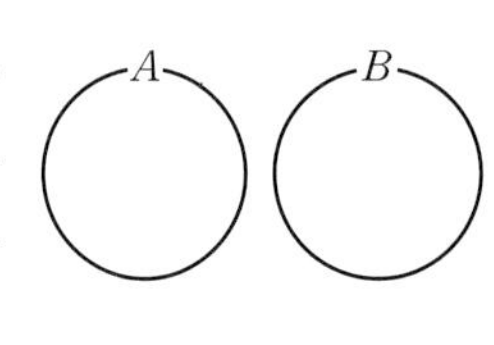

⑥ 여집합과 차집합

전체집합 U와 두 부분집합 A, B에 대하여

(1) 여집합: $A^C=\{x|x\in U$이고 $x\notin A\}$

(2) 차집합: $A-B=\{x|x\in A$이고 $x\notin B\}$

01

〈보기〉에서 집합인 것만을 있는 대로 고르시오.

보 기

ㄱ. 10보다 작은 소수의 모임
ㄴ. 우리 반에서 키가 큰 학생들의 모임
ㄷ. 일주일에 있는 모든 요일의 모임
ㄹ. 0과 1 사이에 있는 자연수의 모임

02

집합 $A=\{1, 2, 3, 4, 5\}$에 대하여 $n(A)$의 값은?

① 1 ② 2 ③ 3
④ 4 ⑤ 5

03

집합 $A=\{1, 2\}$의 부분집합을 모두 구하시오.

04

두 집합 $A=\{1, 3\}$, $B=\{a, b, 5\}$에 대하여 $A\subset B$일 때 $a+b$의 값은?

① 2 ② 4 ③ 6
④ 8 ⑤ 10

05

세 집합
$A=\{x|x$는 2의 양의 약수$\}$, $B=\{x|x$는 8의 양의 약수$\}$, $C=\{x|x$는 32의 양의 약수$\}$일 때, 세 집합 A, B, C의 포함 관계로 옳은 것은?

① $A\subset B\subset C$ ② $A\subset C\subset B$
③ $B\subset A\subset C$ ④ $B\subset C\subset A$
⑤ $C\subset B\subset A$

06

집합 $A=\{\varnothing, 1, 2\}$에 대하여 다음 중 옳지 않은 것은?

① $\varnothing\in A$ ② $\varnothing\subset A$ ③ $\{1\}\subset A$
④ $\{1, 2\}\in A$ ⑤ $A\subset A$

07

두 집합 $A=\{5, a, 9\}$, $B=\{b, 6, 9\}$가 $A=B$를 만족시킬 때, $a+b$의 값을 구하시오. (단, a, b는 상수이다.)

08

두 집합

$A=\{x|x$는 8 이하의 짝수$\}$, $B=\{2, a, b, 8\}$

에 대하여 $A\subset B$이고 $B\subset A$일 때, $a+b$의 값을 구하시오.

09

두 집합

$A=\{1, 2\}$, $B=\{1, 2, 4\}$

에 대하여 집합 $A\cup B$의 모든 원소의 합은?

① 4 ② 5 ③ 6
④ 7 ⑤ 8

10

두 집합 $A=\{2, 4, 7, 9\}$, $B=\{1, 2, 4, 6\}$에 대하여 집합 $A\cap B$의 모든 원소의 합을 구하시오.

11

전체집합 $U=\{x|x$는 10보다 작은 자연수$\}$의 두 부분집합 $A=\{2, 4, 6, 8\}$, $B=\{1, 2, 3, 4\}$에 대하여 다음을 구하시오.

(1) $A\cap B$
(2) $A\cup B$
(3) A^C
(4) $A-B$

12

두 집합

$A=\{1, 2, 3, 4, 5\}$, $B=\{4, 5, 6, 7\}$

에 대하여 집합 $A-B$의 모든 원소의 합은?

① 5 ② 6 ③ 7
④ 8 ⑤ 9

13
학교 기출

두 집합 $A=\{-1, 0, 2\}$, $B=\{1, 3, 5\}$에 대하여 집합 S를

$S=\{x \mid x=a+b, a\in A, b\in B\}$

로 정의할 때, 집합 S의 모든 원소의 합을 구하시오.

14
학교 기출

두 집합

$A=\{x \mid x^2-5x-6=0\}$,

$B=\{x \mid -a\le x\le a\}$

에 대하여 $A\subset B$를 만족시키는 자연수 a의 최솟값은?

① -1 ② 0 ③ 1
④ 3 ⑤ 6

15
학교 기출

세 집합

$A=\{0\}$, $B=\{x \mid |x|\le 1, x$는 정수$\}$,

$C=\{x \mid x^2-x=0\}$

사이의 포함 관계로 옳은 것은?

① $A=B\subset C$ ② $A\subset B=C$
③ $A\subset B\subset C$ ④ $A\subset C\subset B$
⑤ $B\subset A\subset C$

16
학교 기출

두 집합 $A=\{0, 1, 2\}$, $B=\{x \mid x$는 4 이하의 자연수$\}$에 대하여 다음 〈보기〉의 내용 중 옳은 것의 개수는?

보 기		
ㄱ. $0\subset A$	ㄴ. $\varnothing\subset B$	ㄷ. $\{1, 2\}\subset A$
ㄹ. $\{1, 3\}\in B$	ㅁ. $A\subset B$	

① 1 ② 2 ③ 3
④ 4 ⑤ 5

17
교육청 기출

두 집합 $A=\{2, a+1, 5\}$, $B=\{2, 3, b\}$가 $A=B$를 만족시킬 때, $a+b$의 값은? (단, a, b는 실수이다.)

① 4 ② 5 ③ 6
④ 7 ⑤ 8

18
교육청 기출

두 집합

$A=\{1, 20, a\}$, $B=\{1, 5, a+b\}$

에 대하여 $A\subset B$이고 $B\subset A$일 때, b의 값은?

① 5 ② 10 ③ 15
④ 20 ⑤ 25

19

학교 기출

두 집합 $A=\{1, 2, 3, 4\}$, $B=\{3, 5, a\}$에 대하여 $A\cap B=\{2, b\}$일 때, $a+b$의 값을 구하시오. (단, $b\neq 2$)

20

학교 기출

두 집합 $A=\{2, 2a+1, 4\}$, $B=\{3, 5, 3a+1\}$에 대하여 $A\cup B=\{2, 3, 4, 5, 7\}$일 때, a의 값은?

① 1 ② 2 ③ 3 ④ 4 ⑤ 5

21

학교 기출

두 집합 $A=\{a, 3\}$, $B=\{5, b, 7\}$에 대하여 $A\cup B=\{2, 3, 5, 7\}$이고 $A\cap B=\{3\}$일 때, 두 실수 a, b의 합 $a+b$의 값은?

① 5 ② 6 ③ 7 ④ 8 ⑤ 9

22

학교 기출

다음 중 집합 $A=\{3, 4\}$와 서로소인 집합은?

① $\{4\}$ ② $\{1, 3, 5\}$ ③ $\{1, 3, 5, 7, 9\}$ ④ $\{3, 6, 9\}$ ⑤ $\{1, 7\}$

23

교육청 기출

전체집합 $U=\{x\,|\,x$는 10 이하의 자연수$\}$의 두 부분집합 $A=\{1, 3, 5, 7, 9\}$, $B=\{4, 5, 6, 7, 8, 9\}$에 대하여 $A\cap B^C$의 원소들의 합은?

① 4 ② 6 ③ 8 ④ 10 ⑤ 12

24

교육청 기출

전체집합 $U=\{x\,|\,x$는 9 이하의 자연수$\}$의 두 부분집합

$A=\{3, 6, 7\}$, $B=\{a-4, 8, 9\}$

에 대하여

$A\cap B^C=\{6, 7\}$

이다. 자연수 a의 값을 구하시오.

25

집합 $A=\{1,\ 2,\ 3,\ \{1,\ 2\}\}$에 대하여 다음 중에서 옳지 않은 것은?

① $2\in A$ ② $\{2\}\subset A$ ③ $\{1,\ 2\}\in A$
④ $\{1,\ 2\}\not\subset A$ ⑤ $\{\{1,\ 2\}\}\subset A$

26

두 집합

$A=\{x\,|\,x^2-x-12=0\}$, $B=\{a,\ b\}$

에 대하여 $A=B$일 때, a^2+b^2의 값을 구하시오.

27

두 집합 $A=\{a-3,\ a,\ a+2\}$, $B=\{1,\ 2,\ a^2-4a\}$에 대하여 $A\cap B=\{2,\ 5\}$일 때, $A\cup B$의 모든 원소의 합은?

(단, a는 상수이다.)

① 11 ② 12 ③ 13
④ 14 ⑤ 15

UP

28

실수 전체의 집합 R의 두 부분집합

$A=\{x\,|\,x^2-9x+18>0\}$, $B=\{x\,|\,x^2+ax+b\le0\}$

가 두 조건 (가), (나)를 모두 만족시킬 때, $a+b$의 값은?

(단, a, b는 상수이다.)

(가) $A\cup B=R$
(나) $A\cap B=\{x\,|\,1\le x<3\}$

① -1 ② -2 ③ -3
④ -4 ⑤ -5

29

전체집합 $U=\{x\,|\,x$는 10 이하의 자연수$\}$의 두 부분집합

$A=\{1,\ 2,\ 3,\ 4\}$, $B=\{3,\ 4,\ 5,\ 6\}$

에 대하여 집합 $A-B^C$의 모든 원소의 합을 구하시오.

UP 짱중요 유형

30

집합 $A=\{1,\ 2,\ 3,\ 4\}$의 부분집합 중에서 두 원소 3, 4를 모두 포함하는 집합의 개수는?

① 2 ② 4 ③ 6
④ 8 ⑤ 10

연산의 성질과 원소의 개수

출제유형분석

이런 문제가 출제된다!

출제 유형	문항번호	짱 중요	난이도	출제가능성
차집합의 성질과 드모르간의 법칙	01~02, 13~14, 25		중	★★★☆☆
대칭차집합	03~04, 15~16, 26		중	★★☆☆☆
집합의 연산법칙과 성질	05~06, 17~18, 27		중	★★★☆☆
집합의 연산과 포함 관계	07~09, 19~20, 28		중하	★★★★★
집합의 연산과 부분집합의 개수		○	상	★★★★★
두 집합의 연산과 원소의 개수	10~12, 21~23, 29~30		중하	★★★★☆
약수, 배수의 집합		○	중	★★☆☆☆
세 집합의 연산과 원소의 개수		○	중	★★★☆☆
원소의 개수의 최댓값과 최솟값	24	○	상	★★★★☆
집합의 원소의 합에 관한 문제		○	상	★★☆☆☆

● 짱 중요에 표시된 유형은 「짱 중요한 내신 교재」에서 집중적으로 학습합니다.

이것만은 꼬~옥!

1. 대칭차집합은 여러 가지 방법으로 표현이 가능하므로 다 기억하고 벤다이어그램으로 이해하도록 하자.
   $(A-B)\cup(B-A)$, $(A\cup B)-(A\cap B)$, $(A\cap B^C)\cup(B\cap A^C)$, $(A\cup B)\cap(A\cap B)^C$
2. 두 집합의 연산과 원소의 개수 문제는 공식을 이용해도 되지만 벤다이어그램에 원소의 개수를 적어보는 방법도 유용하다.
3. 까다로운 부분집합의 개수 구하기, 복잡한 집합의 원소의 개수 구하기 유형은 [짱 중요한]으로 학습하자.

핵심개념 살피기

① 차집합의 성질: 전체집합 U의 두 부분집합 A, B에 대하여

(1) $A-B=A\cap B^C$ (2) $A-A=\varnothing$, $A-\varnothing=A$

(3) $A-B\neq B-A$

② 드모르간의 법칙: 전체집합 U의 두 부분집합 A, B에 대하여

(1) $(A\cup B)^C=A^C\cap B^C$ (2) $(A\cap B)^C=A^C\cup B^C$

③ 집합의 연산법칙: 세 집합 A, B, C에 대하여

(1) 교환법칙: $A\cup B=B\cup A$, $A\cap B=B\cap A$

(2) 결합법칙: $(A\cup B)\cup C=A\cup(B\cup C)$,
$(A\cap B)\cap C=A\cap(B\cap C)$

(3) 분배법칙: $A\cup(B\cap C)=(A\cup B)\cap(A\cup C)$,
$A\cap(B\cup C)=(A\cap B)\cup(A\cap C)$

[참고] 전체집합 U의 두 부분집합 A, B에 대하여

$A\subset B \iff A\cup B=B \iff A\cap B=A$
$\iff A-B=\varnothing \iff A\cap B^C=\varnothing$
$\iff A^C\cup B=U$

④ 교집합, 합집합의 원소의 개수

전체집합 U의 두 부분집합 A, B에 대하여

(1) $n(A\cup B)=n(A)+n(B)-n(A\cap B)$
특히, $A\cap B=\varnothing$이면 $n(A\cup B)=n(A)+n(B)$

(2) $n(A\cap B)=n(A)+n(B)-n(A\cup B)$

[참고] 여집합과 차집합의 원소의 개수

① $n(A^C)=n(U)-n(A)$

② $n(A-B)=n(A)-n(A\cap B)=n(A\cup B)-n(B)$

01

전체집합 $U=\{1, 2, 3, 4, 5, 6, 7, 8\}$의 두 부분집합 A, B에 대하여 $A\cap B^C=\{3, 5\}$, $A^C\cap B^C=\{7, 8\}$일 때, 집합 B의 원소의 합은?

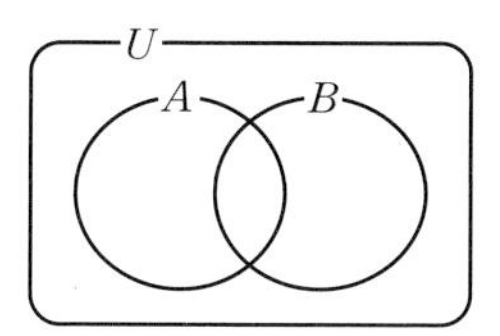

① 7　② 9　③ 11
④ 13　⑤ 15

02

전체집합 U의 두 부분집합 A, B에 대하여 $(A^C-B)^C$을 간단히 하면?

① $A\cap B$　② $A\cup B$　③ $A^C\cap B$
④ $A\cup B^C$　⑤ $A-B$

03

벤다이어그램에서 집합 $(A\cup B)\cap(A\cap B)^C$의 모든 원소의 합은?

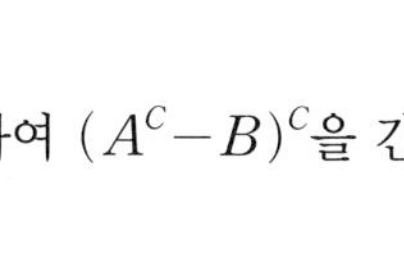

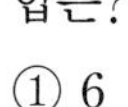

① 6　② 10
③ 14　④ 18
⑤ 22

04

전체집합 $U=\{x|x$는 8 이하의 자연수$\}$의 두 부분집합

$A=\{1, 3, 5, 7\}$, $B=\{4, 5, 6, 7, 8\}$

에 대하여 $n((A-B)\cup(B-A))$의 값은?

① 1　② 3　③ 5
④ 7　⑤ 9

05

다음은 전체집합 U의 두 부분집합 A, B에 대하여 $(A-B)^C\cap B^C$을 간단히 하는 과정이다. ①~⑤에 들어갈 식을 바르게 나타낸 것을 고르면?

$$
\begin{aligned}
(A-B)^C\cap B^C &= (\ ①\ )^C\cap B^C\\
&= (\ ②\ )\cap B^C\\
&= (\ ③\ )\cup(B\cap B^C)\\
&= (\ ④\ )\cup\varnothing\\
&= ⑤
\end{aligned}
$$

① $A\cap B$　② $A^C\cap B$　③ $A\cup B^C$
④ $(A\cup B)^C$　⑤ $A-B^C$

06

다음을 간단히 하시오.

(1) $A\cup(A\cap B)^C$

(2) $(A\cup B)\cap A^C$

07

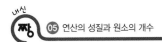

전체집합 U의 두 부분집합 A, B 사이의 포함 관계가 오른쪽 그림과 같을 때, 〈보기〉에서 옳은 것만을 있는 대로 고른 것은?

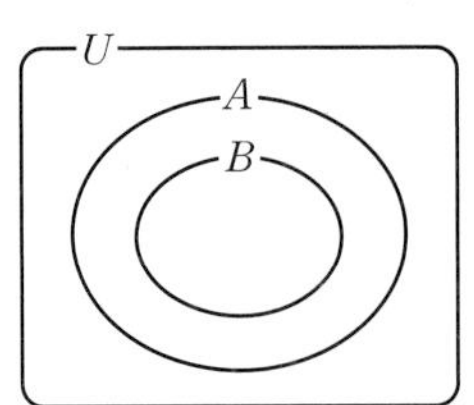

보기

ㄱ. $A^C \subset B^C$
ㄴ. $B-A=\varnothing$
ㄷ. $A \cup B=A$

① ㄴ ② ㄱ, ㄴ ③ ㄱ, ㄷ
④ ㄴ, ㄷ ⑤ ㄱ, ㄴ, ㄷ

08

전체집합 U의 두 부분집합 A, B에 대하여 $A \subset B$일 때, 다음 중 항상 성립한다고 할 수 없는 것은? (단, $U \neq \varnothing$)

① $A \cup B=B$ ② $A \cap B=A$
③ $(A \cap B)^C=B^C$ ④ $B^C \subset A^C$
⑤ $A-B=\varnothing$

09

전체집합 U의 서로 다른 두 부분집합 A, B에 대하여 $A^C \subset B^C$일 때, 다음 중 옳은 것은?

① $A \cup B=B$ ② $A \cap B=A$
③ $A-B=\varnothing$ ④ $A^C \cap B=\varnothing$
⑤ $A \subset B$

10

두 집합

$A=\{1, 2, 3\}$, $B=\{3, 4, 5, 6, 7\}$

에 대하여 $n(A \cup B)$의 값은?

① 4 ② 5 ③ 6
④ 7 ⑤ 8

11

전체집합 U의 두 부분집합 A, B에 대하여

$n(U)=20$, $n(A)=8$, $n(A \cup B)=15$, $n(A \cap B)=3$

일 때, $n(B)$의 값은?

① 6 ② 7 ③ 8
④ 9 ⑤ 10

12 빈출

전체집합 U의 두 부분집합 A, B에 대하여

$n(U)=10$, $n(A)=5$, $n(B)=3$, $n(A \cup B)=8$

일 때, $n(A^C \cup B^C)$의 값은?

① 6 ② 7 ③ 8
④ 9 ⑤ 10

기출문제 맛보기

13 빈출

학교 기출

전체집합 $U=\{1, 2, 3, 4, 5, 6, 7, 8\}$의 두 부분집합 A, B에 대하여

$A^C\cap B=\{2, 3\}$, $(A\cup B)^C=\{6, 8\}$,

$A^C\cup B^C=\{2, 3, 4, 6, 8\}$

일 때, 집합 A의 모든 원소의 합은?

① 13 ② 14 ③ 17
④ 19 ⑤ 21

14

학교 기출

전체집합 U의 임의의 두 부분집합 A, B에 대하여 다음 중 집합 $(A-B^C)^C$과 같은 집합은?

① $A\cup B^C$ ② $A^C\cap B$ ③ $A\cap B$
④ $A^C\cup B^C$ ⑤ $A^C\cap B^C$

15

학교 기출

집합 $A=\{1, 2, 3, 4\}$이고, $(A\cup B)-(A\cap B)=\{3, 4, 5, 6\}$일 때, 집합 B를 구하시오.

16 빈출

학교 기출

전체집합 $U=\{1, 2, 3, \cdots, 10\}$의 두 부분집합 A, B에 대하여 $A=\{1, 2, 3, 4\}$, $(A\cup B)\cap(A^C\cup B^C)=\{2, 4, 5, 6\}$일 때, 집합 B의 모든 원소의 합은?

① 15 ② 16 ③ 17
④ 18 ⑤ 19

17 빈출

학교 기출

전체집합 U의 두 부분집합 A, B가 서로소일 때, 다음 중 $(A\cup B)\cap(B\cap A^C)$과 같은 집합은?

① A ② A^C ③ B
④ $A\cap B$ ⑤ $A\cup B$

18

학교 기출

전체집합 U의 두 부분집합

$A=\{1, 2, 3, 4\}$, $B=\{3, 4, 5\}$

에 대하여 집합 $A\cap(A^C\cup B)$의 모든 원소의 합을 구하시오.

19 빈출

학교 기출

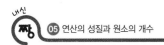

전체집합 U의 두 부분집합 A, B에 대하여 $A\cap B=A$일 때, 〈보기〉에서 옳은 것만을 있는 대로 고른 것은?

보 기

ㄱ. $A\subset B$ ㄴ. $A\cup B=B$

ㄷ. $A\cap B^C=\varnothing$ ㄹ. $A^C\subset B^C$

① ㄱ, ㄴ ② ㄱ, ㄴ, ㄷ ③ ㄱ, ㄷ, ㄹ

④ ㄴ, ㄷ, ㄹ ⑤ ㄱ, ㄴ, ㄷ, ㄹ

20 (up)

학교 기출

전체집합 U의 공집합이 아닌 서로 다른 두 부분집합 A, B에 대하여

$$\{(A\cup B)\cap(A-B)^C\}\cup A=B$$

가 성립할 때, 다음 중 옳은 것은?

① $A\subset B$ ② $B\subset A$ ③ $A\cap B=\varnothing$

④ $A\cap B^C=U$ ⑤ $A\cup B^C=\varnothing$

21 (up) 빈출

학교 기출

100 이하의 자연수 중에서 5의 배수이고, 4로 나누었을 때의 나머지가 2가 아닌 자연수의 개수는?

① 10 ② 15 ③ 20

④ 25 ⑤ 30

22 빈출

학교 기출

100명의 학생에게 빨간색과 파란색에 대한 선호도를 조사하였다. 그 결과 빨간색을 좋아하는 학생이 67명, 파란색을 좋아하는 학생이 58명, 둘 다 싫어하는 학생이 11명이었다. 둘 다 좋아하는 학생은 몇 명인가?

① 32명 ② 34명 ③ 36명

④ 38명 ⑤ 40명

23

학교 기출

100명의 학생에게 음악, 미술의 선호도를 조사하였더니 음악을 좋아하는 학생이 63명, 미술을 좋아하는 학생이 54명, 음악과 미술 중에서 어느 것도 좋아하지 않는 학생이 18명이었다. 미술만 좋아하는 학생은 몇 명인가?

① 19명 ② 21명 ③ 23명

④ 25명 ⑤ 27명

24 (up) 짱 중요 유형

학교 기출

어떤 반 학생 30명을 대상으로 수영 능력을 조사하였더니 배영을 할 수 있는 학생은 24명, 평영을 할 수 있는 학생은 13명이었다. 배영과 평영을 모두 할 수 있는 학생 수를 x라 할 때, x의 최댓값과 최솟값의 합은?

① 18 ② 19 ③ 20

④ 21 ⑤ 22

25

전체집합 $U=\{1, 2, 3, \cdots, 9, 10\}$의 두 부분집합 A, B에 대하여

$A-B=\{2, 4\}$, $A^C \cap B=\{1, 3, 10\}$,

$A^C \cap B^C=\{5, 7, 9\}$

일 때, $A \cap B$의 모든 원소의 합을 구하시오.

26

전체집합 $U=\{1, 2, 3, 4, 5, 6, 7\}$의 두 부분집합 $A=\{1, 2, 3\}$, $B=\{2, 3, 4, 5\}$에 대하여 집합 P를

$P=(A \cup B) \cap (A \cap B)^C$

이라 하자. $P \subset X \subset U$를 만족시키는 집합 X의 개수를 구하시오.

27

전체집합 U의 두 부분집합 A, B에 대하여 다음 중 옳지 않은 것은?

① $(A \cap B) \cup (A-B)=A$
② $(A \cap B^C) \cup B=A \cup B$
③ $(A \cup B) \cap (A-B)^C=B$
④ $A \cap (A^C \cup B)=A \cup B$
⑤ $(A \cap B^C) \cap (A^C \cap B)=\varnothing$

28

전체집합 U의 두 부분집합 A, B에 대하여 $A \cup B=B$일 때, 다음 중 옳지 않은 것은?

① $A \cap B=A$
② $B^C \subset A^C$
③ $A^C \cup B=U$
④ $A-B=\varnothing$
⑤ $(B \cap A^C) \subset A$

29

두 부분집합 A, B에 대하여 $n(A \cup B)=15$, $n(A \cap B)=4$, $n(A)=7$일 때, $n(B)$의 값을 구하시오.

30

아샘이네 반 학생 중에서 수영을 좋아하는 학생이 23명, 등산을 좋아하는 학생이 28명이다. 수영과 등산을 모두 좋아하는 학생이 12명일 때, 수영 또는 등산을 좋아하는 학생 수는?

① 37 ② 39 ③ 41 ④ 43 ⑤ 45

06 명제와 조건

출제유형분석

이런 문제가 출제된다!

출제 유형	문항번호	짱 중요	난이도	출제가능성
명제와 조건의 뜻과 부정	01, 07		하	★☆☆☆☆
조건과 진리집합	02~03, 08~09, 19		중하	★★☆☆☆
명제의 참, 거짓	04~05, 10~12, 20		중하	★★☆☆☆
'모든', '어떤'이 들어있는 명제		○	중상	★★★★★
'모든', '어떤'이 들어있는 명제의 부정		○	중상	★★★☆☆
명제 $p \longrightarrow q$의 참, 거짓	13~15, 21~22	○	중	★★★★☆
명제와 집합 사이의 관계	06, 16~18, 23~24	○	중상	★★★☆☆

● 짱 중요에 표시된 유형은 「짱 중요한 내신 교재」에서 집중적으로 학습합니다.

이것만은 꼬~옥!

1. 명제와 조건의 뜻을 정확히 이해하여 혼동하지 않아야 한다. 또한 각각의 부정도 같은 의미가 아니므로 확실히 구분하여 이해하자.
2. 조건으로 이루어진 명제는 진리집합을 이용하여 문제를 해결하는 것이 이해하기 쉽다.
3. 조건이 부등식으로 주어진 경우는 두 조건에 해당하는 진리집합을 수직선에 나타내어 포함 관계를 조사한다.

핵심개념 살피기

① 명제: 참, 거짓을 판별할 수 있는 문장이나 식

② 명제와 조건의 부정

(1) 명제의 부정

명제 p에 대하여

① p의 부정 ➡ $\sim p$ (p가 아니다.)

② p: 참 ➡ $\sim p$: 거짓

③ $\sim(\sim p)=p$

(2) 조건의 부정

① '$x>a$'의 부정 ➡ '$x \le a$'

② '$x=a$'의 부정 ➡ '$x \ne a$'

③ '또는'의 부정 ➡ '이고'

④ '이고'의 부정 ➡ '또는'

[참고] 조건: 문자의 값에 따라 참, 거짓이 결정되는 문장이나 식

③ 진리집합

조건이 참이 되게 하는 전체집합 U의 모든 원소들의 집합

[참고] 두 조건 p, q의 진리집합을 각각 P, Q라 할 때,

① $\sim p$의 진리집합 ➡ P^C

② 'p 또는 q'의 진리집합 ➡ $P \cup Q$

③ 'p이고 q'의 진리집합 ➡ $P \cap Q$

④ 명제 $p \longrightarrow q$

두 조건 p, q의 진리집합을 각각 P, Q라 할 때

(1) $P \subset Q$이면 $p \longrightarrow q$는 참

(2) $P \not\subset Q$이면 $p \longrightarrow q$는 거짓

⑤ 명제와 집합의 관계

두 조건 p, q의 진리집합을 각각 P, Q라 할 때

(1) 명제 $p \longrightarrow q$가 참 ➡ $P \subset Q$

(2) $P \subset Q$ ➡ 명제 $p \longrightarrow q$가 참

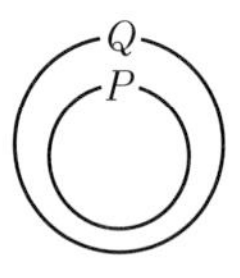

01

다음 중 명제인 것은?

① 보름달은 아름답다.
② $x^2-3x+2=0$
③ $2x>x$
④ 2는 소수가 아니다.
⑤ 0은 작은 수이다.

02

조건 p: $(x-1)(x-3)=0$의 진리집합을 P라 할 때, 집합 P의 모든 원소의 합은?

① 1 ② 2 ③ 3
④ 4 ⑤ 5

03

전체집합 $U=\{1, 2, 3, 4, 5\}$에 대하여 조건

p: $x+2<5$

의 진리집합의 모든 원소의 합을 구하시오.

04

다음 <보기> 중 참인 명제의 개수는?

보 기

ㄱ. 3은 6의 배수이다.
ㄴ. $x^2=1$이면 $x=1$이다.
ㄷ. 자연수는 유리수이다.
ㄹ. $\varnothing\subset\{0, 1\}$
ㅁ. a, b가 무리수이면 $a+b$도 무리수이다.

① 1 ② 2 ③ 3
④ 4 ⑤ 5

05 빈출

다음 중 참인 명제는?

① $x^2=4$이면 $x=2$이다.
② 실수 x에 대하여 $x<1$이면 $x^2\leq1$이다.
③ 두 실수 x, y에 대하여 $x^2=y^2$이면 $x=y$이다.
④ 자연수 m, n에 대하여 $m+n$이 짝수이면 m과 n은 짝수이다.
⑤ 두 실수 x, y에 대하여 $|x|+|y|=0$이면 $x^2+y^2=0$이다.

06

전체집합 U에 대하여 두 조건 p, q의 진리집합을 각각 P, Q라 하자. 명제 $p \longrightarrow q$가 참일 때, 다음 중 항상 옳은 것은?

① $P\cap Q=Q$ ② $P\cup Q=P$
③ $P-Q=\varnothing$ ④ $Q-P=\varnothing$
⑤ $P\cup Q^C=P$

기출문제 맛보기

07

학교 기출

실수 전체의 집합에서 조건 '$-1<x\le 2$'의 부정은?

① $x\le -1$ 또는 $x>2$
② $x<-1$ 또는 $x\ge 2$
③ $x\ge -1$ 또는 $x<2$
④ $-1\le x<2$
⑤ $-2<x\le 1$

08

학교 기출

정수 x에 대한 조건

p: $x(x-11)\ge 0$

에 대하여 조건 $\sim p$의 진리집합의 원소의 개수는?

① 6 ② 7 ③ 8
④ 9 ⑤ 10

09

학교 기출

전체집합 $U=\{0, 1, 2, 3, 4\}$에 대하여 조건 p: $x^2-x>0$의 진리집합은?

① $\varnothing$ ② $\{1\}$ ③ $\{0, 1, 2\}$
④ $\{2, 3, 4\}$ ⑤ $\{1, 2, 3, 4\}$

10

학교 기출

정수 x에 대한 조건

p: $|x|<3$

에 대하여 조건 p가 참이 되게 하는 x의 개수는?

① 1 ② 2 ③ 3
④ 4 ⑤ 5

11

교육청 기출

명제 '$x=a$이면 $x^2-5x-14=0$이다.'가 참이 되도록 하는 양수 a의 값을 구하시오.

12

교육청 기출

명제 '$x>\sqrt{2}$이면 $x\ge\sqrt{6}$이다.'는 거짓이다. 다음 중 이 명제가 거짓임을 보이는 예가 될 수 있는 것은?

① $\frac{1}{2}$ ② $\sqrt{2}$ ③ 2
④ $\sqrt{6}$ ⑤ π

13 빈출

교육청 기출

실수 x에 대하여 두 조건 p, q가 다음과 같다.

p: $(x+2)(x-4)\neq 0$, q: $-2\leq x\leq 4$

다음 중 참인 명제는?

① $p \longrightarrow q$　② $\sim p \longrightarrow \sim q$　③ $q \longrightarrow \sim p$
④ $q \longrightarrow p$　⑤ $\sim p \longrightarrow q$

14 빈출

학교 기출

두 조건 p: $1\leq x\leq 3$, q: $-2\leq x\leq a$에 대하여 명제 $p \longrightarrow q$가 참이 되도록 하는 실수 a의 최솟값은?

① 1　② 2　③ 3
④ 4　⑤ 5

15

교육청 기출

두 조건

p: $x^2\leq 9$, q: $x\leq a$

에 대하여 명제 $p \longrightarrow q$가 참이 되도록 하는 실수 a의 최솟값은?

① 1　② 2　③ 3
④ 4　⑤ 5

16 빈출

학교 기출

전체집합 U에 대하여 두 조건 p, q의 진리집합을 각각 P, Q라 하자. 명제 $p \longrightarrow \sim q$가 참일 때, 다음 중 항상 옳은 것은?

① $P\subset Q$　② $Q\subset P$　③ $Q^C\subset P$
④ $P-Q=P$　⑤ $P\cap Q^C=U$

17

학교 기출

전체집합 $U=\{x\,|\,x$는 10보다 작은 자연수$\}$의 두 부분집합 P, Q는

$P=\{x\,|\,x$는 10의 약수$\}$, $Q=\{x\,|\,x$는 3의 배수$\}$

이다. 두 집합 P, Q가 각각 두 조건 p, q의 진리집합일 때, 다음 명제 중 참인 것은?

① $p \longrightarrow q$　② $q \longrightarrow p$　③ $\sim p \longrightarrow q$
④ $q \longrightarrow \sim p$　⑤ $\sim q \longrightarrow \sim p$

18 빈출

학교 기출

두 조건 p, q의 진리집합을 각각 P, Q라 할 때, $P\cap Q^C=P$가 성립한다고 한다. 다음 중 항상 참인 명제는?

① $p \longrightarrow q$　② $q \longrightarrow p$　③ $\sim p \longrightarrow q$
④ $p \longrightarrow \sim q$　⑤ $\sim p \longrightarrow \sim q$

19

정수 x에 대한 조건

p: $x^2-x-6>0$

에 대하여 조건 $\sim p$의 진리집합의 모든 원소의 합은?

① 1 ② 2 ③ 3 ④ 4 ⑤ 5

20

다음 〈보기〉 중 참인 명제를 있는 대로 고른 것은?

보 기

ㄱ. n이 소수이면 n은 홀수이다.

ㄴ. 두 실수 a, b에 대하여 $a^2+b^2=0$이면 $ab=0$이다.

ㄷ. $2<x<3$이면 $x^2+x-6\le 0$이다.

ㄹ. $(x-2)^2=0$이면 $(x+2)(x-2)=0$이다.

① ㄱ, ㄴ ② ㄷ, ㄹ ③ ㄱ, ㄷ ④ ㄴ, ㄹ ⑤ ㄴ, ㄷ, ㄹ

21

두 조건 p: $x-a=0$, q: $x^2-2x-8=0$에 대하여 명제 $p \longrightarrow q$가 참이 되도록 하는 양수 a의 값을 구하시오.

UP

22

실수 x에 대하여 두 조건 p, q가

p: $|x-2|<2$, q: $5-k<x<k$

일 때, 명제 $p \longrightarrow q$가 참이 되도록 하는 실수 k의 최솟값은?

① 3 ② 4 ③ 5 ④ 6 ⑤ 7

23

두 조건 p, q의 진리집합이 각각 P, Q이고 $P^C\cap Q=Q$일 때, 다음 명제 중 항상 참인 것은?

① $p \longrightarrow q$ ② $q \longrightarrow p$ ③ $p \longrightarrow \sim q$ ④ $\sim q \longrightarrow p$ ⑤ $p \longrightarrow q$이고 $q \longrightarrow p$

24

두 조건 p: $(x-a)(x-b)=0$, q: $x^3-4x=0$의 진리집합을 각각 P, Q라 할 때, $P\subset Q$를 만족시키는 음이 아닌 두 정수 a, b의 합 $a+b$의 값을 구하시오. (단, $a\neq b$)

읽을거리

소수를 이용한 종족보존

우리나라에서 흔히 볼 수 있는 매미는 매년 나타나는 참매미이다. 매미 때문에 짜증이 나고 매미 울음소리는 소음이라 생각하며 매미의 개체 수를 줄여야 한다는 생각을 한 번쯤 해 본 적이 있을 것이다. 그러나 여러 종의 매미 중에서 불쌍한 매미가 있다. 북아메리카에서 17년 주기로 살아가는 17년매미가 그 주인공이다. 17년 주기에는 소수의 원리가 숨어 있다. 17년 매미는 왜 그렇게 긴 시간 동안 땅속에서 지내는 걸까? 그리고 왜 하필 16, 18년이 아닌 17년 동안 사는 걸까?

17년매미의 애벌레는 17년마다 흙을 뚫고 나와 짝짓기를 한다. 만일 매미가 16년 혹은 18년 또는 그 사이의 애매한 주기로 짝짓기를 한다면 많은 매미가 종족을 번식하지 못하는 일이 생긴다. 예를 들어 매미가 8년마다 한 번씩 땅에서 나온다고 하면 8은 1, 2, 4, 8로 나눌 수 있으므로 1년, 2년, 4년, 8년을 생존 주기로 하는 다른 동물들의 공격을 받을 수 있기 때문이다. 매미가 다른 동물과 생존 주기가 겹쳐지지 않으려면 어떤 수가 유리할까?

표를 보면 17이 들어간 경우에 최소공배수 값이 커진다는 사실을 알 수 있다. 그 이유는 바로 17이 소수이기 때문이다. 소수를 포함한 두 수의 최소공배수는 약수가 많은 수보다 최소공배수가 커진다. 따라서 매미의 주기가 길어져 다른 동물들의 공격을 받을 확률도 적어지게 된다. 짝짓기 횟수가 많을수록, 시기가 자주 돌아올수록 매미에게 위기가 온다는 사실을 생각할 때 17은 매미가 살아남을 수 있는 특별한 숫자이다. 이러한 이유로 어둠 속에서 17년을 기다려온 매미의 삶을 생각해보면 매미의 시끄러운 소리를 참는 데 조금은 도움이 되지 않을까?

두 수	최소공배수
14와 15	210
14와 16	112
14와 17	238
14와 18	126
15와 16	240
15와 17	255
15와 18	90
16과 17	272
16과 18	144
16과 18	306

명제 사이의 관계

출제유형분석

이런 문제가 출제된다!

출제 유형	문항번호	짱 중요	난이도	출제가능성
명제의 역과 참이 되기 위한 조건	01, 13		중하	★☆☆☆☆
명제의 대우와 참이 되기 위한 조건	02~05, 14~15, 17, 25		중	★★★★☆
삼단논법	06~07, 16, 26		중하	★☆☆☆☆
삼단논법과 진리집합		○	중	★★★★☆
충분조건과 필요조건	08~09, 18~19, 27		중하	★★★★☆
필요충분조건	10, 20, 28	○	중	★★★☆☆
충분조건과 필요조건이 되는 상수 구하기	11~12, 21~23, 29~30	○	중	★★★★★
충분조건, 필요조건과 진리집합	24	○	중	★★★☆☆
충분조건, 필요조건과 삼단논법		○	중	★☆☆☆☆

● 짱 중요에 표시된 유형은 「짱 중요한 내신 교재」에서 집중적으로 학습합니다.

이것만은 꼬~옥!

1. 명제가 참(또는 거짓)이면 대우가 참(또는 거짓)이고, 대우가 참(또는 거짓)이면 명제가 참(또는 거짓)인 성질을 간단히 이용하는 문제가 반드시 출제된다는 생각으로 공부해 두자.
2. 충분조건과 필요조건에 관한 문제는 화살표를 잘 이용하면 문제 해결에 도움이 된다.
3. 충분조건과 필요조건에 관한 문제는 진리집합의 포함 관계를 이용하는 것도 좋은 방법이다.

핵심개념 살피기

❶ 명제의 역과 대우

(1) 명제의 역과 대우 : 명제 $p \longrightarrow q$에 대하여

① 역: $q \longrightarrow p$

② 대우: $\sim q \longrightarrow \sim p$

(2) 명제의 대우의 참과 거짓

① 명제 $p \longrightarrow q$가 참이면 그 대우 $\sim q \longrightarrow \sim p$도 참이다.

② 명제 $p \longrightarrow q$가 거짓이면 그 대우 $\sim q \longrightarrow \sim p$도 거짓이다.

[참고]

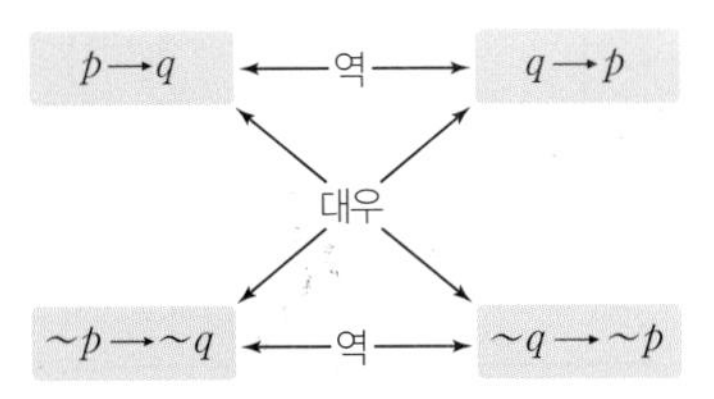

❷ 삼단논법

삼단논법: 세 조건 p, q, r에 대하여 '$p \Longrightarrow q$이고 $q \Longrightarrow r$'이면 '$p \Longrightarrow r$'이다. 즉, 세 조건 p, q, r의 진리집합을 각각 P, Q, R라 할 때, '$P \subset Q$이고 $Q \subset R$'이면 '$P \subset R$'이다.

[참고] 명제를 이용하여 논리적 참, 거짓을 확인하는 문제는 명제의 '대우', '삼단논법' 등을 이용하여 해결한다.

❸ 충분조건과 필요조건

(1) 명제 $p \longrightarrow q$가 참일 때, 즉 $p \Longrightarrow q$일 때

① p는 q이기 위한 충분조건

② q는 p이기 위한 필요조건

(2) 명제 $p \longrightarrow q$와 그 역 $q \longrightarrow p$가 모두 참일 때, 즉 $p \Longrightarrow q$이고 $q \Longrightarrow p$일 때, 이것을 기호로 $p \Longleftrightarrow q$와 같이 나타내고 p는 q이기 위한 필요충분조건이라고 한다.

01

다음 명제 중 그 역이 참인 것은?

① $x=2$이면 $x^2=4$이다.
② $x>0$이고 $y>0$이면 $x+y>0$이다.
③ $x^2>y^2$이면 $x>y$이다.
④ $|x|+|y|=0$이면 $x=0$이고 $y=0$이다.
⑤ △ABC가 정삼각형이면 두 내각의 크기가 같다.

02

실수 x에 대하여 명제 '$x=1$이면 $x^2=1$이다.'의 대우는?

① $x=1$이면 $x^2\neq1$이다.
② $x\neq1$이면 $x^2\neq1$이다.
③ $x^2=1$이면 $x=1$이다.
④ $x^2\neq1$이면 $x=1$이다.
⑤ $x^2\neq1$이면 $x\neq1$이다.

03

실수 a에 대하여 명제 '$a\geq\sqrt{3}$이면 $a^2\geq3$이다.'의 대우는?

① $a^2<3$이면 $a>\sqrt{3}$이다.
② $a^2<3$이면 $a<\sqrt{3}$이다.
③ $a^2\leq3$이면 $a\leq\sqrt{3}$이다.
④ $a>\sqrt{3}$이면 $a^2\leq3$이다.
⑤ $a\geq\sqrt{3}$이면 $a^2<3$이다.

04

두 조건 p, q에 대하여 명제 $p \longrightarrow \sim q$가 참일 때, 항상 참인 명제는?

① $p \longrightarrow q$
② $q \longrightarrow p$
③ $\sim p \longrightarrow q$
④ $q \longrightarrow \sim p$
⑤ $\sim q \longrightarrow \sim p$

05 빈출

다음 중 명제의 역, 대우가 모두 참인 것은? (단, x, y는 실수이다.)

① $x<-1$이면 $x^2>1$이다.
② $\frac{x}{y}>1$이면 $x>y$이다.
③ $x^2+y^2=0$이면 $|x|+|y|=0$이다.
④ $xy\neq0$이면 $x\neq0$ 또는 $y\neq0$이다.
⑤ $x\leq0$이고 $y\leq0$이면 $x+y\leq0$이다.

06

세 조건 p, q, r에 대하여 두 명제 $p \longrightarrow \sim q$, $\sim q \longrightarrow r$가 모두 참일 때, 다음 명제 중에서 항상 참인 것은?

① $p \longrightarrow r$
② $\sim q \longrightarrow p$
③ $\sim r \longrightarrow p$
④ $r \longrightarrow p$
⑤ $q \longrightarrow r$

07

조건 p, q, r에 대하여 두 명제 $p \longrightarrow q$, $q \longrightarrow \sim r$가 모두 참일 때, 항상 참인 명제는?

① $q \longrightarrow p$ ② $p \longrightarrow r$ ③ $\sim r \longrightarrow p$
④ $r \longrightarrow \sim p$ ⑤ $\sim q \longrightarrow \sim r$

08

x, y가 실수일 때, 두 조건 p, q에 대하여 p는 q이기 위한 필요조건이지만 충분조건은 아닌 것을 〈보기〉에서 모두 고른 것은? (단, $i=\sqrt{-1}$)

보 기

ㄱ. p: $x=y$ q: $x^2=y^2$
ㄴ. p: $x>0$ q: $x \geq 1$
ㄷ. p: $x+iy=0$ q: $x=0$, $y=0$
ㄹ. p: $x^2+y^2>0$ q: $xy<0$

① ㄱ, ㄴ ② ㄷ, ㄹ ③ ㄱ, ㄹ
④ ㄴ, ㄷ ⑤ ㄴ, ㄹ

09 빈출

다음 중 p가 q이기 위한 충분조건이지만 필요조건이 아닌 것은? (단, x, y는 실수이고, A, B는 집합이다.)

① p: $x^2=1$ q: $x=1$
② p: $x+y=0$ q: $x^2+y^2=0$
③ p: $x<3$ q: $|x|<3$
④ p: $A-B=A$ q: $A \cap B=\varnothing$
⑤ p: $x>0$, $y>0$ q: $xy>0$

10

다음 설명의 (가), (나)에 알맞은 것을 순서대로 적은 것은?

두 실수 x, y에 대하여 '$x=y$'는 '$x^2=y^2$'이기 위한 (가) 조건이고, '$xy=0$'은 '$x=0$ 또는 $y=0$'이기 위한 (나) 조건이다.

① 충분, 필요
② 충분, 필요충분
③ 필요, 충분
④ 필요, 필요충분
⑤ 필요충분, 필요충분

11

실수 x에 대한 두 조건

p: $x^2+2x-a=0$, q: $x-3=0$

에 대하여 p가 q이기 위한 필요조건이 되도록 하는 상수 a의 값을 구하시오.

12

두 조건

p: $x^2-x-2=0$, q: $a<x<a+5$

에 대하여 p가 q이기 위한 충분조건일 때, 정수 a의 값을 구하시오.

기 출 문 제 맛보기

13
교육청 기출

두 조건 p, q의 진리집합이 각각

$P=\{2, 3, a^2\}$, $Q=\{4, a+1\}$

이다. 명제 $p \longrightarrow q$의 역이 참일 때, 실수 a의 값은?

① -2　② -1　③ 0
④ 1　⑤ 2

14 빈출
학교 기출

명제 '$x^2 \neq a$이면 $x \neq 3$이다.'가 참이 되도록 하는 실수 a의 값을 구하시오.

15
학교 기출

명제 $p \longrightarrow q$가 참일 때, 조건 p의 진리집합 P와 조건 q의 진리집합 Q 사이의 포함 관계로 옳은 것은?

① $Q \subset P$　② $Q^C \subset P^C$　③ $Q \subset P^C$
④ $Q^C \subset P$　⑤ $Q=P^C$

16 빈출
학교 기출

두 명제 $p \longrightarrow \sim r$와 $\sim q \longrightarrow r$가 참일 때, 다음 〈보기〉 중 항상 참인 명제를 모두 고른 것은?

보 기

ㄱ. $r \longrightarrow \sim p$　ㄴ. $r \longrightarrow \sim q$
ㄷ. $\sim q \longrightarrow \sim p$

① ㄱ　② ㄱ, ㄴ　③ ㄱ, ㄷ
④ ㄴ, ㄷ　⑤ ㄱ, ㄴ, ㄷ

UP 짱중요 유형

17
교육청 기출

전체집합 U에 대하여 세 조건 p, q, r의 진리집합 P, Q, R의 포함 관계를 벤다이어그램으로 나타내면 오른쪽 그림과 같을 때, 다음 명제 중 항상 참인 것은?

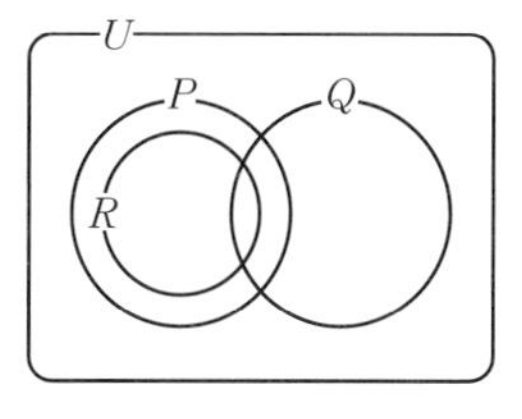

① $p \longrightarrow q$　② $q \longrightarrow r$　③ $r \longrightarrow \sim q$
④ $\sim r \longrightarrow \sim p$　⑤ $\sim p \longrightarrow \sim r$

18
교육청 기출

정수 x에 대하여 조건 p가 조건 q이기 위한 필요조건이지만 충분조건이 아닌 것만을 〈보기〉에서 모두 고른 것은?

보 기

ㄱ. p: $x=2$　q: $x^2+x-6=0$
ㄴ. p: x는 16의 양의 약수　q: x는 8의 양의 약수
ㄷ. p: $x^2-1=0$　q: $|x|=1$

① ㄱ　② ㄴ　③ ㄷ
④ ㄱ, ㄷ　⑤ ㄴ, ㄷ

19 빈출

학교 기출

x, y가 실수일 때, 다음 〈보기〉의 두 조건 p, q에 대하여 p가 q이기 위한 필요조건이지만 충분조건이 아닌 것을 모두 고른 것은?

보 기

ㄱ. p: $x+y=0$ q: $x^2+y^2=0$
ㄴ. p: $|x|+|y|=0$ q: $xy=0$
ㄷ. p: $x^2+y^2=0$ q: $|x|+|y|=0$

① ㄱ ② ㄴ ③ ㄷ
④ ㄱ, ㄴ ⑤ ㄱ, ㄴ, ㄷ

20 빈출

학교 기출

두 실수 a, b가 모두 0이기 위한 필요충분조건인 것만을 〈보기〉에서 있는 대로 고른 것은?

보 기

ㄱ. $ab=0$ ㄴ. $a+b=0$
ㄷ. $a^2+b^2=0$ ㄹ. $|a|+|b|=0$

① ㄱ ② ㄴ ③ ㄴ, ㄷ
④ ㄷ, ㄹ ⑤ ㄱ, ㄴ, ㄷ

21 빈출

교육청 기출

실수 x에 대한 두 조건 p, q를 각각

p: $(x-3)(x-7)\le 0$, q: $x\le k$

라 할 때, p가 q이기 위한 충분조건이 되도록 하는 상수 k의 최솟값은?

① 3 ② 5 ③ 7
④ 9 ⑤ 11

22

학교 기출

두 조건 p: $x\ge 1$, q: $a\le x\le 3$이 있다. p는 q이기 위한 필요조건일 때, 상수 a의 값의 범위는?

① $a\le 1$ ② $1\le a\le 3$ ③ $a\ge 1$
④ $2\le a\le 3$ ⑤ $a\le 3$

23

교육청 기출

두 조건

p: $(x-2)^2=a$, q: $x=5$ 또는 $x=b$

에 대하여 p는 q이기 위한 필요충분조건일 때, 두 상수 a, b의 합 $a+b$의 값은?

① 8 ② 9 ③ 10
④ 11 ⑤ 12

up 짱중요 유형

24

학교 기출

두 조건 p, q의 진리집합을 각각

$P=\{x|x\ge a\}$,

$Q=\{x|-1\le x\le 2$ 또는 $x\ge 4\}$

라고 하자. p가 q이기 위한 필요조건일 때, 상수 a의 최댓값을 구하시오.

예상문제 점검하기

25

전체집합 U에서 두 조건 p, q를 만족하는 원소 전체의 집합을 각각 P, Q라고 하자. $Q \subset P$일 때, 항상 참인 명제는? (단, $P \neq Q$, $Q \neq \varnothing$)

① $p \longrightarrow q$　② $p \longrightarrow \sim q$　③ $q \longrightarrow \sim p$
④ $\sim q \longrightarrow p$　⑤ $\sim p \longrightarrow \sim q$

26

세 조건 p, q, r에 대하여 두 명제 $p \longrightarrow q$, $r \longrightarrow \sim q$가 모두 참일 때, 다음 명제 중 항상 참인 것은?

① $\sim p \longrightarrow \sim q$　② $q \longrightarrow r$　③ $r \longrightarrow \sim p$
④ $\sim r \longrightarrow q$　⑤ $\sim r \longrightarrow \sim p$

27

a, b, c가 실수일 때, p가 q이기 위한 필요조건이지만 충분조건은 아닌 것을 〈보기〉에서 모두 고른 것은?

보기

ㄱ. p: $a>0$　　q: $a^2>0$
ㄴ. p: $ac=bc$　　q: $a=b$
ㄷ. p: $a \neq 0$ 또는 $b \neq 0$　　q: $a^2+b^2>0$

① ㄱ　② ㄴ　③ ㄷ
④ ㄱ, ㄷ　⑤ ㄴ, ㄷ

28

0이 아닌 두 실수 x, y에 대하여 세 조건 p, q, r가 다음과 같다.

p: $x<0$, $y>0$
q: $xy<0$
r : $|xy|=-xy$

p는 q이기 위한 (가) 이고 q는 r이기 위한 (나) 일 때, (가), (나)에 알맞은 것을 차례대로 나열한 것은?

① 충분조건, 충분조건
② 충분조건, 필요조건
③ 충분조건, 필요충분조건
④ 필요조건, 충분조건
⑤ 필요조건, 필요충분조건

29

$-1 \leq x < 3$이기 위한 충분조건이 $-a<x<a$이고, 필요조건이 $-b \leq x < b$일 때, a의 최댓값과 b의 최솟값의 합을 구하시오. (단, a, b는 양수이다.)

30

실수 x에 대한 두 조건

p: $|x-1| \leq 3$, q: $|x| \leq a$

에 대하여 p가 q이기 위한 충분조건이 되도록 하는 자연수 a의 최솟값을 구하시오.

명제의 증명과 절대부등식

출제유형분석

➔ 이런 문제가 출제된다!

출제 유형	문항번호	짱 중요	난이도	출제가능성
대우를 이용하는 명제의 증명	01, 07~08, 19	○	중	★★★☆☆
귀류법을 이용하는 명제의 증명	09~10	○	중	★★★☆☆
기본적인 절대부등식	02~03, 11~12, 20		중하	★★★☆☆
절대부등식의 증명	04, 13~14, 21	○	중	★★★☆☆
산술평균과 기하평균의 관계 응용	05~06, 15~18, 22~23	○	중	★★★★☆
코시-슈바르츠 부등식의 응용		○	중상	★★☆☆☆
판별식의 활용		○	상	★★☆☆☆

● 짱 중요에 표시된 유형은 「짱 중요한 내신 교재」에서 집중적으로 학습합니다.

➔ 이것만은 꼬~옥!

1. 증명과정에서 □ 채우기 문제가 많이 출제된다. 이 유형은 많은 연습을 통해서 자신감을 갖는 것이 중요하다.
2. 학교 시험은 주로 교과서에 나오는 증명을 그대로 출제하거나 아주 약간 변형해서 출제하는 경우가 많다.
3. 산술평균과 기하평균의 관계를 이용하는 유형은 다양한 난이도로 출제된다. 좀 어려운 유형은 '짱 중요'에서 학습하자.

핵심개념 살피기

❶ 정의, 증명, 정리의 뜻

(1) 정의: (수학에 나오는) 어떤 용어의 뜻을 명확하게 정한 문장

(2) 증명: 어떤 명제가 참임을 밝히는 것

(3) 정리: (수학적으로) 증명된 명제 중에서 여러 성질들을 증명할 때 기본이 되는 명제

❷ 대우를 이용하는 증명: 명제 $p \longrightarrow q$가 참임을 증명할 때, 그 명제의 대우 $\sim q \longrightarrow \sim p$가 참임을 보여도 된다.

$\sim q \longrightarrow \sim p$: 참 ➡ $p \longrightarrow q$: 참

❸ 귀류법: 명제 p가 참임을 증명할 때, 그 명제 또는 그 명제의 결론을 부정하면 모순이 생긴다는 것을 보여도 된다. 이와 같이 증명하는 것을 귀류법이라고 한다.

❹ 부등식의 기본 성질

임의의 세 실수 a, b, c에 대하여

① $a>b$, $b>c$이면 $a>c$

② $a>b$이면 $a+c>b+c$, $a-c>b-c$

③ $a>b$, $c>0$이면 $ac>bc$, $\frac{a}{c}>\frac{b}{c}$

④ $a>b$, $c<0$이면 $ac<bc$, $\frac{a}{c}<\frac{b}{c}$

❺ 절대부등식: 문자를 포함한 부등식에서 그 문자에 어떤 실수를 대입하여도 항상 성립하는 부등식

❻ 여러 가지 절대부등식

(1) $|a|+|b|\geq|a+b|$, $|a|-|b|\leq|a-b|$

(2) 산술평균과 기하평균: $a>0$, $b>0$일 때,

$$\frac{a+b}{2}\geq\sqrt{ab} \text{ (단, 등호는 } a=b\text{일 때 성립)}$$

01

명제 '$x+y$가 홀수이면 x 또는 y가 홀수이다.'가 참임을 증명하는 대신에 증명해도 되는 명제는?

① $x+y$가 짝수이면 x와 y도 짝수이다.
② x 또는 y가 홀수이면 $x+y$도 홀수이다.
③ x와 y가 모두 짝수이면 $x+y$도 짝수이다.
④ x와 y 중에서 적어도 하나가 짝수이면 $x+y$도 짝수이다.
⑤ $x+y$가 짝수이면 x와 y 중에서 적어도 하나가 짝수이다.

02

$a>b$, $c\neq0$일 때, 다음 중 항상 옳은 것은?

① $a^2>b^2$　② $\frac{1}{a}>\frac{1}{b}$　③ $a+c>b+c$
④ $ac>bc$　⑤ $\frac{a}{c}>\frac{b}{c}$

03

다음 〈보기〉에서 절대부등식의 개수는? (단, x, y는 실수이다.)

보 기

ㄱ. $x^2\geq0$　ㄴ. $|x+1|>0$
ㄷ. $x+1>x-1$　ㄹ. $x+y\geq x-y$
ㅁ. $|x|+|y|\geq|x+y|$

① 1　② 2　③ 3
④ 4　⑤ 5

04

다음은 두 실수 a, b에 대하여

$$a^2+ab+b^2\geq0$$

임을 증명한 것이다.

증 명

$a^2+ab+b^2=\left(a+\frac{b}{2}\right)^2+$ (가)

$\left(a+\frac{b}{2}\right)^2\geq0$, (가) ≥0이므로 $a^2+ab+b^2\geq0$이다.

이 부등식에서 등호는 (나) 일 때 성립한다.

위의 증명에서 (나)에 알맞은 것은?

① $a=b$　② $a=-b$　③ $a=b=0$
④ $ab\geq0$　⑤ $ab\leq0$

05

두 양수 a, b에 대하여 $a+b\geq2\sqrt{ab}$임을 이용하여 다음 식의 최솟값을 구하시오. (단, $x>0$, $y>0$)

(1) $x+\frac{1}{x}$

(2) $y+\frac{4}{y}$

(3) $\frac{y}{x}+\frac{x}{y}$

06

$x>2$일 때, $x+\frac{9}{x-2}$의 최솟값은?

① 5　② 6　③ 7
④ 8　⑤ 9

기출문제 맛보기

07

학교 기출

다음은 명제 '자연수 n에 대하여 n^2이 3의 배수이면 n이 3의 배수이다.'를 대우를 이용하여 참임을 증명한 것이다.

증명

주어진 명제의 대우는
'자연수 n에 대하여 n이 3의 배수가 아니면 n^2도 3의 배수가 아니다.'
이므로 n이 3의 배수가 아니라고 가정하면 $n=3k+1$ 또는 $n=3k+2$ $(k=0, 1, 2, \cdots)$이다.
(i) $n=3k+1$일 때,
$n^2=(3k+1)^2=3(3k^2+2k)+$ (가)
(ii) $n=3k+2$일 때,
$n^2=(3k+2)^2=3(3k^2+4k+1)+$ (나)
(i), (ii)에서 n^2은 3의 배수가 아니다.
따라서 주어진 명제의 대우가 참이므로 주어진 명제도 참이다.

위의 증명에서 (가)+(나)의 값은?

① 1 ② 2 ③ 3
④ 4 ⑤ 5

08

학교 기출

다음은 명제 'a, b가 자연수일 때, ab가 짝수이면 a 또는 b가 짝수이다.'를 증명한 것이다.

증명

주어진 명제의 대우는
'a, b가 자연수일 때, a, b가 모두 홀수이면 ab도 홀수이다.'
이므로 여기서 a, b를
$a=2k+1$, $b=2l+1$ (k, l은 0 또는 자연수)로 놓으면
$ab=(2k+1)(2l+1)=4kl+2k+2l+1$
$=2(2kl+k+l)+1$
$2kl+k+l$은 0 또는 (가) 이므로 ab는 (나) 이다.
따라서 주어진 명제의 대우가 (다) 이므로 주어진 명제도 (다) 이다.

위의 증명에서 (가), (나), (다)에 알맞은 것을 순서대로 적은 것은?

① 짝수, 정수, 참 ② 홀수, 짝수, 거짓
③ 홀수, 홀수, 거짓 ④ 자연수, 짝수, 참
⑤ 자연수, 홀수, 참

09

학교 기출

다음은 명제 '$\sqrt{3}$은 유리수가 아니다.'가 참임을 귀류법을 이용하여 증명하는 과정이다.

증명

결론을 부정하여 $\sqrt{3}$이 유리수라고 가정하면
$\sqrt{3}=\frac{n}{m}$ (m, n은 서로소인 자연수)로 나타낼 수 있다.
양변을 제곱하면 (가) $=n^2$ …… ①
이때, n^2이 3의 배수이므로 n도 3의 배수이다.
$n=3k$ (k는 자연수)라 하면 ①에서
$3m^2=$ (나), 즉 $m^2=$ (다)
이때, m^2이 3의 배수이므로 m도 3의 배수이다.
즉, m, n이 모두 3의 배수이므로 m, n이 서로소라는 가정에 모순이다.
따라서 $\sqrt{3}$은 유리수가 아니다.

위의 (가), (나), (다)에 알맞은 식을 순서대로 적은 것은?

① $3m^2$, k^2, k^2 ② $3m^2$, $3k^2$, $3k$
③ $3m^2$, $9k^2$, $3k^2$ ④ $\sqrt{3}m$, $3k^2$, $3k$
⑤ $\sqrt{3}m$, $9k^2$, $3k^2$

10

학교 기출

다음은 명제 '두 유리수 a, b에 대하여 $a+b\sqrt{2}=0$이면 $a=b=0$이다.'가 참임을 귀류법을 이용하여 증명한 것이다.

증 명

$b\neq0$이라고 가정하면 $a+b\sqrt{2}=0$에서

$\sqrt{2}=-\frac{a}{b}$

이때, $\sqrt{2}$는 (가), $-\frac{a}{b}$는 (나)이다.

즉, (무리수)=(유리수)가 되어 모순이므로 $b=0$

$b=0$을 $a+b\sqrt{2}=0$에 대입하면 $a=$ (다)

따라서 유리수 a, b에 대하여 $a+b\sqrt{2}=0$이면 $a=b=0$이다.

위의 증명에서 (가), (나), (다)에 알맞은 것을 순서대로 적은 것은?

① 무리수, 유리수, 0
② 무리수, 유리수, 1
③ 유리수, 무리수, 0
④ 유리수, 무리수, 1
⑤ 유리수, 유리수, 0

11

교육청 기출

실수 a, b에 대하여 〈보기〉 중 옳은 것을 모두 고르면?

보 기

ㄱ. $a<0$이면 $-a>0$
ㄴ. $a^2+b^2=0$이면 $a=0$, $b=0$
ㄷ. $a>b$이면 $|a|>|b|$
ㄹ. $a-b<0$이고 $ab<0$이면 $a<0$, $b>0$

① ㄱ, ㄴ
② ㄱ, ㄷ
③ ㄱ, ㄴ, ㄹ
④ ㄴ, ㄷ, ㄹ
⑤ ㄱ, ㄴ, ㄷ, ㄹ

12

학교 기출

모든 실수 a, b에 대하여 항상 성립하는 부등식을 〈보기〉에서 있는 대로 고른 것은?

보 기

ㄱ. $|a-b|\geq0$
ㄴ. $|a+b|\leq|a|+|b|$
ㄷ. $|a-b|\leq|a+b|$

① ㄱ
② ㄴ
③ ㄱ, ㄴ
④ ㄱ, ㄷ
⑤ ㄱ, ㄴ, ㄷ

13

학교 기출

다음은 양수 a, b에 대하여 $\frac{a+b}{2}\geq\sqrt{ab}$임을 증명한 것이다.

증 명

$\frac{a+b}{2}-\sqrt{ab}=\frac{(\sqrt{a})^2+(\sqrt{b})^2-2\sqrt{a}\sqrt{b}}{2}=\frac{\text{(가)}}{2}$

그런데 a, b는 모두 양수이므로

$(\sqrt{a}-\sqrt{b})^2$ (나) 0

따라서 $\frac{a+b}{2}-\sqrt{ab}$ (나) 0이므로

$\frac{a+b}{2}\geq\sqrt{ab}$ (단, 등호는 (다) 일 때 성립)

위의 증명에서 (가), (나), (다)에 알맞은 식 또는 부등호를 써넣어라.

14 빈출

학교 기출

다음은 부등식 $|a+b| \le |a|+|b|$가 성립함을 증명한 것이다.

증 명

$(|a|+|b|)^2-|a+b|^2$
$=|a|^2+2|a||b|+|b|^2-$ (가)
$=a^2+2$ (나) $+b^2-(a^2+2ab+b^2)$
$=2($ (나) $-ab)$
그런데 $ab \ge 0$이면
$|ab|-ab=ab-ab=0$
$ab<0$이면
$|ab|-ab=-ab-ab=-2ab>0$
즉, $(|a|+|b|)^2-|a+b|^2$ (다) 0이므로
$(|a|+|b|)^2$ (다) $|a+b|^2$
$|a|+|b| \ge 0$, $|a+b| \ge 0$이므로
$|a+b| \le |a|+|b|$ (단, 등호는 $ab \ge 0$일 때 성립한다.)

위의 증명에서 (가), (나), (다)에 알맞은 것은?

	(가)	(나)	(다)
①	$(a+b)^2$	ab	$\le$
②	$(a+b)^2$	$\lvert ab\rvert$	$\le$
③	$(a+b)^2$	$\lvert ab\rvert$	$\ge$
④	$(a-b)^2$	ab	$\ge$
⑤	$(a-b)^2$	$\lvert ab\rvert$	$\le$

15

학교 기출

$x>2$인 실수 x에 대하여 $x+\dfrac{4}{x-2}+4$는 $x=a$일 때, 최솟값 b를 갖는다. $a+b$의 값은?

① 11 ② 12 ③ 13 ④ 14 ⑤ 15

16 빈출

교육청 기출

$x>1$일 때, $x+1+\dfrac{16}{x-1}$의 최솟값을 구하시오.

17 빈출

학교 기출

$a>0$, $b>0$일 때, $(a+b)\left(\dfrac{1}{a}+\dfrac{1}{b}\right)$의 최솟값은?

① 1 ② 2 ③ 3 ④ 4 ⑤ 5

18

교육청 기출

두 실수 a, b에 대하여 $ab=8$일 때, a^2+4b^2의 최솟값을 구하시오.

19

다음은 명제 '자연수 n에 대하여 n^2이 짝수이면 n도 짝수이다.'를 증명한 것이다.

증 명

주어진 명제의 대우는
'자연수 n에 대하여 n이 홀수이면 n^2도 (가) 이다.'
이므로
$n=2k+$ (나) (k는 0 또는 자연수)로 놓으면
$n^2=2(2k^2+2k)+$ (다)
이므로 n^2도 (가) 이다.
따라서 주어진 명제의 대우가 참이므로 주어진 명제도 참이다.

위의 증명에서 (가), (나), (다)에 알맞은 것을 순서대로 적은 것은?

① 짝수, 2, 2
② 짝수, 2, 1
③ 홀수, 1, 1
④ 홀수, 1, 3
⑤ 홀수, 2, 3

20

세 실수 a, b, c에 대하여 다음 〈보기〉 중 옳은 것을 모두 골라라.

보 기

ㄱ. $|a|\geq a$
ㄴ. $a<b$이면 $a^2<b^2$
ㄷ. $a>b$, $b>c$이면 $a>c$
ㄹ. $a<b<0$이면 $\frac{1}{a}<\frac{1}{b}$

21

다음은 부등식 $|a+b|\geq|a|-|b|$가 성립함을 증명하는 과정이다. (단, a, b는 실수이다.)

증 명

(i) $|a|<|b|$일 때,
$|a+b|>0$, $|a|-|b|$ (가) 0이므로 주어진 부등식이 성립한다.
(ii) $|a|\geq|b|$일 때,
$|a+b|^2-(|a|-|b|)^2=$ (나)
이때, $|ab|\geq-ab$이므로 (나) ≥0
$\therefore |a+b|^2\geq(|a|-|b|)^2$
따라서 $|a+b|\geq0$, (다) 이므로
$|a+b|\geq|a|-|b|$이다.
(i), (ii)에서 $|a+b|\geq|a|-|b|$이다.
(단, 등호는 $|a|\geq|b|$, $ab\leq0$일 때 성립한다.)

위의 (가), (나), (다)에 알맞은 것을 순서대로 적은 것은?

① $>$, $2(ab+|ab|)$, $|a|-|b|\leq0$
② $>$, $2(ab-|ab|)$, $|a|-|b|\geq0$
③ $<$, $2(ab+|ab|)$, $|a|-|b|\leq0$
④ $<$, $2(ab-|ab|)$, $|a|-|b|\geq0$
⑤ $<$, $2(ab+|ab|)$, $|a|-|b|\geq0$

22

$x>3$일 때, $x^2+\frac{49}{x^2-9}$의 최솟값을 구하시오.

UP

23

$a>0$, $b>0$, $c>0$일 때, $\frac{b+c}{a}+\frac{c+a}{b}+\frac{a+b}{c}$의 최솟값을 구하시오.

함수

출제유형분석

이런 문제가 출제된다!

출제 유형	문항번호	짱 중요	난이도	출제가능성
함수의 뜻과 그래프	01, 13~14, 25		하	★★☆☆☆
함숫값과 정의역, 치역	02~04, 15~16, 26~27		중하	★★★☆☆
조건으로 표현된 함수의 해석		○	상	★★★☆☆
서로 같은 함수	05~06, 17~18, 28	○	중	★★★★☆
일대일함수	07~08, 19		중	★☆☆☆☆
일대일대응	09~10, 20~22, 29~30	○	중상	★★★★★
항등함수와 상수함수	11~12, 23~24		중	★★★☆☆
함수의 개수		○	상	★★★★★

● 짱 중요에 표시된 유형은 「짱 중요한 내신 교재」에서 집중적으로 학습합니다.

이것만은 꼬~옥!

1. 함수를 이유 없이 어려워하는 경향이 많다. 함수는 개념 공부를 확실히 하면 의외로 쉬운 단원이다.
2. '서로 같은 함수'와 '일대일대응'의 문항이 많이 출제되므로 각 유형별로 풀이법을 확실히 학습해 두자.
3. 함수 단원에서 상위권 변별력 문항을 많이 출제한다. 어려운 내용은 '짱 중요'에서 공부하자.

① 함수

(1) 두 집합 X, Y에 대하여 X의 각 원소에 Y의 원소가 오직 하나씩 대응할 때, 이 대응 f를 X에서 Y로의 함수라 하고, 기호로 다음과 같이 나타낸다.

$f: X \longrightarrow Y$ 또는 $X \xrightarrow{f} Y$

(2) 집합 X에서 집합 Y로의 함수 f에 대하여

① X: 함수 f의 정의역

② Y: 함수 f의 공역

③ $\{f(x) \mid x \in X\}$: 함수 f의 치역 (치역$\subset$공역)

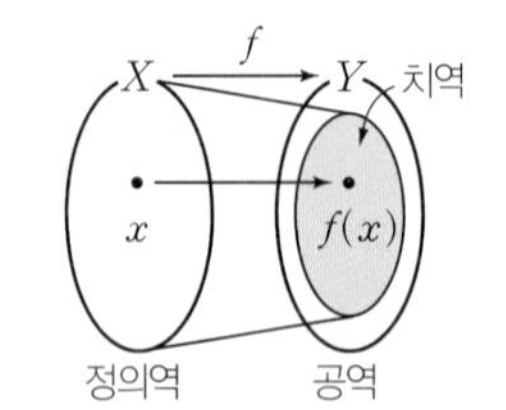

② 서로 같은 함수: 두 함수 f, g가 서로 같은 함수이면

(1) 두 함수 f, g의 정의역과 공역이 각각 같다.

(2) 정의역의 모든 원소 x에 대하여 $f(x)=g(x)$이다.

③ 여러 가지 함수

(1) 일대일함수: 함수 $f: X \longrightarrow Y$에서 X의 두 원소 x_1, x_2에 대하여 $x_1 \neq x_2$이면 $f(x_1) \neq f(x_2)$를 만족시키는 함수

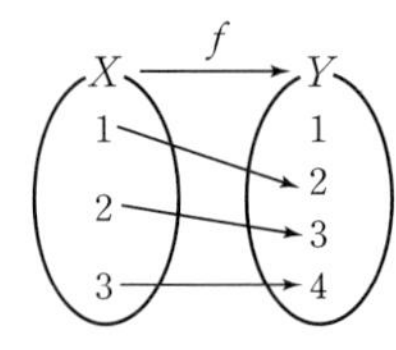

(2) 일대일대응: 함수 $f: X \longrightarrow Y$에서

① 일대일함수

② 치역과 공역이 같다.

를 모두 만족시키는 함수

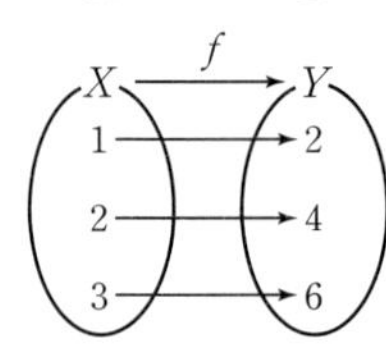

(3) 항등함수: 정의역 X의 각 원소 x에 자기 자신인 x가 대응하는 함수, 즉 $f(x)=x$인 함수

(4) 상수함수: 함수 $f: X \longrightarrow Y$에서 $f(x)=c$ ($c \in Y$, c는 상수)인 함수

정답 및 풀이 22쪽

01

다음 〈보기〉에서 집합 X에서 집합 Y로의 함수인 것을 있는 대로 고른 것은?

보 기

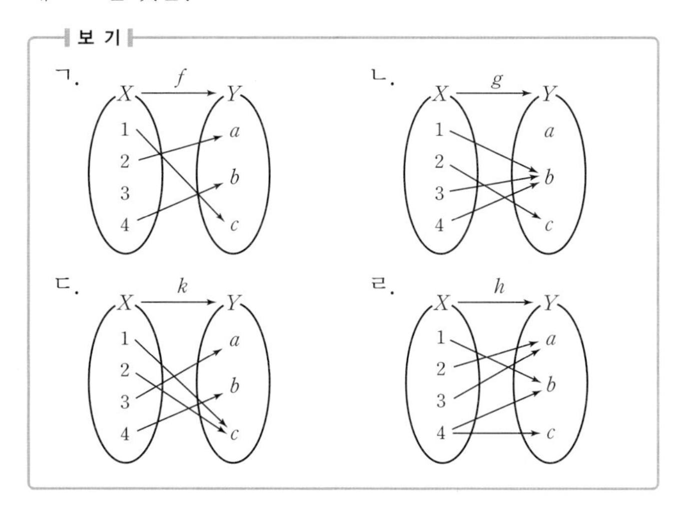

① ㄱ　　② ㄴ　　③ ㄷ
④ ㄴ, ㄷ　　⑤ ㄷ, ㄹ

02

함수 $f(x)=3x+1$에 대하여 $f(2)+f(3)$의 값은?

① 11　　② 13　　③ 15
④ 17　　⑤ 19

03

함수 $f(x)=\begin{cases} x+1 & (x<2) \\ x^2-2 & (x\geq 2) \end{cases}$에 대하여 $f(1)+f(3)$의 값은?

① 1　　② 3　　③ 5
④ 7　　⑤ 9

04

함수 $f: x \longrightarrow -x^2+1$에서 정의역이 $\{-1, 0, 1\}$일 때, 치역의 원소들의 합은?

① -1　　② 0　　③ 1
④ 2　　⑤ 3

05

집합 $X=\{0, 1\}$을 정의역으로 하는 두 함수

$$f(x)=x^2-ax-6,\ g(x)=5x+b$$

에 대하여 $f=g$가 성립할 때, ab의 값을 구하시오.

(단, a, b는 상수이다.)

06 빈출

정의역이 $\{-1, 1\}$인 두 함수

$$f(x)=2x^2+ax+3,\ g(x)=4x+b$$

에 대하여 $f=g$일 때, 두 상수 a, b의 곱 ab의 값을 구하시오.

07

다음 중 일대일함수가 아닌 것은?

① $y=x$ ② $y=-x+1$
③ $y=|x-1|\ (x\geq1)$ ④ $y=x^2-1\ (x\geq-1)$
⑤ $y=\begin{cases} x-1 & (x\geq1) \\ 2x-2 & (x<1) \end{cases}$

08 빈출

실수 전체의 집합에서 정의된 다음 함수 중에서 주어진 조건을 만족시키는 함수는?

> 정의역 X의 임의의 두 원소 x_1, x_2에 대하여 $x_1\neq x_2$이면 $f(x_1)\neq f(x_2)$이다.

① $f(x)=5$ ② $f(x)=-x+2$
③ $f(x)=x^2$ ④ $f(x)=|x+1|$
⑤ $f(x)=x^2-6$

09

다음 〈보기〉의 함수 중 일대일대응을 모두 고른 것은?

> **보 기**
> ㄱ. $f(x)=x$
> ㄴ. $g(x)=|x|$
> ㄷ. $h(x)=x^2$

① ㄱ ② ㄴ ③ ㄱ, ㄴ
④ ㄱ, ㄷ ⑤ ㄱ, ㄴ, ㄷ

10

두 집합 $X=\{x|1\leq x\leq a\}$, $Y=\{y|b\leq y\leq7\}$에 대하여 X에서 Y로의 함수 $f(x)=2x+1$이 일대일대응일 때, $a+b$의 값은?

① 6 ② 7 ③ 8
④ 9 ⑤ 10

11

항등함수 $f(x)=x$, 상수함수 $g(x)=5$에 대하여 다음을 구하시오.

(1) $f(2)$
(2) $g(2)$
(3) $f(3)+g(3)$

12

실수 전체의 집합에서 정의된 두 함수 f, g에 대하여 f는 항등함수이고, $g(x)=5$일 때, $f(5)+g(6)$의 값을 구하시오.

13

학교 기출

다음 중 함수의 그래프가 아닌 것은?

①

② 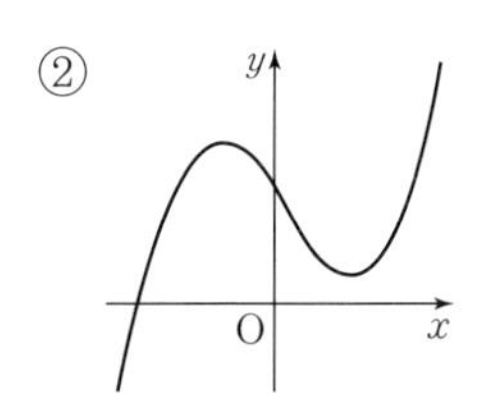

③ 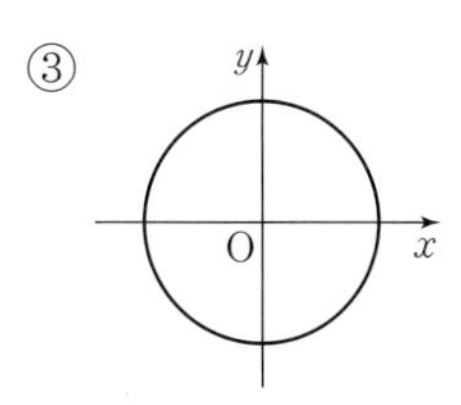

④ 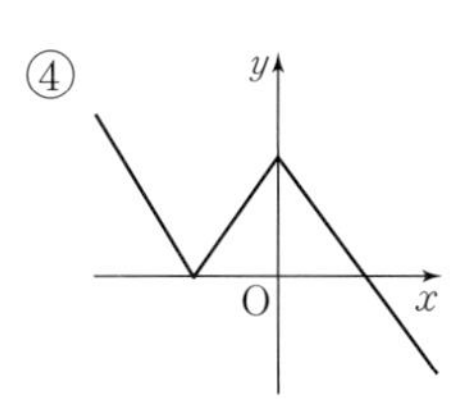

⑤ 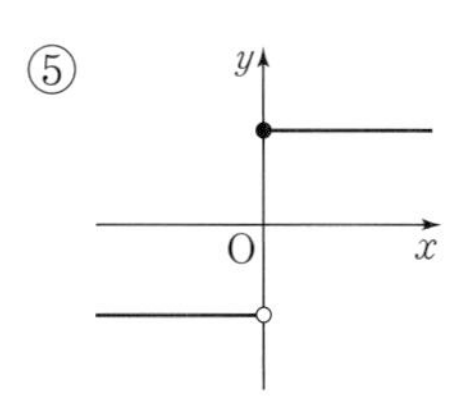

14 빈출

학교 기출

다음 중 두 집합 X, Y에 대하여 $X=\{-1,\ 0,\ 1\}$에서 $Y=\{1,\ 2,\ 3\}$으로의 함수인 것은?

① $f(x)=x+1$
② $f(x)=|x|$
③ $f(x)=x^2$
④ $f(x)=x^3+1$
⑤ $f(x)=\begin{cases} 1\ (x<0) \\ 2\ (x\geq 0) \end{cases}$

15

교육청 기출

실수 전체의 집합에서 정의된 함수 $f(x)$가 $f(x-3)=x^2-5$를 만족시킬 때 $f(2)$의 값을 구하시오.

16 빈출

학교 기출

정의역이 $\{x|0\leq x\leq 2\}$인 함수 $f(x)=ax+b$의 치역이 $\{y|-1\leq y\leq 3\}$이 되도록 하는 두 상수 a, b에 대하여 ab의 값을 구하시오. (단, $a>0$)

17 빈출

학교 기출

정의역이 $X=\{1,\ 2\}$, 공역이 $Y=\{0,\ 1,\ 2,\ 3\}$인 두 함수 $f(x)=x^2-x$, $g(x)=ax+b$에 대하여 $f(x)=g(x)$일 때, $a-b$의 값은? (단, a, b는 상수이다.)

① 2
② 3
③ 4
④ 5
⑤ 6

18

학교 기출

정의역이 $\{-2,\ 0,\ 2\}$인 두 함수

$$f(x)=2x^2+1,\ g(x)=a|x|+b$$

에 대하여 $f=g$가 성립할 때, $a+b$의 값은?

(단, a, b는 상수이다.)

① 1
② 2
③ 3
④ 4
⑤ 5

19

교육청 기출

두 집합 $X=\{1, 2, 3\}$, $Y=\{1, 2, 3, 4\}$에 대하여 집합 X에서 집합 Y로의 일대일함수를 $f(x)$라 하자. $f(2)=4$일 때, $f(1)+f(3)$의 최댓값은?

① 3 ② 4 ③ 5
④ 6 ⑤ 7

20

교육청 기출

두 집합 $X=\{1, 2, 3, 4\}$, $Y=\{5, 6, 7, 8\}$에 대하여 함수 f는 X에서 Y로의 일대일대응이다.

$f(1)=7$, $f(2)-f(3)=3$

일 때, $f(3)+f(4)$의 값은?

① 11 ② 12 ③ 13
④ 14 ⑤ 15

21 빈출

학교 기출

두 집합 $X=\{x|0\leq x\leq 1\}$, $Y=\{y|1\leq y\leq 3\}$에 대하여 X에서 Y로의 함수 $f(x)=ax+b$가 일대일대응일 때, $f\left(\frac{1}{2}\right)$의 값은? (단, $a>0$, b는 상수)

① 2 ② $\frac{5}{2}$ ③ 3
④ $\frac{7}{2}$ ⑤ 4

22

학교 기출

실수 전체의 집합 R에서 R로의 함수 f가

$$f(x)=\begin{cases} 2x+1 & (x\geq 0) \\ (2-a)x+1 & (x<0) \end{cases}$$

로 정의되고 일대일대응일 때, 실수 a의 값의 범위는?

① $a<1$ ② $a<2$ ③ $0<a<1$
④ $1<a<3$ ⑤ $a>5$

23

학교 기출

실수 전체의 집합에서 정의된 두 함수 f, g에 대하여 $y=f(x)$는 항등함수이고, $y=g(x)$는 상수함수이다. $f(2)=g(2)$일 때, $f(3)+g(4)$의 값을 구하시오.

24

교육청 기출

집합 $X=\{2, 3, 6\}$에 대하여 집합 X에서 X로의 일대일대응, 항등함수, 상수함수를 $f(x)$, $g(x)$, $h(x)$라 하자. 세 함수 $f(x)$, $g(x)$, $h(x)$가 다음 조건을 만족시킬 때, $f(3)+h(2)$의 값은?

(가) $f(2)=g(3)=h(6)$
(나) $f(2)f(3)=f(6)$

① 4 ② 5 ③ 6
④ 8 ⑤ 9

25

두 집합 X, Y가 $X=\{x|-1\le x\le 1$인 정수$\}$,
$Y=\{y|-2\le y\le 2\}$인 정수일 때, X에서 Y로의 함수가 아닌 것은?

① $y=2x$ ② $y=2x+1$
③ $y=x^2+1$ ④ $y=2$
⑤ $y=2|x|-1$

26

일차함수 $f(x)=ax+b$에 대하여 $f(1)=-3$, $f(5)=5$일 때, $f(10)$의 값은? (단, a, b는 상수이다.)

① 5 ② 10 ③ 15
④ 20 ⑤ 25

27

두 집합 $X=\{x|x$는 10 이하의 소수$\}$, $Y=\{y|y$는 정수$\}$에 대하여 함수 $f: X \longrightarrow Y$를 $f(x)=\begin{cases} x^2-1 & (x\le 5) \\ x+2 & (x>5) \end{cases}$로 정의할 때, 함수 f의 치역의 모든 원소의 합을 구하시오.

28

집합 $X=\{a, 2\}$를 정의역으로 하는 두 함수
$f(x)=x^2-3x+3$, $g(x)=-2x+b$가 있다. $f=g$가 성립할 때, $a+b$의 값은? (단, $a\ne 2$)

① 1 ② 2 ③ 3
④ 4 ⑤ 5

29

두 집합 $X=\{x|-1\le x\le 1\}$, $Y=\{y|0\le y\le 1\}$에 대하여

$f: X \longrightarrow Y$, $f(x)=ax+b$ $(a>0)$

로 정의되는 함수 f가 일대일대응이 되도록 두 상수 a, b의 값을 정할 때, $16ab$의 값을 구하시오.

30

세 집합 $X=\{1, 2, 3\}$, $Y=\{1, 2\}$, $Z=\{2, 3, 4\}$에 대하여 X에서 Y로의 함수의 개수를 a, X에서 Z로의 일대일대응의 개수를 b라 할 때, $a+b$의 값을 구하시오.

합성함수와 역함수

이런 문제가 출제된다!

출제 유형	문항번호	짱 중요	난이도	출제가능성
합성함수의 정의와 성질	01~05, 13~15, 25		중하	★★★★★
합성함수로 표현된 식에 관한 문제	16, 26	○	중	★★☆☆☆
f^n 꼴의 합성함수 및 여러 가지 응용	17, 27	○	중상	★★★☆☆
합성함수의 그래프		○	상	★★★★☆
역함수의 정의와 성질	06~09, 18~20, 28		중하	★★★★★
역함수 및 조건을 만족하는 함수 구하기	10, 21~22	○	중	★★★★☆
역함수의 존재 조건		○	중	★★★☆☆
합성함수와 역함수	11~12, 23~24, 29		중하	★★★★☆
역함수의 그래프	30	○	중상	★★★★☆

● 짱 중요에 표시된 유형은 「짱 중요한 내신 교재」에서 집중적으로 학습합니다.

이것만은 꼬~옥!

1. 일단 합성함수 구하기, 역함수 구하기부터 확실히 이해하고 다른 유형에 도전하도록 하자.
2. 교과서 수준을 벗어나서 아주 다양한 유형의 문제들이 출제되는 내용이므로 각 유형별로 많은 문제를 풀어 보자.
3. 역함수가 존재하려면 일대일대응이어야 함을 이해하고 문제에 적용하는 연습을 하자.

핵심개념 살피기

❶ 합성함수

두 함수 $f: X \longrightarrow Y$, $g: Y \longrightarrow Z$에 대하여 집합 X의 각 원소 x에 집합 Z의 원소 $g(f(x))$를 대응시키는 함수를 f와 g의 합성함수라 하고 기호로 $g \circ f$와 같이 나타낸다.

$$g \circ f: X \longrightarrow Y,\ (g \circ f)(x) = g(f(x))$$

❷ 합성함수의 성질

(1) 교환법칙이 성립하지 않는다. ➡ $f \circ g \neq g \circ f$

(2) 결합법칙이 성립한다. ➡ $f \circ (g \circ h) = (f \circ g) \circ h$

❸ 역함수의 정의

함수 $f: X \longrightarrow Y$, $y=f(x)$가 일대일대응일 때, 함수 f의 역함수 f^{-1}가 존재한다.

$$f^{-1}: Y \longrightarrow X,\ x = f^{-1}(y)$$

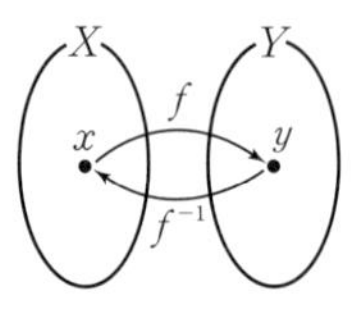

❹ 역함수 구하기

(1) 함수 $y=f(x)$가 일대일대응인지 확인한다.

(2) $y=f(x)$를 x에 대하여 푼다. 즉, $x=f^{-1}(y)$의 꼴로 고친다.

(3) $x=f^{-1}(y)$에서 x와 y를 서로 바꾸어 $y=f^{-1}(x)$로 나타낸다.

❺ 역함수의 성질

함수 $f: X \longrightarrow Y$가 일대일대응이면 역함수 $f^{-1}: Y \longrightarrow X$가 존재하고

$$f(a)=b \iff f^{-1}(b)=a\ (a \in X,\ b \in Y)$$

❻ 합성함수의 역함수

두 함수 $f: X \longrightarrow Y$, $g: Y \longrightarrow Z$가 일대일대응일 때,

$$(g \circ f)^{-1} = f^{-1} \circ g^{-1}$$

기본문제 다지기

01

그림은 두 함수 $f: X \longrightarrow Y$, $g: Y \longrightarrow Z$를 나타낸 것이다.

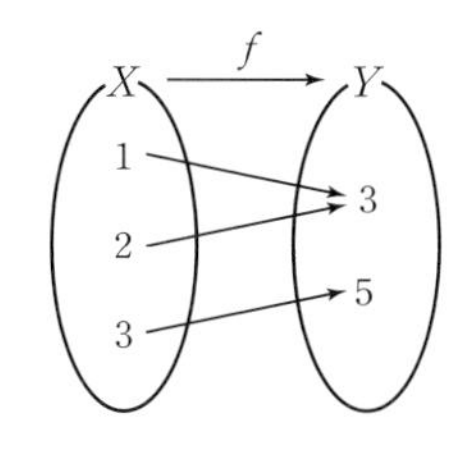

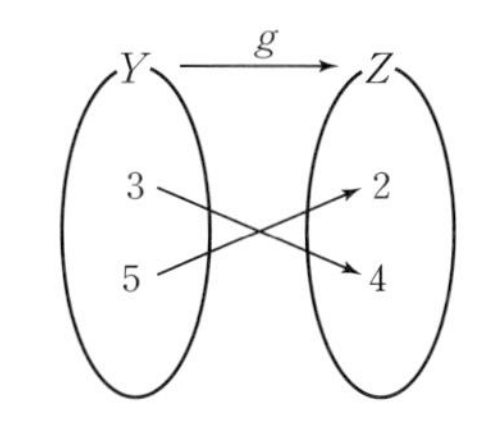

$(g \circ f)(2)$의 값은?

① 1　　② 2　　③ 3
④ 4　　⑤ 5

02

그림은 함수 $f: X \longrightarrow X$를 나타낸 것이다.

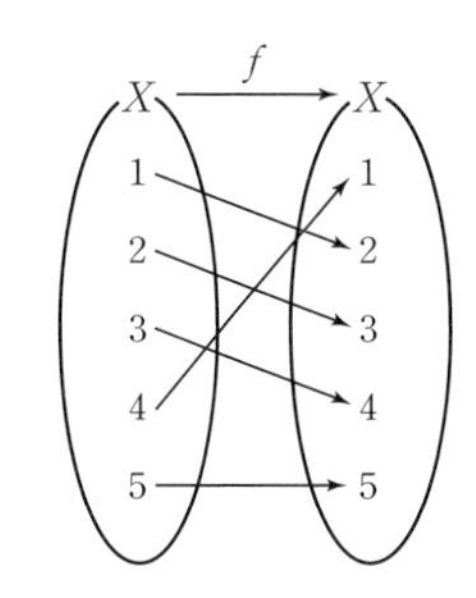

$(f \circ f)(2)$의 값은?

① 5　　② 4　　③ 3
④ 2　　⑤ 1

03

두 함수 $f(x)=x^2+1$, $g(x)=x-1$에 대하여 $(f \circ g)(2)$의 값을 구하시오.

04 빈출

두 함수 $f(x)=x^2-x+4$, $g(x)=3x-1$에 대하여 $(f \circ g)(1)-(g \circ f)(1)$의 값은?

① -5　　② -2　　③ 0
④ 3　　⑤ 6

05

세 함수 f, g, h가 모든 실수 x에 대하여

$$h(x)=3x+2,\ (g \circ f)(x)=x+2$$

를 만족할 때, $((h \circ g) \circ f)(x)=5$를 만족시키는 x의 값은?

① -3　　② -2　　③ -1
④ 0　　⑤ 1

06

그림은 함수 $f: X \longrightarrow Y$를 나타낸 것이다.

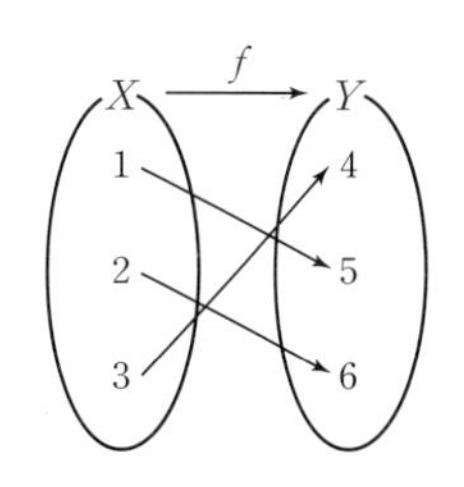

$f^{-1}(4)$의 값은?

① 1　　② 2　　③ 3
④ 4　　⑤ 5

07

그림은 함수 $f: X \longrightarrow Y$, $g: Y \longrightarrow Z$를 나타낸 것이다.

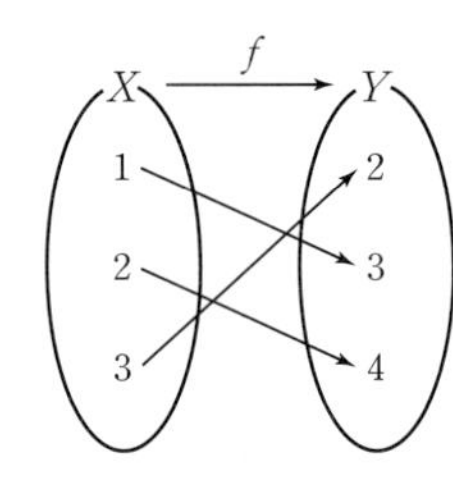

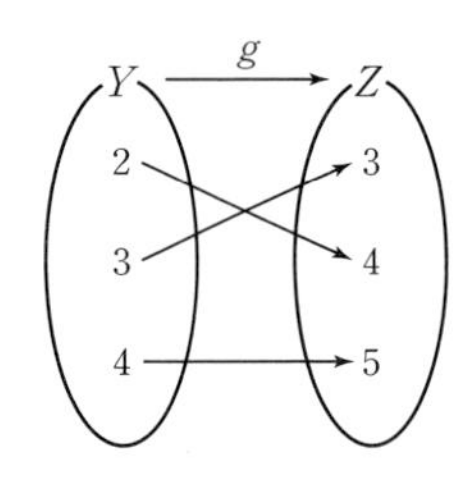

$(g \circ f)(2)+g^{-1}(5)$의 값은?

① 1　② 3　③ 5　④ 7　⑤ 9

08

함수 $f(x)=3x+2$에 대하여 $f^{-1}(-4)$의 값은?

① -4　② -2　③ 0　④ 2　⑤ 4

09 빈출

실수 전체의 집합에서 정의된 함수 $f(x)=ax+b$에 대하여 $f(2)=2$, $f^{-1}(5)=3$일 때, $f(1)$의 값은?

(단, a, b는 상수이다.)

① -1　② -2　③ -3　④ -4　⑤ -5

10

함수 $f(x)=x+4$의 역함수 $y=f^{-1}(x)$는?

① $f^{-1}(x)=x+8$　② $f^{-1}(x)=x+2$　③ $f^{-1}(x)=x-2$　④ $f^{-1}(x)=x-4$　⑤ $f^{-1}(x)=x-8$

11

두 함수 $f(x)=x-5$, $g(x)=2x-2$에 대하여 다음 값을 구하시오.

(1) $f^{-1}(3)$

(2) $(f \circ (g \circ f)^{-1})(4)$

12

일대일대응인 두 함수 f, g에 대하여 $(g \circ f)(x)=2x+3$일 때, $(f^{-1} \circ g^{-1})(7)$의 값은?

① -1　② 0　③ 1　④ 2　⑤ 3

기출문제 맛보기

13

학교 기출

함수 $f(x)=\begin{cases} -x^2-1 & (x\geq 0) \\ -2x-1 & (x<0) \end{cases}$에 대하여 함수 $(f\circ f)(-3)$의 값은?

① -26　② -27　③ -28　④ -29　⑤ -30

14

교육청 기출

함수 $f(x)=3x+1$과 함수 $g(x)$에 대하여 $g(f(1))=f(2)$일 때, $g(4)$의 값은?

① 6　② 7　③ 8　④ 9　⑤ 10

15 빈출

학교 기출

두 함수 $f(x)=3x+4$, $g(x)=2x+k$에 대하여 $f\circ g=g\circ f$가 성립할 때, 상수 k의 값을 구하시오.

16 빈출

학교 기출

함수 $f(x)=2x-1$, $g(x)=-x+3$에서 $(f\circ h)(x)=g(x)$를 만족시키는 함수 $y=h(x)$에 대하여 $h(6)$의 값을 구하시오.

17 빈출

학교 기출

집합 $X=\{1, 2, 3\}$에 대하여 X에서 X로의 함수 f가 그림과 같다.

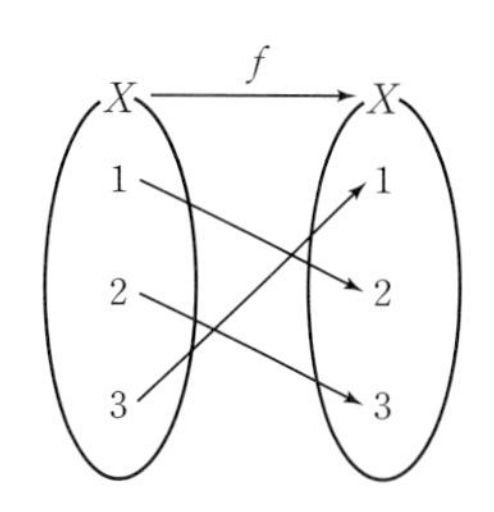

$f^1=f$, $f^{n+1}=f\circ f^n$ $(n=1, 2, 3, \cdots)$으로 정의할 때, $f^{30}(1)+2f^{31}(2)+3f^{32}(3)$의 값은?

① 10　② 11　③ 12　④ 13　⑤ 14

18 빈출

학교 기출

집합 $X=\{1, 2, 3\}$에 대하여 X에서 X로의 두 함수 f, g가 그림과 같을 때, $(f^{-1}\circ g)(2)+(g\circ f^{-1})(2)$의 값은?

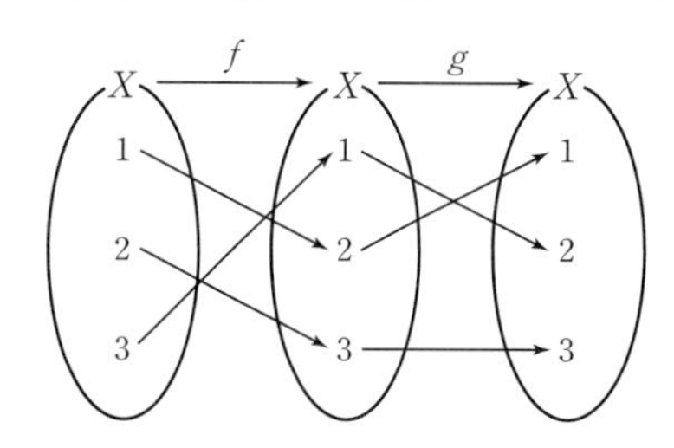

① 2　② 3　③ 4　④ 5　⑤ 6

19

교육청 기출

두 함수

$f(x)=x^3+1,\ g(x)=x-4$

에 대하여 $(g^{-1}\circ f)(-1)$의 값은?

① 1　② 2　③ 3
④ 4　⑤ 5

20

교육청 기출

일차함수 $f(x)=2x+a$에 대하여 $f^{-1}(4)=1,\ f^{-1}(8)=b$일 때, b의 값은?

① 2　② $\frac{5}{2}$　③ 3
④ $\frac{7}{2}$　⑤ 4

21

교육청 기출

두 함수 $f(x)=2x+1,\ g(x)=x-3$에 대하여 $(f\circ g^{-1})(x)=ax+b$라 할 때, 두 상수 $a,\ b$의 곱 ab의 값은?

① 6　② 8　③ 10
④ 12　⑤ 14

UP 22

교육청 기출

일차함수 $f(x)$의 역함수를 $g(x)$라 할 때, 함수 $y=f(2x+3)$의 역함수를 $g(x)$에 대한 식으로 나타내면 $y=ag(x)+b$이다. 두 상수 $a,\ b$에 대하여 $a+b$의 값은?

① $-\frac{5}{2}$　② -2　③ $-\frac{3}{2}$
④ -1　⑤ $-\frac{1}{2}$

23 빈출

학교 기출

두 함수 $f(x)=2x+1,\ g(x)=1-x$에 대하여 $(g^{-1}\circ f)^{-1}(4)$의 값은?

① -5　② -4　③ -3
④ -2　⑤ -1

24 빈출

학교 기출

두 함수 $f(x)=\begin{cases} x^2+3 & (x\geq 0) \\ \frac{1}{2}x+3 & (x<0) \end{cases},\ g(x)=x+2$에 대하여 $(f\circ(f\circ g)^{-1}\circ f)(5)$의 값은?

① 11　② 12　③ 13
④ 14　⑤ 15

25

함수 $f(x)=ax+b$에 대하여 $f(2)=-1$, $(f \circ f)(2)=2$일 때, $a+b$의 값은? (단, a, b는 상수이다.)

① -2 ② -1 ③ 0
④ 1 ⑤ 2

26

두 함수 $f(x)=\frac{1}{2}x+1$, $g(x)=-x^2+5$가 있다. 모든 실수 x에 대하여 함수 $h(x)$가 $(f \circ h)(x)=g(x)$를 만족시킬 때, $h(3)$의 값은?

① -10 ② -5 ③ 0
④ 5 ⑤ 10

27

함수 $f(x)=x+2$에 대하여

$f^1(x)=f(x)$, $f^{n+1}(x)=f(f^n(x))$ $(n=1, 2, 3, \cdots)$

이라 할 때, $f^{10}(3)$의 값을 구하시오.

28

그림은 두 함수 $f: X \longrightarrow Y$, $g: Y \longrightarrow Z$를 나타낸 것이다.

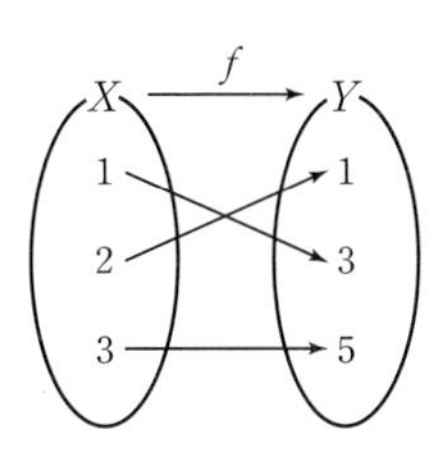

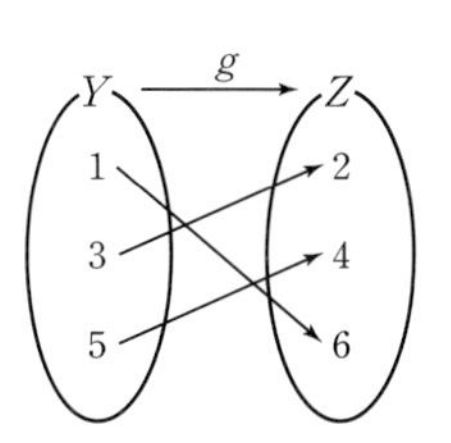

$g^{-1}(6)=a$라 할 때, $(g \circ f)(a)$의 값은?

① 1 ② 2 ③ 3
④ 4 ⑤ 5

29

두 함수 $f(x)=\begin{cases} x^2+2 & (x \geq 0) \\ x+2 & (x<0) \end{cases}$, $g(x)=x-1$에 대하여 $((f^{-1} \circ g)^{-1} \circ f)(-1)$의 값은?

① 1 ② 2 ③ 3
④ 4 ⑤ 5

UP 짱중요 유형

30

함수 $f(x)=ax+b$의 그래프와 그 역함수의 그래프가 모두 점 $(1, -5)$를 지날 때, $f(0)$의 값은? (단, a, b는 상수이다.)

① -1 ② -2 ③ -3
④ -4 ⑤ -5

유리함수

출제유형분석

이런 문제가 출제된다!

출제 유형	문항번호	짱 중요	난이도	출제가능성
유리식	01~02		하	★☆☆☆☆
유리함수의 그래프	03~07, 13~16, 25	○	중하	★★★★★
유리함수의 그래프의 대칭성	08~09, 17~18, 26~27		중하	★★★☆☆
유리함수의 그래프의 평행이동	10~11, 19~20, 28		중	★★★☆☆
유리함수의 최대, 최소	21~22, 29		중하	★★★☆☆
유리함수의 그래프와 직선		○	중상	★★★☆☆
유리함수의 그래프와 도형의 넓이		○	상	★★★★☆
유리함수의 합성함수	12, 23	○	중	★★★☆☆
유리함수의 역함수	24, 30	○	중상	★★★★☆

● 짱 중요에 표시된 유형은 「짱 중요한 내신 교재」에서 집중적으로 학습합니다.

이것만은 꼬~옥!

1. 교과서에서 유리식 내용을 다루고 있지만 학교 시험에서의 출제 비중은 적다.
2. 유리함수에 관한 문제는 그래프를 정확히 이해하고 그릴 수 있으면 어렵지 않게 해결할 수 있다.
3. 도형의 평행이동에서 공부한 내용을 유리함수 그래프의 평행이동에서 적용할 수 있어야 한다.

1 다항식 A, B, C, D $(B\neq0,\ D\neq0)$에 대하여

① $\dfrac{A}{B}+\dfrac{C}{D}=\dfrac{AD+BC}{BD}$, $\dfrac{A}{B}-\dfrac{C}{D}=\dfrac{AD-BC}{BD}$

② $\dfrac{A}{B}\times\dfrac{C}{D}=\dfrac{A\times C}{B\times D}$, $\dfrac{A}{B}\div\dfrac{C}{D}=\dfrac{A}{B}\times\dfrac{D}{C}$ (단, $C\neq0$)

2 유리함수 $y=\dfrac{k}{x}$ $(k\neq0)$의 그래프

① 정의역, 치역은 모두 0을 제외한 실수 전체의 집합이다.

② 원점에 대하여 대칭인 그래프이다.

③ 직선 $y=x$, $y=-x$에 대하여 대칭인 그래프이다.

④ 점근선은 x축, y축이다.

⑤ $k>0$이면 그래프가 제1, 3사분면에 있고, $k<0$이면 그래프가 제2, 4사분면에 있다.

⑥ $|k|$의 값이 커질수록 원점에서 멀어진다.

3 유리함수 $y=\dfrac{k}{x-p}+q$ $(k\neq0)$의 그래프

① 함수 $y=\dfrac{k}{x}$의 그래프를 x축의 방향으로 p만큼, y축의 방향으로 q만큼 평행이동한 것이다.

② 정의역은 $\{x\,|\,x$는 $x\neq p$인 실수$\}$, 치역은 $\{y\,|\,y$는 $y\neq q$인 실수$\}$이다.

③ 점 $(p,\ q)$에 대하여 대칭인 그래프이다.

④ 점근선은 두 직선 $x=p$, $y=q$이다.

4 유리함수 $y=\dfrac{ax+b}{cx+d}$ $(c\neq0,\ ad\neq bc)$의 그래프

함수 $y=\dfrac{ax+b}{cx+d}$ $(c\neq0,\ ad-bc\neq0)$를 $y=\dfrac{k}{x-p}+q$의 꼴로 변형하여 구한다.

[참고] 함수 $y=\dfrac{ax+b}{cx+d}$ $(ad-bc\neq0,\ c\neq0)$의 점근선

➡ $x=-\dfrac{d}{c}$, $y=\dfrac{a}{c}$

01

다음 식을 간단히 하시오.

(1) $\frac{x}{x-2}-\frac{x}{x+2}$

(2) $\frac{8x^3y}{6a^3b^2}\times\frac{3a^4b^2}{2x^2y^3}$

02

$\frac{x-2}{x^2+3x+2}\times\frac{x^3+x^2-2x}{x^2-3x+2}\div\frac{x^2-x}{x+1}$를 간단히 한 것은?

① $\frac{1}{x}$　② $\frac{1}{x-1}$　③ $\frac{1}{x+1}$

④ $\frac{1}{x-2}$　⑤ $\frac{1}{x+2}$

03

유리함수 $y=-\frac{2}{x}$의 그래프에서 정의역이 $\{x|1\le x\le 4\}$일 때, 치역은 $\{y|a\le y\le b\}$이다. $a+b$의 값은?

① $-\frac{5}{2}$　② -2　③ $-\frac{3}{2}$

④ -1　⑤ $-\frac{1}{2}$

04

유리함수 $y=\frac{5}{x-3}+2$의 그래프에서 점근선의 방정식이 $x=p$, $y=q$일 때, 두 상수 p, q의 합 $p+q$의 값을 구하시오.

05

다음은 유리함수 $y=\frac{3x+1}{x-2}$의 그래프에서 점근선을 구하는 과정이다.

> $y=\frac{3x+1}{x-2}=\frac{3(x-2)+\boxed{\text{(가)}}}{x-2}=\frac{\boxed{\text{(가)}}}{x-2}+3$
> 따라서 점근선의 방정식은
> $x=\boxed{\text{(나)}}$, $y=\boxed{\text{(다)}}$
> 이다.

위의 (가), (나), (다)에 알맞은 수를 p, q, r라 할 때, $p+q+r$의 값은?

① 11　② 12　③ 13

④ 14　⑤ 15

06

다음 함수를 $y=\frac{b}{x+a}+c$ (a, b, c는 상수)의 꼴로 나타내시오.

(1) $y=\frac{x+3}{x-1}$

(2) $y=\frac{-2x+3}{x-1}$

07

유리함수 $y=\frac{-1}{x-p}+q$의 그래프가 그림과 같을 때, pq의 값을 구하시오. (단, p, q는 상수이다.)

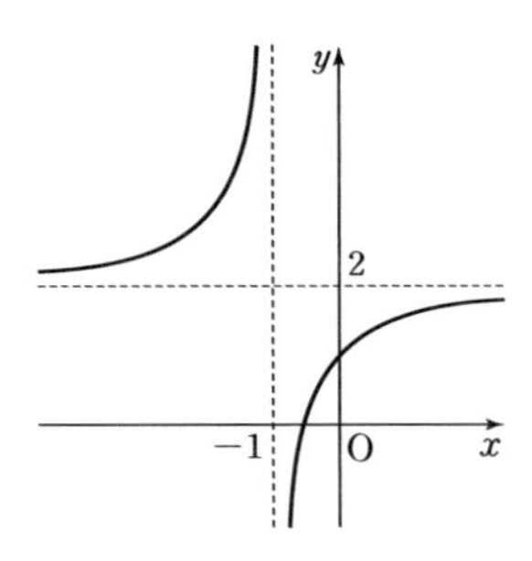

08

다음 중 유리함수 $y=\frac{2}{x}$에 대한 설명으로 옳지 <u>않은</u> 것은?

① 정의역은 실수 전체의 집합이다.
② 점근선의 방정식은 $x=0$, $y=0$이다.
③ 그래프는 제1사분면과 제3사분면을 지난다.
④ 그래프는 원점에 대하여 대칭이다.
⑤ 그래프는 직선 $y=x$에 대하여 대칭이다.

09

분수함수 $y=\frac{1}{x}$의 그래프가 직선 $y=ax$에 대하여 대칭이 되는 상수 a의 값을 모두 구하면?

① -1, 1　② -2, 2　③ -3, 3
④ -4, 4　⑤ -5, 5

10

다음 설명에 알맞은 세 상수 a, b, c에 대하여 $a+b+c$의 값을 구하시오.

> 함수 $y=\frac{5}{x-2}+3$의 그래프는 함수 $y=\frac{a}{x}$의 그래프를 x축의 방향으로 b만큼, y축의 방향으로 c만큼 평행이동한 것이다.

11

유리함수 $y=\frac{3}{x}$의 그래프를 x축의 방향으로 1만큼, y축의 방향으로 -2만큼 평행이동한 그래프가 $y=\frac{ax+b}{x+c}$일 때, $a+b+c$의 값은? (단, a, b, c는 상수이다.)

① 1　② 2　③ 3
④ 4　⑤ 5

12

함수 $f(x)=\frac{x+1}{x-1}$에 대하여 $(f\circ f)(10)$의 값은?

① $\frac{1}{10}$　② $\frac{9}{10}$　③ $\frac{10}{9}$
④ 9　⑤ 10

13

학교 기출

유리함수 $y=\frac{6}{x+3}+5$의 그래프의 점근선의 방정식은 $x=a$, $y=b$이고 y절편은 c이다. $a+b+c$의 값은?

① 3 ② 5 ③ 7
④ 9 ⑤ 11

14 빈출

학교 기출

함수 $f(x)=\frac{2x-1}{x+3}$의 그래프의 점근선은 두 직선 $x=p$, $y=q$이다. 두 상수 p, q의 합 $p+q$의 값은?

① -3 ② -1 ③ 1
④ 3 ⑤ 5

15 빈출

교육청 기출

유리함수 $y=\frac{bx-5}{x+a}$의 그래프의 점근선은 두 직선 $x=-1$, $y=2$일 때, 두 상수 a, b의 합 $a+b$의 값은?

① 1 ② 3 ③ 5
④ 7 ⑤ 9

16 빈출

학교 기출

유리함수 $y=\frac{ax+b}{x+c}$의 그래프가 그림과 같을 때, 세 상수 a, b, c의 합 $a+b+c$의 값은?

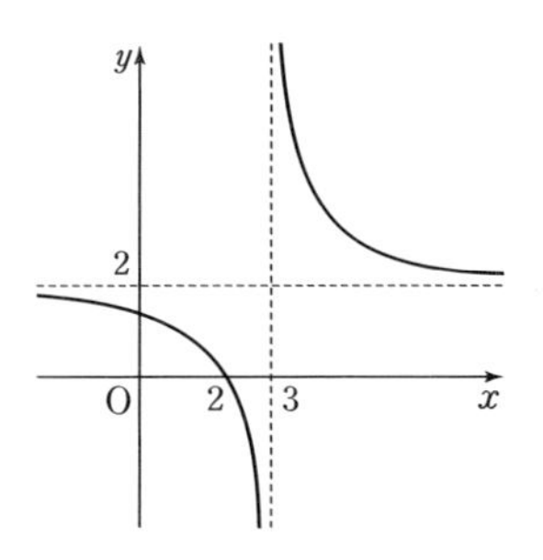

① 1 ② 0 ③ -1
④ -3 ⑤ -5

17

학교 기출

유리함수 $y=\frac{2x+1}{x+1}$의 그래프는 점 (a, b)에 대하여 대칭이다. $a+b$의 값은?

① -2 ② -1 ③ 0
④ 1 ⑤ 2

18

교육청 기출

좌표평면에서 함수 $y=\frac{3}{x-5}+k$의 그래프가 직선 $y=x$에 대하여 대칭일 때, 상수 k의 값은?

① 1 ② 2 ③ 3
④ 4 ⑤ 5

19 빈출

학교 기출

다음 〈보기〉의 함수 중에서 그 그래프를 평행이동하여 함수 $y=\frac{1}{x}$의 그래프와 일치하는 것만을 있는 대로 고른 것은?

보 기

ㄱ. $y=\frac{x+2}{x+1}$ ㄴ. $y=\frac{x}{x-1}$

ㄷ. $y=\frac{1}{1-x}$ ㄹ. $y=\frac{3x-5}{x-2}$

① ㄱ, ㄴ ② ㄱ, ㄷ ③ ㄴ, ㄹ
④ ㄱ, ㄷ, ㄹ ⑤ ㄱ, ㄴ, ㄹ

20 빈출

교육청 기출

분수함수 $y=\frac{2}{x+3}+1$의 그래프를 x축의 방향으로 m만큼, y축의 방향으로 n만큼 평행이동하면 $y=\frac{-2x+6}{x-2}$의 그래프와 일치한다. $m+n$의 값은?

① -4 ② -2 ③ 2
④ 4 ⑤ 6

21

학교 기출

$-1\leq x\leq 1$에서 함수 $y=\frac{3}{x-2}+2$의 최솟값은 a, 최댓값을 b라 할 때, $a-b$의 값은?

① -2 ② -1 ③ 0
④ 1 ⑤ 2

22 빈출

학교 기출

$0\leq x\leq 1$에서 유리함수 $y=\frac{3x+a}{x+1}$의 최댓값이 6일 때, 상수 a의 값을 구하시오.

23 빈출

학교 기출

$x>0$에서 정의된 함수 $f(x)=\frac{x-1}{x}$에 대하여 $f^1=f$, $f^{n+1}=f\circ f^n$ $(n=1, 2, 3, \cdots)$으로 정의할 때, $f^5(2)$의 값은?

① $-\frac{1}{2}$ ② -1 ③ $\frac{1}{2}$
④ 1 ⑤ 2

up 짱중요 유형

24

교육청 기출

함수 $f(x)=\frac{x-1}{x-2}$의 역함수가 $f^{-1}(x)=\frac{ax+b}{x+c}$일 때, 상수 a, b, c의 합 $a+b+c$의 값은?

① -1 ② 0 ③ 1
④ 2 ⑤ 3

25

유리함수 $f(x)=\frac{bx+c}{x+a}$의 그래프가 점 $(1,\ -1)$을 지나고 두 직선 $x=-2$, $y=3$을 점근선으로 가질 때, $a+b-c$의 값을 구하시오. (단, a, b, c는 상수이다.)

26

유리함수 $y=\frac{3x+5}{x-1}$의 그래프에 대한 설명으로 옳은 것만을 〈보기〉에서 있는 대로 고른 것은?

보 기

ㄱ. 점근선의 방정식은 $x=1$, $y=3$이다.
ㄴ. 그래프는 제3사분면을 지난다.
ㄷ. 그래프는 직선 $y=x+3$에 대하여 대칭이다.

① ㄱ　② ㄷ　③ ㄱ, ㄴ
④ ㄴ, ㄷ　⑤ ㄱ, ㄴ, ㄷ

27 빈출

유리함수 $y=\frac{bx+2}{x-a}$의 그래프가 두 직선 $y=x+2$, $y=-x$에 대하여 대칭이라고 한다. 두 상수 a, b의 합 $a+b$의 값은?

① -2　② -1　③ 0
④ 1　⑤ 2

28

유리함수 $y=\frac{2x+5}{x+1}$의 그래프를 x축의 방향으로 a만큼, y축의 방향으로 b만큼 평행이동하면 $y=\frac{k}{x}$의 그래프와 일치한다. $a+b+k$의 값은? (단, k는 상수이다.)

① 1　② 2　③ 3
④ 4　⑤ 5

29

$a\leq x\leq -2$에서 유리함수 $y=\frac{-2x+1}{x+1}$의 최댓값은 -3이고, 최솟값은 b이다. $a+b$의 값은?

① -9　② -5　③ -1
④ 3　⑤ 7

30

분수함수 $f(x)=\frac{3}{x-1}+2$의 역함수를 $y=g(x)$라 할 때, $g(3)$의 값은?

① 2　② 4　③ 6
④ 8　⑤ 10

무리함수

출제유형분석

이런 문제가 출제된다!

출제 유형	문항번호	짱 중요	난이도	출제가능성
무리식의 계산	01~02, 13	○	중	★★☆☆☆
무리함수의 그래프	03~06, 14~17, 25~26	○	중하	★★★★★
무리함수의 그래프의 개형	07, 18	○	중	★★☆☆☆
무리함수의 평행이동과 대칭이동	08~10, 19~20, 27		중하	★★★☆☆
무리함수의 최대, 최소	11, 21, 28		중하	★★☆☆☆
무리함수의 그래프와 직선		○	중상	★★★★★
무리함수의 그래프의 응용	22	○	상	★★★☆☆
무리함수의 합성함수와 역함수	12, 23~24, 29	○	중	★★★★☆
무리함수의 역함수의 그래프	30	○	중상	★★★★★

● 짱 중요에 표시된 유형은 「짱 중요한 내신 교재」에서 집중적으로 학습합니다.

이것만은 꼬~옥!

1. 무리식 문제가 출제되는 학교가 상당히 있는데 쉬운 유형으로 출제되지는 않고 있다.
2. 무리함수의 그래프는 평행이동과 부호를 살펴서 그래프의 시작점과 방향을 찾는 것이 핵심이다.
3. 무리함수를 응용하는 유형은 조건을 이용해서 찾을 수 있는 좌표를 먼저 구해야 한다.

핵심개념 살피기

① 두 다항식 A, $B\,(A\neq B)$에 대하여

$$\frac{1}{\sqrt{A}+\sqrt{B}}=\frac{\sqrt{A}-\sqrt{B}}{(\sqrt{A}+\sqrt{B})(\sqrt{A}+\sqrt{B})}=\frac{\sqrt{A}-\sqrt{B}}{A-B}$$

② 무리함수 $y=\pm\sqrt{ax}$의 그래프

(1) 함수 $y=\sqrt{ax}\ (a\neq0)$의 정의역은 $a>0$일 때 $\{x\mid x\geq0\}$, $a<0$일 때 $\{x\mid x\leq0\}$이고 치역은 $\{y\mid y\geq0\}$

(2) 함수 $y=-\sqrt{ax}\ (a\neq0)$의 정의역은 $a>0$일 때 $\{x\mid x\geq0\}$, $a<0$일 때 $\{x\mid x\leq0\}$이고 치역은 $\{y\mid y\leq0\}$

③ 무리함수의 평행이동: 무리함수 $y=\sqrt{a(x-p)}+q\ (a\neq0)$의 그래프는 함수 $y=\sqrt{ax}$의 그래프를 x축의 방향으로 p만큼, y축의 방향으로 q만큼 평행이동한 것이다.

④ 무리함수의 그래프의 개형

(1) 무리함수 $y=\sqrt{a(x-p)}+q$의 그래프

① $a>0$일 때, 시작점이 $(p,\ q)$이고 제1사분면 방향으로 그린다.

② $a<0$일 때, 시작점이 $(p,\ q)$이고 제2사분면 방향으로 그린다.

(2) 무리함수 $y=-\sqrt{a(x-p)}+q$의 그래프

① $a>0$일 때, 시작점이 $(p,\ q)$이고 제4사분면 방향으로 그린다.

② $a<0$일 때, 시작점이 $(p,\ q)$이고 제3사분면 방향으로 그린다.

⑤ 무리함수의 최대, 최소: 정의역이 $\{x\mid p\leq x\leq q\}$인 함수 $f(x)=\sqrt{ax+b}+c$의 최대, 최소

(1) $a>0$일 때, 최댓값은 $f(q)$, 최솟값은 $f(p)$

(2) $a<0$일 때, 최댓값은 $f(p)$, 최솟값은 $f(q)$

01

다음 식을 간단히 하시오.

(1) $(\sqrt{x+4}+2)(\sqrt{x+4}-2)$

(2) $(\sqrt{x+1}+\sqrt{x})(\sqrt{x+1}-\sqrt{x})$

(3) $\dfrac{\sqrt{x}+1}{\sqrt{x}-1}+\dfrac{\sqrt{x}-1}{\sqrt{x}+1}$

02

$x=8$일 때, $\dfrac{1}{\sqrt{x+1}+\sqrt{x}}+\dfrac{1}{\sqrt{x+1}-\sqrt{x}}$의 값은?

① 5 ② 6 ③ 7
④ 8 ⑤ 9

03

다음 무리함수를 $y=\pm\sqrt{a(x+b)}+c$의 꼴로 나타내시오.

(단, a, b, c는 상수이다.)

(1) $y=\sqrt{2x+4}$

(2) $y=-\sqrt{2x-6}+2$

(3) $y=\sqrt{2-x}-1$

04

무리함수 $y=-\sqrt{2-x}-2$의 정의역이 $\{x|x\leq a\}$, 치역이 $\{y|y\leq b\}$일 때, $a-b$의 값을 구하시오.

05

무리함수 $y=\sqrt{x+1}+k$의 그래프가 점 $(3, 7)$을 지날 때, 상수 k의 값은?

① 1 ② 2 ③ 3
④ 4 ⑤ 5

06 빈출

무리함수 $y=-\sqrt{x-a}+b$의 그래프가 그림과 같을 때, 두 상수 a, b의 합 $a+b$의 값은?

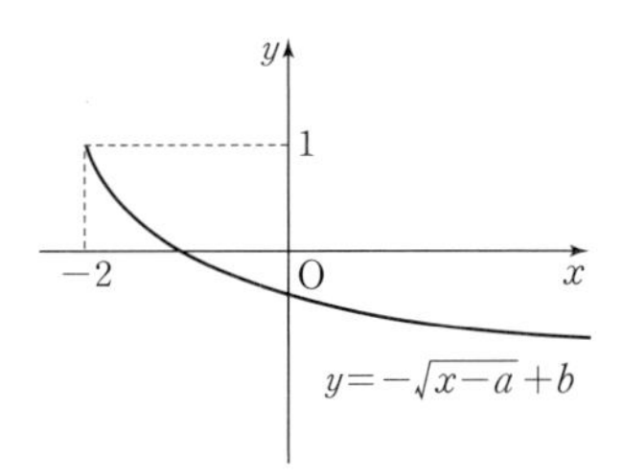

① -2 ② -1 ③ 0
④ 1 ⑤ 2

07

다음 무리함수의 그래프의 개형을 보고 세 상수 a, b, c의 부호를 구하시오.

(1) $y=\sqrt{a(x-b)}+c$

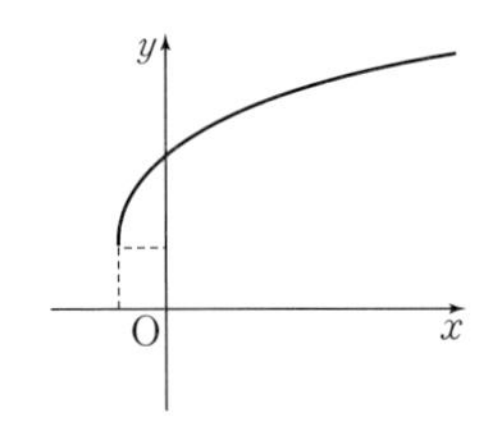

(2) $y=-\sqrt{a(x-b)}+c$

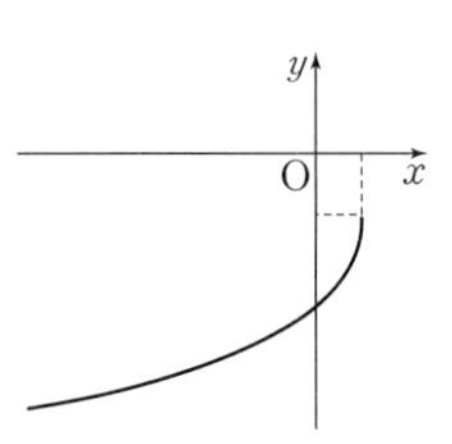

08

다음 중 무리함수 $y=\sqrt{ax}$의 그래프에 대한 설명으로 옳지 않은 것은? (단, a는 상수이다.)

① $a>0$이면 원점과 제1사분면을 지난다.
② $a<0$이면 정의역은 $\{x|x\le 0\}$이다.
③ $a<0$이면 치역은 $\{y|y\le 0\}$이다.
④ $y=-\sqrt{ax}$의 그래프와 x축에 대하여 대칭이다.
⑤ $y=\sqrt{-ax}$의 그래프와 y축에 대하여 대칭이다.

09

무리함수 $y=\sqrt{-x}$의 그래프를 x축의 방향으로 1만큼, y축의 방향으로 2만큼 평행이동하면 $y=\sqrt{-x+a}+b$의 그래프와 일치한다. 두 상수 a, b의 합 $a+b$의 값은?

① 1　② 2　③ 3
④ 4　⑤ 5

10

함수 $y=2\sqrt{x}$의 그래프를 y축의 방향으로 k만큼 평행이동시킨 그래프가 점 (1, 5)를 지난다. 상수 k의 값을 구하시오.

11

$2\le x\le 8$에서 무리함수 $y=-\sqrt{2x}$의 최댓값을 M, 최솟값을 m이라 할 때, $M+m$의 값은?

① -8　② -6　③ -2
④ 2　⑤ 4

12

두 함수 $f(x)=x^2+3$, $g(x)=\sqrt{x-1}$에 대하여 $(g\circ f)(\sqrt{7})$의 값을 구하시오.

기 출 문 제 맛보기

13

학교 기출

$x=\sqrt{5}$일 때, $\dfrac{\sqrt{x+1}-\sqrt{x-1}}{\sqrt{x+1}+\sqrt{x-1}}=a+b\sqrt{5}$를 만족시키는 두 유리수 a, b에 대하여 $a-b$의 값은?

① -1 ② -2 ③ -3
④ -4 ⑤ -5

14

학교 기출

무리함수 $y=-\sqrt{x+3}+2$의 그래프가 지나지 않는 사분면을 모두 구한 것은?

① 제1사분면 ② 제3사분면
③ 제4사분면 ④ 제2사분면, 제3사분면
⑤ 제1사분면, 제4사분면

15 빈출

학교 기출

무리함수 $y=\sqrt{x-2}+b$의 정의역은 $\{x|x\geq a\}$, 치역은 $\{y|y\geq 3\}$이다. 두 상수 a, b에 대하여 $a+b$의 값은?

① 1 ② 2 ③ 3
④ 4 ⑤ 5

16 빈출

학교 기출

함수 $y=\dfrac{1}{x-a}+b$ (a, b는 상수)의 그래프가 오른쪽 그림과 같을 때, 함수 $y=\sqrt{ax+1}+b$의 정의역은 $\{x|x\leq p\}$이고, 치역은 $\{y|y\geq q\}$이다. $p+q$의 값을 구하시오.

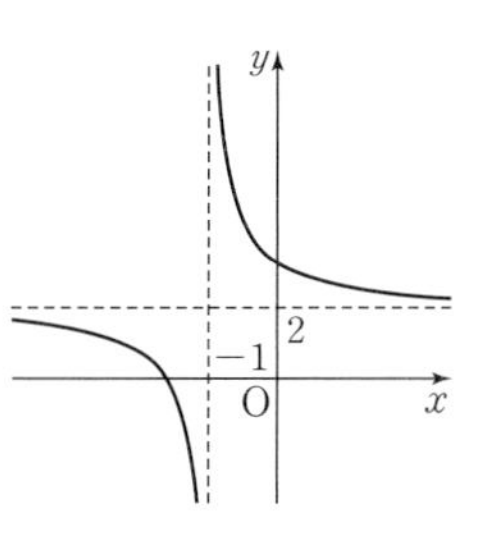

17 빈출

교육청 기출

무리함수 $f(x)=\sqrt{4x+a}+b$의 그래프가 그림과 같다.

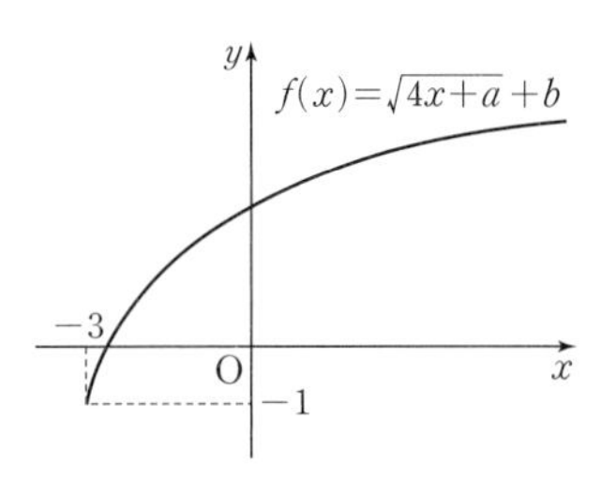

이때, $a+b$의 값을 구하시오. (단, a, b는 실수이다.)

18 빈출

학교 기출

함수 $y=\dfrac{1}{x-a}+b$의 그래프가 오른쪽 그림과 같을 때, 다음 중 함수 $y=\sqrt{ax-1}+b$의 그래프가 지나는 사분면을 모두 적은 것은? (단, a, b는 상수이다.)

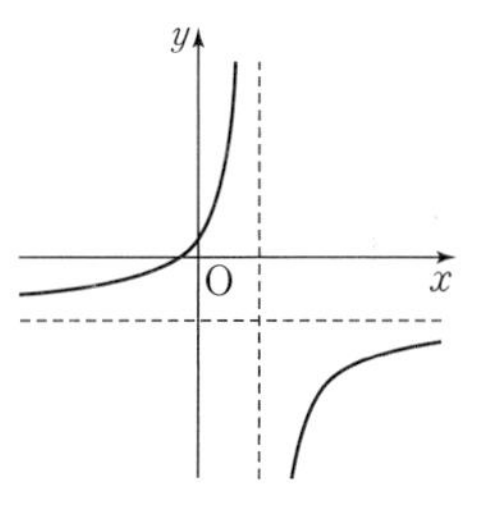

① 제1사분면, 제2사분면
② 제1사분면, 제4사분면
③ 제3사분면, 제4사분면
④ 제1사분면, 제2사분면, 제3사분면
⑤ 제1사분면, 제3사분면, 제4사분면

19

교육청 기출

무리함수 $y=\sqrt{ax}$의 그래프를 x축의 방향으로 1만큼, y축의 방향으로 -2만큼 평행이동한 그래프가 원점을 지난다. 상수 a의 값은?

① -7　② -4　③ -1　④ 2　⑤ 5

20

학교 기출

무리함수 $y=-\sqrt{2x-4}+3$의 그래프는 무리함수 $y=-\sqrt{ax}$의 그래프를 x축의 방향으로 m만큼, y축의 방향으로 n만큼 평행이동한 것이다. $a+m+n$의 값은? (단, a는 상수이다.)

① 6　② 7　③ 8　④ 9　⑤ 10

21

학교 기출

$-1\le x\le 3$에서 무리함수 $y=3-\sqrt{2x+3}$의 최댓값을 M, 최솟값을 m이라 할 때, Mm의 값은?

① -3　② -1　③ 0　④ 1　⑤ 3

짱중요 유형

22

교육청 기출

그림과 같이 직선 $x=\frac{5}{2}$와 곡선 $y=\sqrt{2x+4}$가 만나는 점을 A, 직선 $x=\frac{5}{2}$와 x축이 만나는 점을 B라 할 때, 삼각형 AOB의 넓이는? (단, O는 원점이다.)

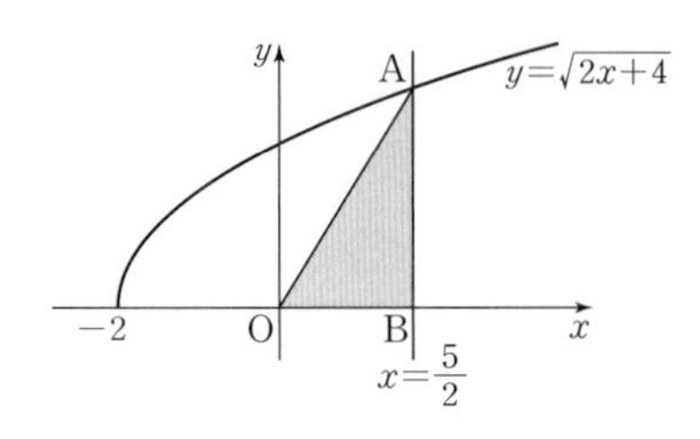

① 3　② $\frac{13}{4}$　③ $\frac{7}{2}$　④ $\frac{15}{4}$　⑤ 4

23

교육청 기출

무리함수 $f(x)=a\sqrt{x+1}+2$에 대하여 $f^{-1}(10)=3$일 때, 상수 a의 값은?

① 1　② 2　③ 3　④ 4　⑤ 5

24

교육청 기출

무리함수 $f(x)=\sqrt{ax+b}$의 역함수를 $g(x)$라 하자. $f(2)=3$, $g(5)=10$일 때, $a+b$의 값은?

(단, a와 b는 상수이다.)

① 7　② 8　③ 9　④ 10　⑤ 11

25 빈출

정의역이 $\{x|-6\le x\le 0\}$인 무리함수 $y=\sqrt{a-2x}+1$의 치역이 $\{y|b\le y\le 5\}$일 때, $a+b$의 값은? (단, a는 상수이다.)

① 4 ② 5 ③ 6 ④ 7 ⑤ 8

26

그림은 무리함수 $y=\sqrt{ax+b}+c$의 그래프이다. 세 상수 a, b, c의 곱 abc의 값은?

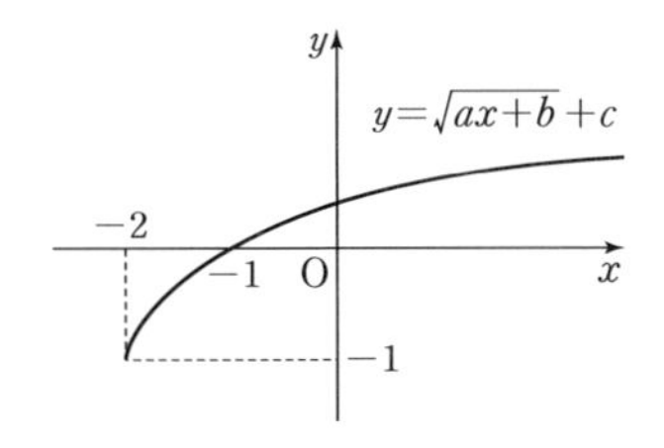

① −4 ② −2 ③ −1 ④ 1 ⑤ 2

27

함수 $y=a\sqrt{x}+4$의 그래프를 x축의 방향으로 m만큼, y축의 방향으로 n만큼 평행이동하였더니 함수 $y=\sqrt{9x-18}$의 그래프와 일치하였다. $a+m+n$의 값은?

(단, a, m, n은 상수이다.)

① 1 ② 2 ③ 3 ④ 4 ⑤ 5

28 빈출

$10\le x\le a$일 때, 무리함수 $y=\sqrt{2x-4}-3$의 최댓값은 5, 최솟값은 m이다. $a+m$의 값을 구하시오.

29 빈출

1보다 큰 실수 전체의 집합에서 정의된 함수 $f(x)=\dfrac{x+1}{x-1}$, $g(x)=\sqrt{2x-1}$에 대하여 $(f\circ(g\circ f)^{-1}\circ f)(3)$의 값은?

(단, f^{-1}는 f의 역함수)

① $\dfrac{1}{2}$ ② $\dfrac{3}{2}$ ③ $\dfrac{5}{2}$ ④ $\dfrac{7}{2}$ ⑤ $\dfrac{9}{2}$

up 짱중요 유형

30

점 (2, 3)이 무리함수 $f(x)=\sqrt{ax+b}$의 그래프와 그 역함수 $y=f^{-1}(x)$의 그래프의 교점일 때, 두 상수 a, b의 합 $a+b$의 값은?

① 8 ② 10 ③ 12 ④ 14 ⑤ 16

경우의 수

출제유형분석

이런 문제가 출제된다!

출제 유형	문항번호	짱 중요	난이도	출제가능성
합의 법칙을 이용하는 경우의 수	01~04, 13~15, 25	○	중	★★★★☆
방정식 또는 부등식을 만족하는 순서쌍의 개수	05, 16~17, 26	○	중	★★★☆☆
곱의 법칙을 이용하는 경우의 수	06~08, 18~20, 27	○	중	★★★★☆
수형도를 이용하는 경우의 수		○	중	★☆☆☆☆
도로망에서의 경우의 수	09, 21, 28		중하	★★☆☆☆
전개식에서 항의 개수 구하기	10, 22		하	★★☆☆☆
약수의 개수, 약수의 총합 구하기	11, 23, 29	○	중	★★☆☆☆
지불 방법과 지불 금액의 경우의 수	12, 24		중하	★☆☆☆☆
색칠하는 방법의 수	30	○	중상	★★★★★

● 짱 중요에 표시된 유형은 「짱 중요한 내신 교재」에서 집중적으로 학습합니다.

이것만은 꼬~옥!

1. 기본적으로 합의 법칙이나 곱의 법칙을 이용하는 문제들이 출제되는데 자주 출제되는 유형별로 충분히 연습하자.
2. 전체적으로 쉬운 유형부터 아주 까다로운 유형까지 다양하게 출제되는 내용이다.
3. 복잡하고, 까다로운 문제의 경우는 각 경우로 분리해서 각각의 경우의 수를 구한 후에 합의 법칙이나 곱의 법칙을 적용한다.

핵심개념 살피기

❶ 합의 법칙: 두 사건 A, B가 동시에 일어나지 않을 때, 사건 A와 사건 B가 일어나는 경우의 수가 각각 m, n이면 사건 A 또는 사건 B가 일어나는 경우의 수는 ➡ $m+n$

[참고] 두 사건 A, B가 동시에 일어날 때, 사건 A가 일어나는 경우의 수가 m, 사건 B가 일어나는 경우의 수가 n이고 두 사건 A, B가 동시에 일어나는 경우의 수가 l이면 사건 A 또는 사건 B가 일어나는 경우의 수는 ➡ $m+n-l$

❷ 방정식 또는 부등식을 만족하는 순서쌍의 개수

① 문제의 조건에 맞도록 $ax+by+cz=d$ 꼴의 방정식을 세운다.

② ①의 식에 x, y, z의 계수의 절댓값이 큰 것부터 수를 대입하여 방정식을 만족시키는 x, y, z의 순서쌍 (x, y, z)를 찾는다. 이때, x, y, z의 조건에 주의한다.

❸ 곱의 법칙: 사건 A가 일어나는 경우의 수가 m, 그 각각에 대하여 사건 B가 일어나는 경우의 수가 n일 때, 두 사건 A, B가 동시에 일어나는 경우의 수는 ➡ $m\times n$

❹ 곱의 법칙과 합의 법칙: 사건 A가 일어나는 경우의 수가 $a\times b$, 사건 B가 일어나는 경우의 수가 $c\times d$일 때, 사건 A 또는 사건 B가 일어나는 경우의 수는

➡ $(a\times b)+(c\times d)$

❺ 여사건의 경우의 수

(사건 A가 일어나지 않는 경우의 수)

=(전체 경우의 수)−(사건 A가 일어나는 경우의 수)

❻ 약수의 개수: 자연수 n이 $n=a^pb^qc^r$ (a, b, c는 서로 다른 소수)과 같이 소인수분해될 때 약수의 개수는

➡ $(p+1)(q+1)(r+1)$

정답 및 풀이 32쪽

01

두 사건 A, B가 일어나는 경우의 수를 각각 $n(A)$, $n(B)$라 할 때, 다음을 구하시오.

(1) $n(A)=5$, $n(B)=7$, $n(A\cap B)=0$일 때, $n(A\cup B)$
(2) $n(A)=8$, $n(B)=12$, $n(A\cap B)=6$일 때, $n(A\cup B)$

02

사건 A가 일어날 경우의 수가 4이고, 사건 B가 일어날 경우의 수가 5일 때, 다음을 구하시오.

(1) 두 사건 A, B가 동시에 일어나지 않을 때, 사건 A 또는 사건 B가 일어날 경우의 수
(2) 두 사건 A, B가 동시에 일어나는 경우의 수가 2일 때, 사건 A 또는 사건 B가 일어날 경우의 수

03

한 개의 주사위를 던지는 시행에서 2 이하의 눈이 나오는 사건을 A, 4 이상의 눈이 나오는 사건을 B라 할 때, 사건 A 또는 사건 B가 일어날 경우의 수는?

① 3 ② 4 ③ 5
④ 6 ⑤ 7

04

서로 다른 두 개의 주사위를 던질 때, 나오는 눈의 수의 합이 5 이하인 경우의 수는?

① 8 ② 9 ③ 10
④ 11 ⑤ 12

05

방정식 $x+y=7$을 만족하는 자연수 x, y의 순서쌍 (x, y)의 개수는?

① 2 ② 4 ③ 6
④ 8 ⑤ 10

06

사건 A가 일어날 경우의 수가 5, 사건 B가 일어날 경우의 수가 3일 때, 두 사건 A, B가 동시에 일어나는 경우의 수를 구하시오.

07

십의 자리의 숫자가 홀수인 두 자리 자연수 중 짝수의 개수를 구하시오.

08

두 집합 $A=\{1, 2, 3, 4, 5\}$, $B=\{0, 1, 2, 3\}$에 대하여 $a\in A$, $b\in B$일 때, ab의 값이 홀수가 되도록 하는 a, b의 순서쌍 (a, b)의 개수는?

① 3 ② 6 ③ 9
④ 12 ⑤ 15

09

그림과 같은 도로망에서 A도시에서 C도시로 가는 모든 방법의 수는? (단, 같은 지점은 한 번만 지난다.)

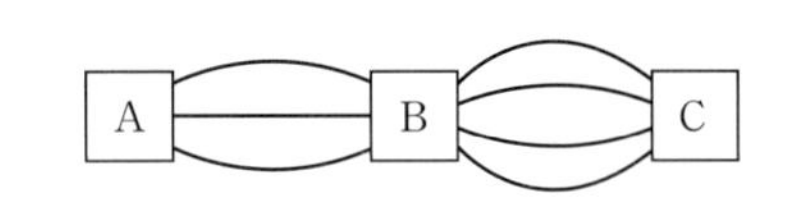

① 4 ② 7 ③ 10
④ 12 ⑤ 15

10

다항식 $(a+b+c)(d+e)$를 전개할 때 생기는 서로 다른 항의 개수는?

① 4 ② 5 ③ 6
④ 7 ⑤ 8

11

$2^3\times5^2$의 양의 약수의 개수는?

① 6 ② 10 ③ 12
④ 15 ⑤ 20

12 빈출

100원짜리 동전 3개, 1000원짜리 지폐 2장, 10000원짜리 지폐 4장이 있다. 이들의 일부 또는 전부를 사용하여 지불할 수 있는 금액의 수는? (단, 0원을 지불하는 것은 제외한다.)

① 23 ② 32 ③ 41
④ 50 ⑤ 59

기출문제 맛보기

13 빈출

학교 기출

크기가 다른 두 개의 주사위를 동시에 던질 때, 나오는 눈의 합이 3 또는 6이 되는 경우의 수는?

① 6 ② 7 ③ 8
④ 9 ⑤ 10

14

학교 기출

60 이하의 양의 정수 중에서 3의 배수도 아니고, 5의 배수도 아닌 정수의 개수는?

① 24 ② 28 ③ 32
④ 36 ⑤ 40

15

교육청 기출

오른쪽 정육면체에서 임의의 세 꼭짓점을 택하여 삼각형을 만들 때, 그림과 같은 정삼각형과 합동인 삼각형을 만들 수 있는 방법의 수는?

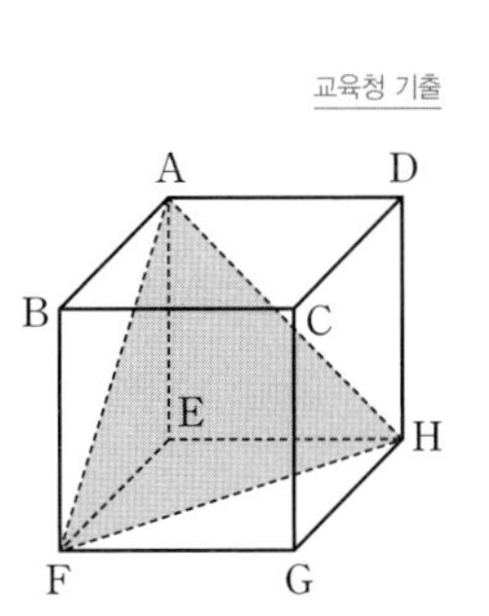

① 4 ② 6
③ 8 ④ 12
⑤ 24

16 빈출

학교 기출

부등식 $3x+y\le 10$을 만족시키는 자연수 x, y의 순서쌍 (x, y)의 개수를 구하시오.

17

학교 기출

방정식 $x+2y+3z=10$을 만족시키는 자연수 x, y, z의 순서쌍 (x, y, z)의 개수는?

① 1 ② 2 ③ 3
④ 4 ⑤ 5

18

교육청 기출

세 주사위 A, B, C를 동시에 던질 때, 나오는 눈의 수의 곱이 짝수인 경우의 수를 구하시오.

19

교육청 기출

각 자리의 수가 서로 다른 세 자리 자연수를 작은 수부터 차례로 나열할 때, 150번째에 나열되는 수를 구하시오.

20

교육청 기출

그림과 같이 1행에는 A, B, C, D의 문자가 하나씩 적힌 카드를 배열하고 2행에는 a, b, c, d의 문자가 하나씩 적힌 카드를 배열한다. A가 적힌 카드와 a가 적힌 카드가 같은 열에 배열되지 않도록 하는 방법의 수를 구하시오.

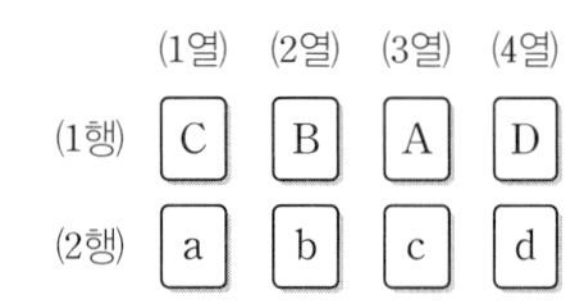

21 빈출

학교 기출

그림과 같은 도로망에서 A도시에서 D도시로 가는 모든 방법의 수는? (단, 같은 지점은 한 번만 지난다.)

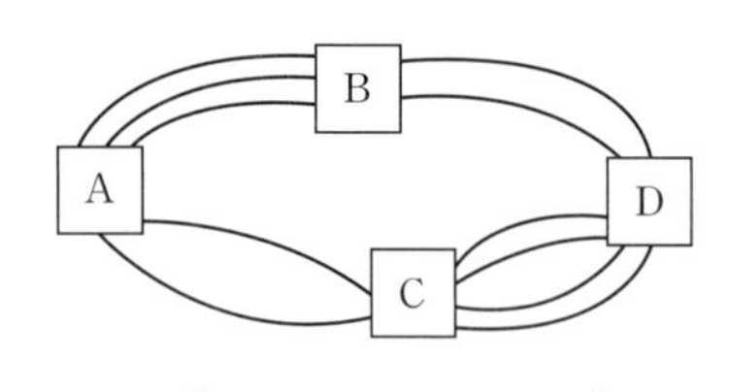

① 8 ② 10 ③ 12
④ 14 ⑤ 16

22 빈출

학교 기출

다항식 $(x+y)(a+b+c)(p+q)$를 전개할 때 생기는 서로 다른 항의 개수는?

① 10 ② 12 ③ 14
④ 16 ⑤ 18

23 빈출

학교 기출

480의 양의 약수의 개수는?

① 12 ② 16 ③ 20
④ 24 ⑤ 28

24

학교 기출

1000원짜리, 5000원짜리, 10000원짜리 지폐가 각각 3장씩 있다. 이 지폐의 일부 또는 전부를 사용하여 지불할 수 있는 금액의 수는? (단, 0원을 지불하는 경우는 제외한다.)

① 27 ② 39 ③ 46
④ 54 ⑤ 69

예상문제 점검하기

25

두 집합 $A=\{1, 2, 3, 4\}$, $B=\{5, 6\}$일 때, 함수 $f: B \to A$ 중에서 $f(5)<f(6)$을 만족하는 함수의 개수는?

① 2 ② 4 ③ 6
④ 8 ⑤ 10

26

다음 부등식 $3<a\le b<10$을 만족시키는 순서쌍 (a, b)의 개수는? (단, a, b는 자연수이다.)

① 21 ② 22 ③ 23
④ 24 ⑤ 25

27

집합 S_1, S_2, S_3은 다음과 같다.

$S_1=\{1, 2\}$
$S_2=\{1, 2, 3, 4\}$
$S_3=\{1, 2, 3, 4, 5, 6\}$

집합 S_1에서 한 개의 원소를 선택하여 백의 자리의 수, 집합 S_2에서 한 개의 원소를 선택하여 십의 자리의 수, 집합 S_3에서 한 개의 원소를 선택하여 일의 자리의 수로 하는 세 자리의 수를 만들 때, 각 자리의 수가 모두 다른 세 자리의 수의 개수는?

① 8 ② 12 ③ 16
④ 20 ⑤ 24

28

그림과 같이 A지점에서 B지점으로 직접 가는 길은 4가지, B지점에서 C지점으로 직접 가는 길은 3가지, A지점에서 C지점으로 직접 가는 길은 3가지가 있다. 이때, A지점에서 C지점으로 가는 경우의 수를 구하시오. (단, 같은 지점을 두 번 지나지 않는다.)

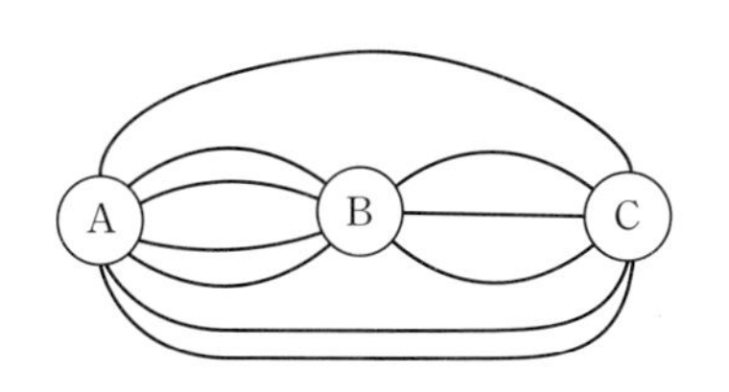

29

540의 양의 약수의 개수를 m, 그중 3의 배수의 개수를 n이라 할 때, $m-n$의 값은?

① 2 ② 4 ③ 6
④ 8 ⑤ 10

up 짱 중요 유형

30

오른쪽 그림의 4개 부분을 서로 다른 4가지 색으로 칠하려고 한다. 같은 색을 여러 번 사용할 수 있으나 이웃하는 두 부분은 서로 다른 색으로 칠하는 방법의 수는?

① 24 ② 32 ③ 40
④ 48 ⑤ 56

순열

출제유형분석

이런 문제가 출제된다!

출제 유형	문항번호	짱 중요	난이도	출제가능성
${}_n\mathrm{P}_r$의 계산	01~03, 13~14		중하	★☆☆☆☆
순열을 이용한 경우의 수	04~06, 15~16, 25	○	중	★★★☆☆
이웃하는 조건이 있는 순열의 수	07~09, 17~20, 26~27	○	중	★★★★☆
특정한 조건이 주어진 순열의 수	10, 21~22, 28~29	○	중	★★★★☆
'적어도~'의 조건이 있는 순열의 수		○	중	★★☆☆☆
순열을 이용한 정수의 개수	11~12, 23~24, 30	○	중	★★★★☆
사전식 배열에 의한 경우의 수		○	중	★★☆☆☆

● 짱 중요에 표시된 유형은 「짱 중요한 내신 교재」에서 집중적으로 학습합니다.

이것만은 꼬~옥!

1. 학교 시험에는 기본적이면서 고정된 유형의 문제가 꾸준히 출제되므로 반복 학습으로 대비하자.
2. 고정된 조건이 주어지는 유형은 조건에 맞게 고정되는 것을 먼저 배치하고서 나머지를 나열한다.
3. '적어도~'의 조건이 있는 경우의 문제는 (전체 경우의 수)−(반대 경우의 수)를 이용하자.

핵심개념 살피기

❶ ${}_n\mathrm{P}_r$의 계산

(1) ${}_n\mathrm{P}_r=\dfrac{n!}{(n-r)!}$ (단, $0\le r\le n$)

(2) ${}_n\mathrm{P}_n=n(n-1)(n-2)\cdots3\times2\times1=n!$

(3) $0!=1$, ${}_n\mathrm{P}_0=1$

❷ 순열을 이용한 경우의 수

(1) 서로 다른 n개에서 r개를 택하는 순열의 수

➡ ${}_n\mathrm{P}_r$ (단, $0<r\le n$)

(2) 서로 다른 n개를 모두 나열하는 순열의 수

➡ $n!$

❸ 이웃하는 조건의 순열의 수

이웃하는 순열의 수는 다음과 같이 구한다.

① 이웃하는 것을 하나로 묶어서 한 묶음으로 생각한다.

② (한 묶음으로 생각하고 구한 순열의 수)

×(한 묶음 속 자체의 순열의 수)

❹ 이웃하지 않는 조건의 순열의 수

이웃하지 않는 순열의 수는 다음과 같이 구한다.

① 이웃해도 되는 것을 먼저 배열한다.

② 그 양 끝과 사이사이에 이웃하지 않아야 할 것을 배열한다.

❺ 교대로 배열하는 조건의 순열의 수

(1) 두 집단의 크기가 각각 n일 때 ➡ $2\times n!\times n!$

(2) 두 집단의 크기가 각각 n, $n-1$일 때 ➡ $n!\times(n-1)!$

❻ 순열을 이용한 정수의 개수

(1) 최고 자리에 0이 올 수 없음에 주의한다.

(2) 기준이 되는 자리부터 먼저 배열하고 나머지 자리에 남은 숫자들을 배열한다.

[참고]

① 홀수인 정수 ➡ 일의 자리의 숫자가 홀수

② 짝수인 정수 ➡ 일의 자리의 숫자가 0 또는 짝수

③ 3의 배수인 정수 ➡ 각 자리의 숫자의 합이 3의 배수

④ 4의 배수인 정수 ➡ 끝의 두 자리가 00 또는 4의 배수

정답 및 풀이 34쪽

01

다음 중 4!의 값과 같은 것은?

① 4　② 4+4　③ 4×4
④ 4+3+2+1　⑤ 4×3×2×1

02

다음 중 $_6P_2$의 값과 같은 것은?

① 6×5×4×3×2　② 6×5×4×3
③ 6×5×4　④ 6×5
⑤ 6

03

$_5P_2$의 값은?

① 4　② 8　③ 12
④ 16　⑤ 20

04

A, B, C, D의 4명의 학생을 일렬로 세우는 방법의 수는?

① 2!　② 3!　③ 4!
④ 5!　⑤ 6!

05

다음 중 6명의 학생 중에서 4명을 뽑아 일렬로 세우는 방법의 수를 기호로 나타낸 것은?

① $_6P_4$　② $_6C_4$　③ $_6\Pi_4$
④ $_6H_4$　⑤ $S(6, 4)$

06

서로 다른 종류의 6개의 과일 중에서 2개를 골라 차례로 먹는 방법의 수는?

① 6　② 12　③ 15
④ 30　⑤ 60

07

남자 4명과 여자 3명을 일렬로 세울 때, 여자 3명이 이웃하는 경우의 수는 $(4+1)! \times \square!$이다. □ 안에 들어갈 알맞은 수는?

① 1 ② 2 ③ 3
④ 4 ⑤ 5

08

남학생 3명과 여학생 4명이 일렬로 설 때, 남학생끼리 이웃하지 않게 서는 방법의 수를 아래 그림을 이용하여 구하면 $4! \times \square$이다. □ 안에 들어갈 알맞은 수는?

  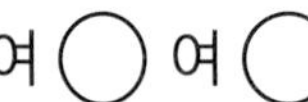

① $3!$ ② $4!$ ③ $5!$
④ ${}_5P_2$ ⑤ ${}_5P_3$

09

a, b, c, d, e의 5개의 문자를 일렬로 나열할 때, a, e가 이웃하는 경우의 수는?

① 36 ② 48 ③ 72
④ 100 ⑤ 120

10

남자 2명과 여자 3명이 한 줄로 서서 버스를 기다릴 때, 맨 앞과 맨 뒤에 남자가 서는 방법의 수는?

 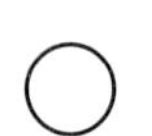  

① 12 ② 24 ③ 36
④ 48 ⑤ 56

11

1, 2, 3, 4, 5의 숫자가 하나씩 적힌 5장의 카드가 있다. 이 중에서 3장의 카드를 뽑아 일렬로 나열하여 세 자리 정수를 만드는 방법의 수는?

① 60 ② 70 ③ 80
④ 90 ⑤ 100

12

0, 1, 2, 3, 4의 5개의 숫자 중에서 서로 다른 3개의 숫자를 택하여 세 자리 정수를 만드는 방법의 수는?

① 12 ② 24 ③ 36
④ 48 ⑤ 60

정답 및 풀이 34쪽

기출문제 맛보기

13
학교 기출

${}_{n}\mathrm{P}_{2}=20$일 때, 자연수 n의 값은?

① 2 ② 3 ③ 4
④ 5 ⑤ 6

14
학교 기출

${}_{n}\mathrm{P}_{5}=20{}_{n}\mathrm{P}_{3}$을 만족시키는 n의 값은?

① 8 ② 9 ③ 10
④ 11 ⑤ 12

15
학교 기출

회원 10명으로 구성된 동아리에서 회장, 부회장을 각각 한 명씩 정하는 방법의 수는?

① 60 ② 70 ③ 80
④ 90 ⑤ 100

16 빈출
교육청 기출

여학생 2명이 먼저, 남학생 3명이 나중에 한 명씩 차례로 놀이공원에 입장하려고 한다. 이 학생 5명이 놀이공원에 입장하는 방법의 수는?

① 10 ② 12 ③ 14
④ 16 ⑤ 18

17 빈출
교육청 기출

여학생 2명과 남학생 4명이 순서를 정하여 차례로 뜀틀 넘기를 할 때, 여학생 2명이 연이어 뜀틀 넘기를 하게 되는 경우의 수는?

① 120 ② 180 ③ 240
④ 300 ⑤ 360

18
학교 기출

남자 3명과 여자 2명을 일렬로 세울 때, 남자와 여자가 교대로 서는 방법의 수는?

① 4 ② 5 ③ 6
④ 9 ⑤ 12

19

교육청 기출

남학생 12명과 여학생 2명이 일렬로 설 때, 여학생끼리는 이웃하지 않고 남학생끼리는 서로 이웃한 학생 수가 항상 짝수가 되도록 줄을 서는 경우의 수는 $N\times 12!$이다. 자연수 N의 값은?

① 36 ② 38 ③ 40
④ 42 ⑤ 44

20

교육청 기출

남학생 2명과 여학생 2명이 함께 놀이 공원에 가서 어느 놀이기구를 타려고 한다. 이 놀이기구는 다음 그림과 같이 한 줄에 2개의 의자가 있고 모두 5줄로 되어 있다. 남학생 1명과 여학생 1명이 짝을 지어 2명씩 같은 줄에 앉을 때, 4명이 모두 놀이기구의 의자에 앉는 방법의 수를 구하시오.

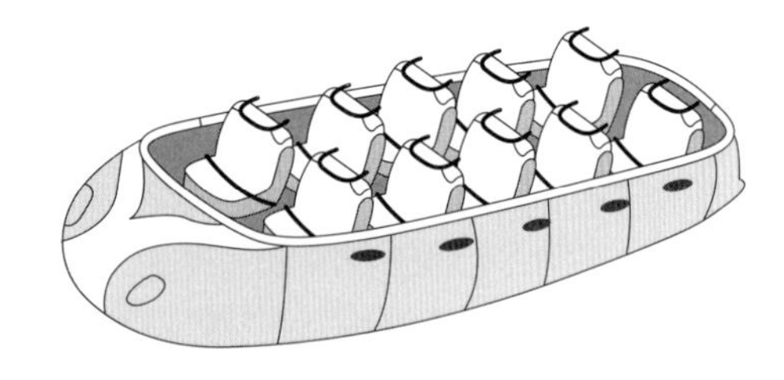

21

학교 기출

A, B, C, D의 네 명의 계주 선수가 달리는 순서를 정하려고 한다. A 또는 B가 마지막 주자가 되도록 순서를 정하는 방법의 수는?

① 11 ② 12 ③ 13
④ 14 ⑤ 15

22 빈출

교육청 기출

남자 3명과 여자 4명이 한 줄로 서서 등산을 할 때, 남자가 양 끝에 서는 경우의 수는?

① 360 ② 480 ③ 600
④ 720 ⑤ 1440

23 빈출

학교 기출

1, 2, 3, 4, 5의 5개의 숫자 중에서 서로 다른 4개의 숫자를 택하여 만들 수 있는 네 자리의 자연수 중에서 홀수의 개수를 구하시오.

24

교육청 기출

1, 2, 3, 4, 5, 6을 한 번씩만 사용하여 만들 수 있는 여섯 자리 자연수 중에서 일의 자리의 수와 백의 자리의 수가 모두 3의 배수인 자연수의 개수를 구하시오.

정답 및 풀이 35쪽

예상문제 점검하기

25

남학생 5명, 여학생 3명 중에서 교실, 복도, 화단 청소 당번을 각각 1명씩 뽑는 방법의 수는?

① 336 ② 392 ③ 412
④ 512 ⑤ 556

26

서로 다른 종류의 국어책 3권, 영어책 1권, 수학책 2권을 책꽂이에 일렬로 꽂을 때, 수학책끼리 나란히 붙지 않도록 꽂는 방법의 수는?

① 240 ② 300 ③ 360
④ 420 ⑤ 480

27

두 쌍의 부부가 영화 관람을 갔다. 그림과 같이 4개의 좌석에 일렬로 앉을 때, 부부끼리 이웃하여 앉는 방법의 수를 구하시오.

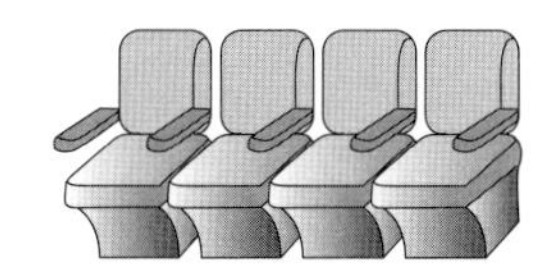

28 빈출

남자 3명, 여자 2명이 한 줄로 설 때, 모든 방법의 수를 a, 양 끝에 남자가 서는 방법의 수를 b라 하자. $a+b$의 값은?

① 150 ② 152 ③ 154
④ 156 ⑤ 158

29

6명의 학생 A, B, C, D, E, F를 일렬로 세울 때, A를 맨 앞에 세우고 B는 A와 이웃하지 않게 세우는 경우의 수는?

① 24 ② 48 ③ 72
④ 96 ⑤ 120

30

5개의 숫자 0, 1, 2, 3, 4를 모두 사용하여 만들 수 있는 다섯 자리의 자연수를 작은 수부터 차례로 나열할 때, 23104는 몇 번째에 나열되는 수인가?

① 36번째 ② 37번째 ③ 38번째
④ 39번째 ⑤ 40번째

조합

출제유형분석

이런 문제가 출제된다!

출제 유형	문항번호	짱 중요	난이도	출제가능성
조합의 수 $_nC_r$	01~04, 13~14, 25		중하	★★★★★
조합의 수 구하기	05~07, 15~17, 26~27	○	중하	★★★★☆
특정한 것을 포함하는 조합의 수	18~19, 28	○	중	★★☆☆☆
'적어도 ~'를 포함하는 조합의 수	20	○	중	★★☆☆☆
함수의 개수		○	중	★☆☆☆☆
직선과 대각선의 개수	08, 21		중하	★☆☆☆☆
삼각형과 사각형의 개수	09~10, 22~23, 29~30	○	중	★★★★★
분할과 분배	11~12, 24	○	중	★★☆☆☆

● 짱 중요에 표시된 유형은 「짱 중요한 내신 교재」에서 집중적으로 학습합니다.

이것만은 꼬~옥!

1. '적어도 ~'의 조건이 있는 조합의 수는 (전체 경우의 수) − (조건의 반대인 경우의 수)를 이용하자.
2. 삼각형과 또는 사각형의 개수를 구하는 유형은 3점 또는 4점을 택해도 구하는 도형이 안되는 경우를 반드시 생각하자.

핵심개념 살피기

❶ $_nC_r$의 계산

(1) $_nC_r=\frac{_nP_r}{r!}=\frac{n!}{r!(n-r)!}$ (단, $0\le r\le n$)

(2) $_nC_0=1$, $_nC_n=1$

(3) $_nC_r={}_nC_{n-r}$ (단, $0\le r\le n$)

(4) $_nC_r={}_{n-1}C_{r-1}+{}_{n-1}C_r$ (단, $1\le r\le n-1$)

❷ 조합의 수

서로 다른 n개에서 순서를 생각하지 않고 r개를 택하는 방법의 수 ➡ $_nC_r=\frac{_nP_r}{r!}=\frac{n!}{r!(n-r)!}$ (단, $0\le r\le n$)

❸ 특정한 것을 포함하거나 포함하지 않는 조합의 수

서로 다른 n개에서 r개를 뽑을 때

(1) 특정한 k개를 포함하여 r개를 뽑는 방법의 수
➡ $_{n-k}C_{r-k}$

(2) 특정한 k개를 제외하고 r개를 뽑는 방법의 수
➡ $_{n-k}C_r$

❹ 직선과 대각선의 개수

(1) 서로 다른 n개의 점 중에서 어느 세 점도 한 직선 위에 있지 않을 때, 주어진 점으로 만들 수 있는 서로 다른 직선의 개수 ➡ $_nC_2$

(2) n각형의 대각선의 개수
➡ (n개의 꼭짓점 중에서 2개를 택하는 경우의 수) − (변의 개수 n)
$={}_nC_2-n$

❺ 삼각형과 사각형의 개수

(1) 한 직선 위에 있지 않은 서로 다른 n개의 점으로 만들 수 있는 삼각형의 개수 ➡ $_nC_3$

(2) 한 직선 위에 있지 않은 서로 다른 n개의 점으로 만들 수 있는 사각형의 개수 ➡ $_nC_4$

(3) m개의 평행선과 n개의 평행선이 만날 때, 이 평행선으로 만들어지는 평행사변형의 개수 ➡ $_mC_2\times{}_nC_2$

01

서로 다른 7개에서 2개를 택하는 조합의 수는

${}_{7}C_{2}=\frac{7!}{2!\square!}$일 때, □ 안에 들어갈 알맞은 수는?

① 1 ② 2 ③ 3
④ 4 ⑤ 5

02

다음 (가), (나)의 경우의 수를 순서대로 적은 것은?

(가) 5명의 학생 중에서 대표와 부대표를 한 명씩 뽑는 경우의 수
(나) 5명의 학생 중에서 대표 두 명을 뽑는 경우의 수

	(가)	(나)
①	${}_{5}P_{2}$	${}_{5}P_{2}$
②	${}_{5}P_{2}$	${}_{5}C_{2}$
③	${}_{5}P_{3}$	${}_{5}C_{3}$
④	${}_{5}C_{2}$	${}_{5}P_{2}$
⑤	${}_{5}C_{2}$	${}_{5}C_{2}$

03

${}_{6}C_{3}$의 값은?

① 10 ② 15 ③ 20
④ 25 ⑤ 30

04

${}_{7}C_{5}={}_{7}C_{r}$를 만족시키는 상수 r의 값은?

① 1 ② 2 ③ 4
④ 6 ⑤ 7

05

6명의 탁구 선수 중에서 2명을 택하여 복식팀 1팀을 만드는 방법의 수는?

① 11 ② 12 ③ 13
④ 14 ⑤ 15

06

집합 $A=\{1, 2, 3, 4, 5, 6, 7\}$의 부분집합 중에서 원소의 개수가 4인 집합의 개수는?

① 20 ② 25 ③ 30
④ 35 ⑤ 40

07

서로 다른 수학 참고서 5권과 서로 다른 영어 참고서 6권이 있다. 수학, 영어 각각 2권씩 총 4권의 참고서를 고르는 방법의 수는?

① 110 ② 120 ③ 130
④ 140 ⑤ 150

08

오른쪽 그림과 같이 원 위에 5개의 점이 같은 간격으로 놓여 있다. 이 중에서 두 점을 이어 생기는 선분의 개수를 구하시오.

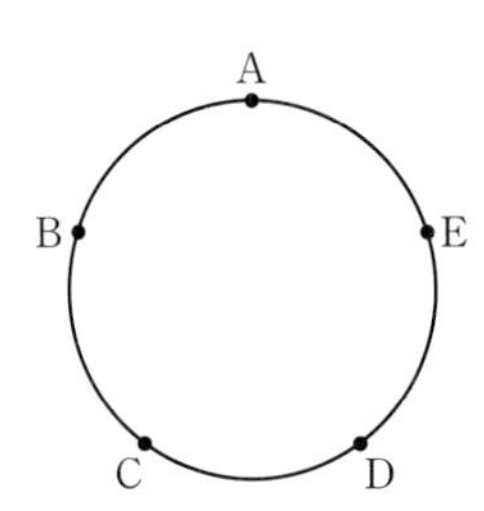

09

어느 세 점도 일직선상에 있지 않은 5개의 점이 있다. 이 점 중에서 3개의 점을 연결하여 만들 수 있는 서로 다른 삼각형의 개수를 a, 4개의 점을 연결하여 만들 수 있는 서로 다른 사각형의 개수를 b라 할 때, $a+b$의 값은?

① 10 ② 15 ③ 20
④ 25 ⑤ 30

10

오른쪽 그림과 같이 3개의 평행선과 4개의 평행선이 놓여 있다. 이때, 이 평행선으로 만들 수 있는 평행사변형의 개수는?

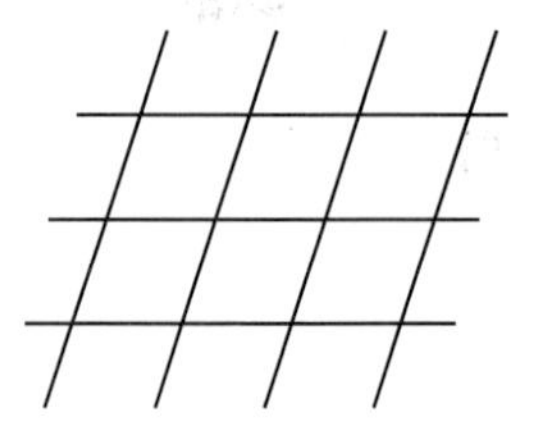

① 10 ② 12
③ 14 ④ 16
⑤ 18

11

서로 다른 9송이의 꽃을 2송이, 3송이, 4송이의 세 묶음으로 나누는 방법의 수는?

① ${}_9C_2 \times {}_7C_3 \times {}_4C_4$
② ${}_9C_2 \times {}_9C_3 \times {}_9C_4$
③ ${}_9C_2 \times {}_7C_3 \times {}_4C_4 \times \frac{1}{3!}$
④ ${}_9C_2 \times {}_7C_3 \times {}_4C_4 \times 3!$
⑤ ${}_9C_2 \times {}_9C_3 \times {}_9C_4 \times \frac{1}{3!}$

12

서로 다른 7권의 책을 2권, 2권, 3권으로 나누어 포장하는 방법의 수는?

① 105 ② 125 ③ 145
④ 165 ⑤ 185

13

교육청 기출

${}_5P_2+{}_5C_2$의 값을 구하시오.

14 빈출

교육청 기출

등식 $2\times{}_nC_3=3\times{}_nP_2$를 만족시키는 자연수 n의 값을 구하시오.

15 빈출

교육청 기출

어느 학교 동아리 회원은 1학년이 6명, 2학년이 4명이다. 이 동아리에서 7명을 뽑을 때, 1학년에서 4명, 2학년에서 3명을 뽑는 경우의 수를 구하시오.

16 빈출

학교 기출

남학생 4명과 여학생 5명 중에서 남학생 2명, 여학생 2명을 뽑아 일렬로 세우는 방법의 수는?

① 240 ② 480 ③ 960 ④ 1440 ⑤ 1920

17 빈출

교육청 기출

이틀 동안 진행하는 어느 축제에 모두 다섯 개의 팀이 참가하여 공연한다. 매일 두 팀 이상이 공연하도록 다섯 팀의 공연 날짜와 공연 순서를 정하는 경우의 수는? (단, 공연은 한 팀씩 하고, 축제 기간 중 각 팀은 1회만 공연한다.)

① 180 ② 210 ③ 240 ④ 270 ⑤ 300

18

교육청 기출

어느 동아리의 회원모집 공고를 보고 철수를 포함하여 10명이 지원하였다. 이 지원자들 중에서 철수를 포함하여 4명을 뽑는 경우의 수를 a, 철수를 포함하지 않고 4명을 뽑는 경우의 수를 b라 할 때, $a+b$의 값은?

① ${}_{10}P_3$ ② ${}_{10}P_4$ ③ ${}_{10}C_4$ ④ $2\times{}_9C_3$ ⑤ $2\times{}_9C_4$

19

교육청 기출

서로 다른 5개의 학교의 학생이 각각 2명씩 있다. 이 10명의 학생 중에서 임의로 3명을 선택할 때, 같은 학교의 학생이 동시에 선택되지 않을 경우의 수를 구하시오.

20 빈출

학교 기출

반장, 부반장을 포함한 10명의 학생 중에서 4명의 농구선수를 선발할 때, 반장, 부반장 중에서 적어도 한 명을 포함하도록 선발하는 방법의 수는?

① 100 ② 110 ③ 120
④ 130 ⑤ 140

21

교육청 기출

오른쪽 그림과 같이 삼각형 위에 7개의 점이 있다. 이 중 두 점을 연결하여 만들 수 있는 직선의 개수는?

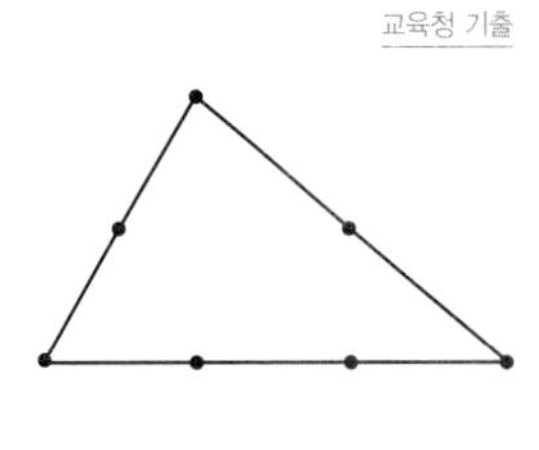

① 12 ② 13 ③ 14
④ 15 ⑤ 16

22 빈출

교육청 기출

오른쪽 그림과 같이 반원 위에 7개의 점이 있다. 이 중 세 점을 꼭짓점으로 하는 삼각형의 개수는?

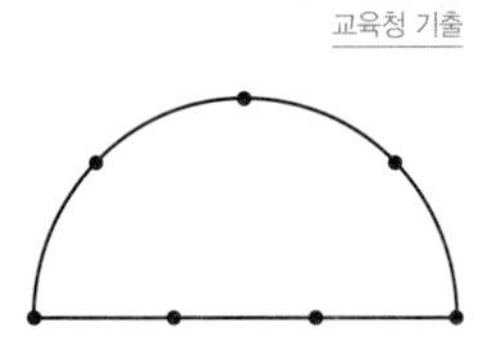

① 34 ② 33 ③ 32
④ 31 ⑤ 30

23

교육청 기출

오른쪽 그림과 같이 점 C에서 만나는 두 선분 AF, CI 위에 9개의 점이 있다. 이 중 세 점을 꼭짓점으로 하는 삼각형의 개수를 구하시오.

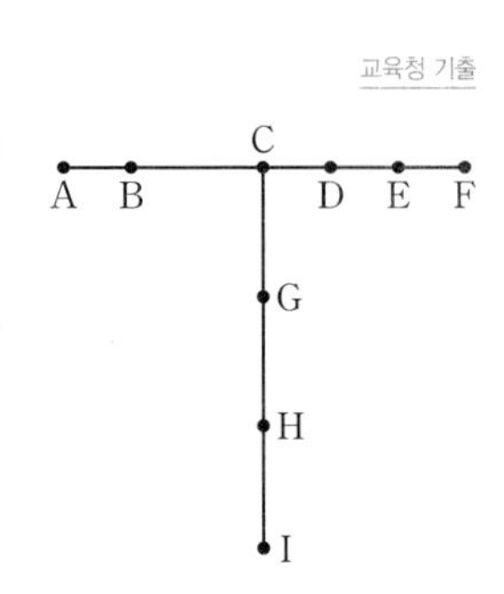

24 up

학교 기출

8개의 게임 프로그램을 2개, 2개, 4개로 나누어 A폴더, B폴더, 바탕화면에 저장하는 방법의 수는?

① 210 ② 420 ③ 840
④ 1260 ⑤ 2520

예상문제 점검하기

25

자연수 n, r에 대하여 ${}_{n}\mathrm{P}_{r}=110$, ${}_{n}\mathrm{C}_{r}=55$가 성립할 때, $n+r$의 값은?

① 11 ② 12 ③ 13
④ 14 ⑤ 15

26

수족관에 서로 다른 종류의 물고기 10마리가 있다. 이 중에서 3마리를 골라서 어항에 담는 방법의 수는?

① 110 ② 120 ③ 130
④ 140 ⑤ 150

27

남자 7명과 여자 4명으로 이루어진 어떤 스포츠클럽에서 남자 3명과 여자 2명으로 임원단을 구성하려고 한다. 임원단을 구성하는 방법의 수는?

① 126 ② 168 ③ 210
④ 225 ⑤ 256

28

숫자 1, 2, 3, 4, 5, 6에서 3개를 택할 때, 가장 작은 수가 2 이하인 경우의 수는?

① 12 ② 14 ③ 16
④ 18 ⑤ 20

29

오른쪽 그림과 같이 원 위에 같은 간격으로 놓여 있는 6개의 점 중에서 3개의 점을 꼭짓점으로 하는 삼각형의 개수는?

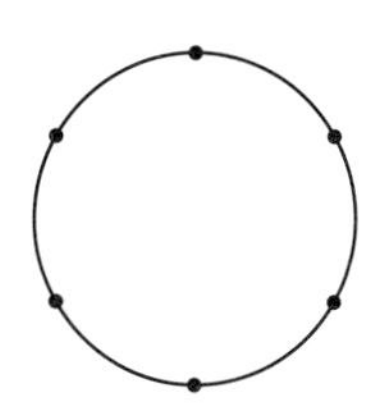

① 12 ② 14
③ 16 ④ 18
⑤ 20

30 빈출

그림과 같이 반원 위에 10개의 점이 있다. 이 중에서 서로 다른 4개의 점을 택하여 만들 수 있는 사각형의 개수는?

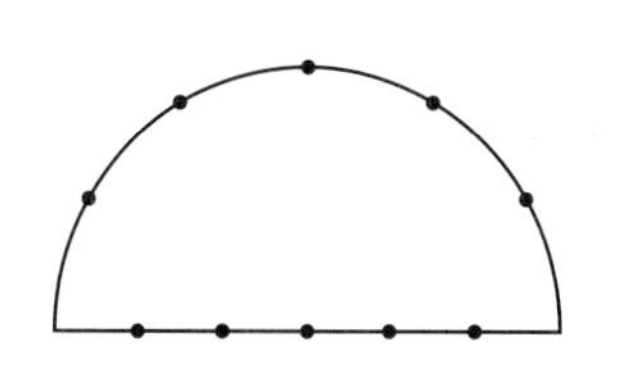

① 140 ② 145 ③ 150
④ 155 ⑤ 160

읽을거리

집합으로 잰 무한의 크기

수학에서 무한은 고대 그리스 수학에서부터 근대 수학에 이르기까지 가장 다루기 힘든 수학적 개념이었다.

그러던 것이 19세기에 들어서 러시아 태생의 독일 수학자 칸토어에 의해 처음으로 엄밀한 수학적 체계를 갖추게 되었다. 그가 무한의 개념을 체계화하는 데 사용한 것은 집합론이었다.

칸토어는 '집합은 기준이 확정되어 있고 서로 명확히 구별되는 모임을 말한다.'고 정의한 뒤, 각 집합의 원소들을 일대일로 짝지어 대응시킬 수 있는지를 통해 각 집합 간의 크기를 비교할 수 있다고 했다. 즉, 두 집합을 일대일로 대응시킬 수 있으면 두 집합의 원소 수는 같다는 말이다.

또한 한 집합이 다른 집합보다 크다는 개념은 '집합 A는 집합 B의 부분집합과 일대일대응시킬 수 있지만 그 역은 가능하지 않을 때 집합 B는 집합 A보다 크다고 한다.'로 정의된다.

이러한 집합의 정의를 통해 칸토어는 두 무한집합을 서로 비교했을 때 겉으로 보기에는 훨씬 작아 보이는 무한집합도 그보다 큰 수를 원소로 갖는 무한집합과 일대일대응이 가능한 경우가 있다는 것을 밝혀냈다.

예를 들어 유리수 집합을 자연수 집합과 대응시켜 볼 때, 일대일대응 관계가 성립한다는 놀라운 것을 밝혀냈다.

이는 오랜 수학적 통념인 '전체가 부분보다 크다.'란 개념을 뒤엎는 놀라운 생각이었다. 이러한 공로를 인정해 칸토어를 무한 이론의 창시자라고 부른다.

한눈에 보는 정답

유형 01

01 ③ **02** ④ **03** ② **04** ④ **05** ① **06** 11 **07** ③ **08** ② **09** ① **10** ④ **11** ③ **12** 36 **13** ⑤ **14** ② **15** 4
16 ③ **17** ③ **18** 15 **19** ① **20** 5 **21** $\frac{16}{9}$ **22** ② **23** 8 **24** 2 **25** 10 **26** ③ **27** ⑤ **28** ① **29** ② **30** 40

유형 02

01 ③ **02** ③ **03** ④ **04** ④ **05** ③ **06** ① **07** ⑤ **08** 18 **09** ④ **10** ⑤ **11** ② **12** ③ **13** ⑤ **14** $-\frac{1}{2}$ **15** 7
16 ④ **17** $-\frac{12}{5}$ **18** ③ **19** ④ **20** ④ **21** ③ **22** ② **23** ① **24** $\pm\frac{\sqrt{5}}{2}$ **25** ② **26** 6 **27** ④ **28** ①
29 ① **30** 31

유형 03

01 (1) $(7,\ 3)$ (2) $(2,\ 1)$ (3) $(7,\ 1)$ **02** ③ **03** (1) $y=2x-8$ (2) $(x-3)^2+(y+2)^2=1$ **04** ① **05** ① **06** ⑤ **07** ⑤
08 (1) $(2,\ 3)$ (2) $(-2,\ -3)$ (3) $(-2,\ 3)$ (4) $(-3,\ 2)$ **09** ③ **10** (1) $y=-2x-6$ (2) $y=-2x+6$ (3) $y=2x-6$
(4) $y=\frac{1}{2}x-3$ **11** ② **12** 64 **13** ③ **14** ② **15** 5 **16** ③ **17** ② **18** ③ **19** ④ **20** -16 **21** ⑤ **22** ① **23** ④
24 ① **25** 15 **26** ③ **27** ② **28** ③ **29** ④ **30** ②

유형 04

01 ㄱ, ㄷ, ㄹ **02** ⑤ **03** $\varnothing$, $\{1\}$, $\{2\}$, $\{1,\ 2\}$ **04** ② **05** ① **06** ④ **07** 11 **08** 10 **09** ④ **10** 6 **11** (1) $\{2,\ 4\}$
(2) $\{1,\ 2,\ 3,\ 4,\ 6,\ 8\}$ (3) $\{1,\ 3,\ 5,\ 7,\ 9\}$ (4) $\{6,\ 8\}$ **12** ② **13** 22 **14** ⑤ **15** ④ **16** ② **17** ④ **18** ③ **19** 5
20 ② **21** ① **22** ⑤ **23** ① **24** 7 **25** ④ **26** 25 **27** ⑤ **28** ① **29** 7 **30** ②

유형 05

01 ④ **02** ② **03** ② **04** ③ **05** ④ **06** (1) U (2) $B\cap A^C(=B-A)$ **07** ⑤ **08** ③ **09** ④ **10** ④ **11** ⑤ **12** ⑤
13 ③ **14** ④ **15** $B=\{1,\ 2,\ 5,\ 6\}$ **16** ① **17** ③ **18** 7 **19** ② **20** ① **21** ② **22** ③ **23** ① **24** ③ **25** 14
26 16 **27** ④ **28** ⑤ **29** 12 **30** ②

유형 06

01 ④ **02** ④ **03** 3 **04** ② **05** ⑤ **06** ③ **07** ① **08** ⑤ **09** ④ **10** ⑤ **11** 7 **12** ③ **13** ⑤ **14** ③ **15** ③
16 ④ **17** ④ **18** ④ **19** ③ **20** ④ **21** 4 **22** ③ **23** ③ **24** 2

유형 07

01 ④ **02** ⑤ **03** ② **04** ④ **05** ③ **06** ① **07** ④ **08** ⑤ **09** ⑤ **10** ② **11** 15 **12** -2 **13** ⑤ **14** 9 **15** ②
16 ③ **17** ⑤ **18** ② **19** ① **20** ④ **21** ③ **22** ② **23** ① **24** -1 **25** ⑤ **26** ③ **27** ② **28** ③ **29** 4 **30** 4

유형 08

01 ③ **02** ③ **03** ③ **04** ③ **05** (1) 2 (2) 4 (3) 2 **06** ④ **07** ② **08** ⑤ **09** ③ **10** ① **11** ③ **12** ③
13 (가): $(\sqrt{a}-\sqrt{b})^2$ (나): ≥ (다): $a=b$ **14** ③ **15** ④ **16** 10 **17** ④ **18** 32 **19** ③ **20** ㄱ, ㄷ **21** ⑤ **22** 23
23 6

유형 09

01 ④ **02** ④ **03** ⑤ **04** ③ **05** 24 **06** 20 **07** ④ **08** ② **09** ① **10** ① **11** (1) 2 (2) 5 (3) 8 **12** 10 **13** ③
14 ⑤ **15** 20 **16** -2 **17** ③ **18** ⑤ **19** ③ **20** ① **21** ① **22** ② **23** 5 **24** ② **25** ② **26** ③ **27** 44 **28** ④
29 4 **30** 14

유형 10

01 ④ **02** ② **03** 2 **04** ① **05** ③ **06** ③ **07** ⑤ **08** ② **09** ① **10** ④ **11** (1) 8 (2) 3 **12** ④ **13** ① **14** ②
15 2 **16** -1 **17** ④ **18** ④ **19** ④ **20** ③ **21** ⑤ **22** ④ **23** ④ **24** ② **25** ③ **26** ① **27** 23 **28** ② **29** ④
30 ④

유형 11

01 (1) $\frac{4x}{x^2-4}$ (2) $\frac{2ax}{y^2}$ **02** ② **03** ① **04** 5 **05** ② **06** (1) $y=\frac{4}{x-1}+1$ (2) $y=\frac{1}{x-1}-2$ **07** -2 **08** ① **09** ①
10 10 **11** ② **12** ⑤ **13** ④ **14** ② **15** ② **16** ⑤ **17** ④ **18** ⑤ **19** ⑤ **20** ③ **21** ① **22** 6 **23** ② **24** ②
25 11 **26** ③ **27** ③ **28** ② **29** ① **30** ②

유형 12

01 (1) x (2) 1 (3) $\frac{2x+2}{x-1}$ **02** ② **03** (1) $y=\sqrt{2(x+2)}$ (2) $y=-\sqrt{2(x-3)}+2$ (3) $y=\sqrt{-(x-2)}-1$ **04** 4 **05** ⑤
06 ② **07** (1) $a>0$, $b<0$, $c>0$ (2) $a<0$, $b>0$, $c<0$ **08** ③ **09** ③ **10** 3 **11** ② **12** 3 **13** ③ **14** ② **15** ⑤
16 3 **17** 11 **18** ② **19** ② **20** ② **21** ③ **22** ④ **23** ④ **24** ① **25** ④ **26** ② **27** ① **28** 35 **29** ③ **30** ④

유형 13

01 (1) 12 (2) 14 **02** (1) 9 (2) 7 **03** ③ **04** ③ **05** ③ **06** 15 **07** 25 **08** ② **09** ④ **10** ③ **11** ③ **12** ⑤ **13** ②
14 ③ **15** ③ **16** 12 **17** ④ **18** 189 **19** 307 **20** 432 **21** ④ **22** ② **23** ④ **24** ② **25** ③ **26** ① **27** ⑤ **28** 15
29 ③ **30** ④

유형 14

01 ⑤ **02** ④ **03** ⑤ **04** ③ **05** ① **06** ④ **07** ③ **08** ⑤ **09** ② **10** ① **11** ① **12** ④ **13** ④ **14** ① **15** ④
16 ② **17** ③ **18** ⑤ **19** ④ **20** 160 **21** ② **22** ④ **23** 72 **24** 48 **25** ① **26** ⑤ **27** 8 **28** ④ **29** ④ **30** ④

유형 15

01 ⑤ **02** ② **03** ③ **04** ② **05** ⑤ **06** ④ **07** ⑤ **08** 10 **09** ② **10** ⑤ **11** ① **12** ① **13** 30 **14** 11 **15** 60
16 ④ **17** ③ **18** ③ **19** 80 **20** ⑤ **21** ① **22** ④ **23** 60 **24** ④ **25** ③ **26** ② **27** ③ **28** ③ **29** ⑤ **30** ④

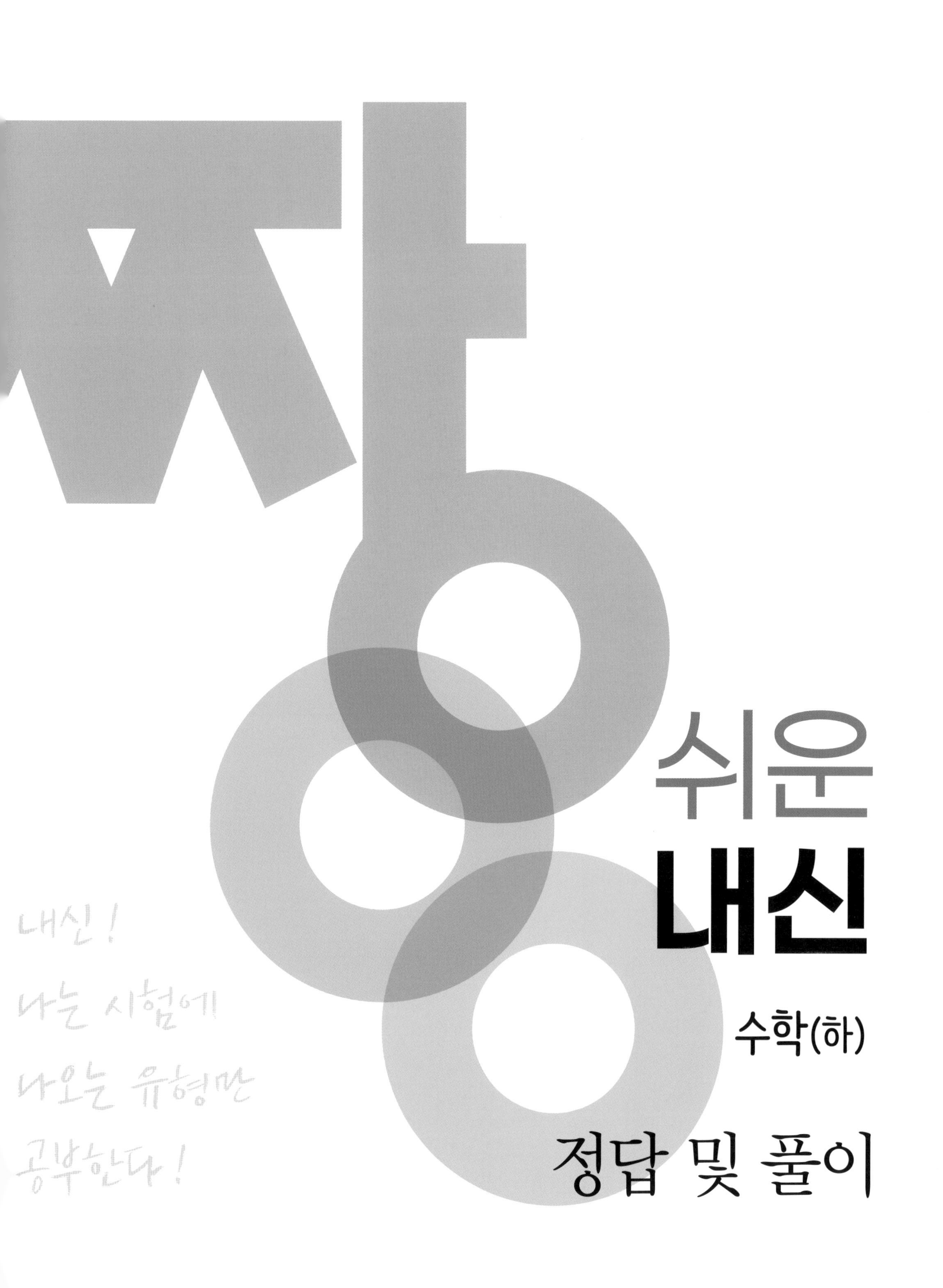
짱
쉬운
내신
수학(하)
정답 및 풀이
내신!
나는 시험에
나오는 유형만
공부한다!

아름다운 샘과 함께

수학의 자신감과 최고 실력을 완성!!!

정답 및 풀이

유형 01 원의 방정식

본문 007~011쪽

01 ③	02 ④	03 ②	04 ④
05 ①	06 11	07 ③	08 ②
09 ①	10 ④	11 ③	12 36
13 ⑤	14 ②	15 4	16 ③
17 ③	18 15	19 ①	20 5
21 $\frac{16}{9}$	22 ②	23 8	24 2
25 10	26 ③	27 ⑤	28 ①
29 ②	30 40		

01 중심의 좌표는 $(3,\ -1)$, 반지름의 길이는 3이므로
$a=3,\ b=-1,\ r=3$
$\therefore\ a+b+r=5$

02 중심의 좌표가 $(2,\ -1)$이고, 반지름의 길이가 $r\,(r>0)$인 원의 방정식은
$(x-2)^2+(y+1)^2=r^2$
이 원이 점 $(3,\ 2)$를 지나므로
$1^2+3^2=r^2 \qquad \therefore\ r^2=10$
따라서 구하는 원의 방정식은
$(x-2)^2+(y+1)^2=10$
$\therefore\ a+b+c=(-2)+1+10=9$

다른풀이

중심 $(2,\ -1)$과 점 $(3,\ 2)$ 사이의 거리가 반지름의 길이이므로 두 점 사이의 거리는
$\sqrt{(2-3)^2+(-1-2)^2}=\sqrt{1+9}=\sqrt{10}$
따라서 구하는 원의 방정식은
$(x-2)^2+(y+1)^2=10$
$\therefore\ a+b+c=(-2)+1+10=9$

03 $a=3,\ b=4,\ r=\sqrt{3^2+4^2}=5$
$\therefore\ a+b+r=3+4+5=12$

04 중심의 좌표는 $\overline{AB}$의 중점이므로
$\left(\frac{2+(-4)}{2},\ \frac{(-1)+7}{2}\right)$
$\therefore\ (-1,\ 3)$
$\therefore\ a=-1,\ b=3$
반지름의 길이는 $\frac{1}{2}\overline{AB}$이므로
$\frac{1}{2}\overline{AB}=\frac{1}{2}\sqrt{\{2-(-4)\}^2+\{(-1)-7\}^2}=\frac{1}{2}\sqrt{6^2+8^2}=5$
$\therefore\ r=5$
$\therefore\ a+b+r^2=(-1)+3+25=27$

05 중심의 좌표가 $(2,\ 5)$이고, 반지름의 길이가 2인 원의 방정식은
$(x-2)^2+(y-5)^2=2^2$
$x^2-4x+4+y^2-10y+25=4$
$x^2+y^2-4x-10y+25=0$
$\therefore\ a=-4,\ b=-10,\ c=25$
$\therefore\ a+b+c=11$

06 $x^2+y^2-10x-2y+1=0$에서
$(x^2-10x+25)+(y^2-2y+1)=25$
$\therefore\ (x-5)^2+(y-1)^2=25$
따라서 중심의 좌표는 $(5,\ 1)$, 반지름의 길이는 5이므로
$a+b+r=5+1+5=11$

07 $x^2+y^2=1$에서 중심의 좌표는 $(0,\ 0)$
$x^2+y^2-8x+6y+24=0$에서
$(x-4)^2+(y+3)^2=1$
따라서 두 원의 중심 사이의 거리는
$\sqrt{(4-0)^2+(-3-0)^2}=5$

08 중심의 좌표가 $(5,\ -2)$이고, x축에 접하므로 반지름의 길이는
$|-2|=2$

09 중심이 $(-1,\ 2)$인 원이 x축에 접하면 반지름의 길이는 $r=2$
따라서 이 원의 방정식은
$(x+1)^2+(y-2)^2=2^2$
$\therefore\ x^2+y^2+2x-4y+1=0$

10 $(x-3)^2+(y+4)^2=1$은 중심이 $C(3,\ -4)$이고 반지름의 길이 $r=1$인 원이므로
$\overline{OC}=\sqrt{(3-0)^2+(-4-0)^2}=5$
따라서 $\overline{OP}$의 최댓값은
$\overline{OC}+r=5+1=6$

11 $x^2+y^2-6x-8y+17=0$에서
$(x-3)^2+(y-4)^2=8$
이므로 원의 중심은 $C(3,\ 4)$,
반지름의 길이는 $2\sqrt{2}$이다.
그림에서 선분 AP의 길이의 최댓값은
$\overline{AP'}=\overline{AC}+\overline{CP'}$
$=\sqrt{4^2+4^2}+2\sqrt{2}=6\sqrt{2}$

12 두 원의 중심의 좌표가 각각 $(0,\ 0)$, $(6,\ -8)$이므로 중심거리는
$\sqrt{(6-0)^2+(-8-0)^2}=10$
이고, 반지름의 길이는 각각 $4,\ \sqrt{a}$이다.
두 원이 외접하려면 $4+\sqrt{a}=10$이어야 하므로
$\sqrt{a}=6$
$\therefore\ a=36$

13 원의 중심은 $\overline{AB}$의 중점이므로 좌표는

$\left(\frac{1+5}{2}, \frac{2-2}{2}\right)$

$\therefore (3, 0)$

중심과 점 $A(1, 2)$ 사이의 거리가 반지름의 길이 r이므로

$r=\sqrt{(3-1)^2+(0-2)^2}=2\sqrt{2}$

따라서 원의 방정식은

$(x-3)^2+y^2=8$

점 $(4, a)$가 이 원 위를 지나므로

$1+a^2=8$

$\therefore a=\sqrt{7}$ ($\because a>0$)

14 x축 위에 있는 원의 중심을 $(a, 0)$, 반지름의 길이를 r $(r>0)$라 하면 원의 방정식은

$(x-a)^2+y^2=r^2$

이 원이 두 점 $(0, -1)$, $(2, 3)$을 지나므로

$a^2+1=r^2$ ⋯⋯ ㉠

$(2-a)^2+9=r^2$

$\therefore a^2-4a+13=r^2$ ⋯⋯ ㉡

㉠－㉡을 하면 $4a-12=0$

$\therefore a=3$

$a=3$을 ㉠에 대입하면

$r^2=10$

$\therefore r=\sqrt{10}$ ($\because r>0$)

15 $x^2+y^2-2x+4y=0$에서 $(x-1)^2+(y+2)^2=5$

중심의 좌표가 $(1, -2)$이고, 점 $A(4, 2)$를 지나는 원의 반지름의 길이는

$\sqrt{(1-4)^2+(-2-2)^2}=5$

따라서 구하는 원의 방정식은 $(x-1)^2+(y+2)^2=25$

$\therefore a=1, b=-2, r=5$ ($\because r>0$)

$\therefore a+b+r=4$

16 반지름의 길이를 r $(r>0)$라 하면 중심의 좌표가 $(-4, 2)$이므로 원의 방정식은

$(x+4)^2+(y-2)^2=r^2$

$x^2+8x+16+y^2-4y+4=r^2$

$x^2+y^2+8x-4y+20-r^2=0$

이 식이 $x^2+y^2+2kx-ky+3k=0$과 일치하므로

$8=2k, -4=-k, 20-r^2=3k$

$\therefore k=4, r^2=8$

$\therefore r=2\sqrt{2}$ ($\because r>0$)

17 구하는 원의 중심은 선분 AB의 중점이고, 반지름의 길이는 $\frac{1}{2}\overline{AB}$이므로 선분 AB의 중점의 좌표는

$\left(\frac{-2+4}{2}, \frac{2+4}{2}\right)$, 즉 $(1, 3)$

또 반지름의 길이는

$\frac{1}{2}\overline{AB}=\frac{1}{2}\sqrt{(4+2)^2+(4-2)^2}=\sqrt{10}$

따라서 구하는 원의 방정식은

$(x-1)^2+(y-3)^2=10$

$x^2+y^2-2x-6y=0$

$\therefore a=-2, b=-6, c=0$

$\therefore a+b+c=-8$

18 $x^2+y^2-6x+4y+k-3=0$

$x^2-6x+9-9+y^2+4y+4-4+k-3=0$

$(x-3)^2+(y+2)^2=16-k$

원이 되기 위해서는 $16-k>0$이므로 $k<16$

따라서 정수 k의 최댓값은 15이다.

19 $x^2+y^2-2kx+4ky-20k-25=0$

$x^2-2kx+k^2-k^2+y^2+4ky+4k^2-4k^2-20k-25=0$

$(x-k)^2+(y+2k)^2=5k^2+20k+25$

넓이가 최소이려면 반지름의 길이가 최소이어야 한다.

원의 반지름

$\sqrt{5k^2+20k+25}=\sqrt{5(k+2)^2+5}$는

$k=-2$일 때 최솟값 $\sqrt{5}$를 갖는다.

이때, 원의 중심이 $(k, -2k)$이므로 $(-2, 4)$이다.

따라서 원의 중심 $(-2, 4)$와 원점 $(0, 0)$ 사이의 거리는

$\sqrt{(-2-0)^2+(4-0)^2}=\sqrt{20}=2\sqrt{5}$

20 반지름의 길이를 a $(a>2)$라 하면 중심이 직선 $y=x$ 위에 있는 원이 y축에 접하므로 중심의 좌표는 (a, a)이다.

따라서 원의 방정식은 $(x-a)^2+(y-a)^2=a^2$이고

이 원이 점 $(2, 1)$을 지나므로

$(2-a)^2+(1-a)^2=a^2$

$a^2-4a+4+a^2-2a+1=a^2$

$a^2-6a+5=0, (a-1)(a-5)=0$

$\therefore a=5$ ($\because a>2$)

따라서 이 원의 반지름의 길이는 5이다.

21 원의 중심이 직선 $y=2x-4$ 위에 있고, 제4사분면에서 원이 x축, y축과 접하므로 원의 반지름의 길이를 $r(r>0)$라 하면 중심의 좌표는 $(r, -r)$이다.

즉, 구하는 원의 방정식은 $(x-r)^2+(y+r)^2=r^2$

원의 중심 $(r, -r)$가 직선 $y=2x-4$ 위에 있으므로

$-r=2r-4$ $\therefore r=\frac{4}{3}$

따라서 원의 방정식은

$\left(x-\frac{4}{3}\right)^2+\left(y+\frac{4}{3}\right)^2=\left(\frac{4}{3}\right)^2$, $x^2+y^2-\frac{8}{3}x+\frac{8}{3}y+\frac{16}{9}=0$

이므로 $a=-\frac{8}{3}, b=\frac{8}{3}, c=\frac{16}{9}$

$\therefore a+b+c=-\frac{8}{3}+\frac{8}{3}+\frac{16}{9}=\frac{16}{9}$

22 주어진 조건을 만족시키는 두 원은 제1사분면 위에 있으므로 원의 반지름의 길이를 r $(r>0)$라 하면 중심의 좌표가 (r, r)이다.

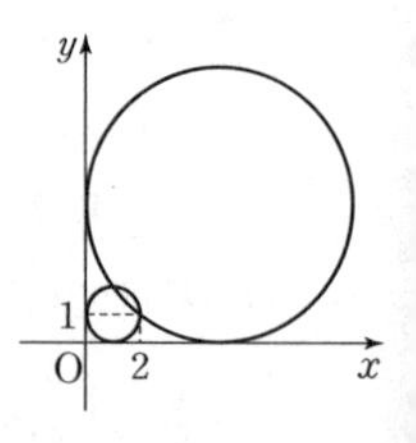

즉, 구하는 원의 방정식은

$(x-r)^2+(y-r)^2=r^2$

이 원이 점 $(2, 1)$을 지나므로

$(2-r)^2+(1-r)^2=r^2$

$r^2-6r+5=0$, $(r-1)(r-5)=0$

$\therefore r=1$ 또는 $r=5$

따라서 두 원의 중심의 좌표가 각각 $(1, 1)$, $(5, 5)$이므로 두 원의 중심 사이의 거리는

$\sqrt{(5-1)^2+(5-1)^2}=\sqrt{32}=4\sqrt{2}$

23 원 $(x+3)^2+(y-5)^2=4$의 중심의 좌표는 $(-3, 5)$이고 반지름의 길이는 2이다.

또, 원의 중심을 C라 하면

$\overline{AC}=\sqrt{(-3-1)^2+(5-2)^2}=5$

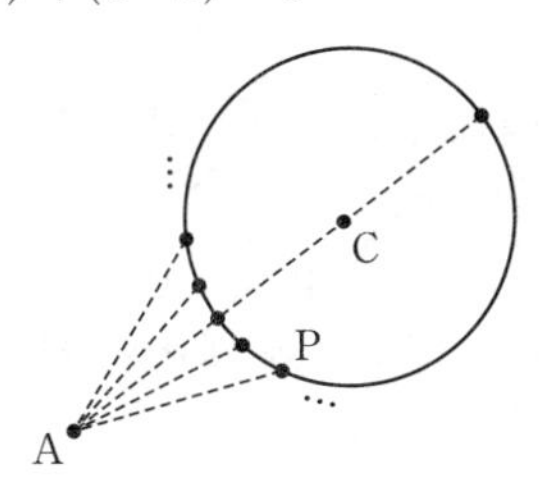

이때, 원의 중심 C에서 A(1, 2)까지의 거리가 5, 원의 반지름이 2이므로 원 위의 점 P에서 A까지의 거리는 최솟값 3, 최댓값 7을 가진다.

따라서 $\overline{AP}$가 3, 7인 경우의 P가 각각 1개씩, $\overline{AP}$가 4, 5, 6인 경우의 P가 각각 2개씩 존재하므로 모든 P의 개수는

$1+1+2+2+2=8$

24 원 $(x-2)^2+(y-2)^2=k$의 중심 $(2, 2)$는 원 $x^2+y^2=18$ 내부의 점이므로 두 원이 접하려면 내접해야 한다.

(중심거리)$=\sqrt{(2-0)^2+(2-0)^2}=2\sqrt{2}$

(두 원의 반지름의 길이의 차)$=\sqrt{18}-\sqrt{k}=3\sqrt{2}-\sqrt{k}$

$2\sqrt{2}=3\sqrt{2}-\sqrt{k}$, $\sqrt{k}=\sqrt{2}$

$\therefore k=2$

25 선분 AB의 중점은 $(4, 0)$이고, 선분 AB를 $3:1$로 외분하는 점은 $(10, 0)$이다.

이 두 점을 지름의 양 끝점으로 하는 원은 중심의 좌표가 $(7, 0)$이고 반지름의 길이가 3이다.

따라서 $a=7$, $b=3$이므로

$a+b=10$

26 $(x-1)^2+(y-1)^2=10$에서 $x=0$을 대입하면

$1+(y-1)^2=10$

$y^2-2y-8=0$, $(y+2)(y-4)=0$

$\therefore y=-2$ 또는 $y=4$

따라서 주어진 원과 y축이 만나는 두 교점의 좌표는 $(0, -2)$, $(0, 4)$이므로 이 두 점 사이의 거리는 6이다.

27 중심의 좌표가 $(-2, 4)$이고, 반지름의 길이가 $r\ (r>0)$인 원의 방정식은

$(x+2)^2+(y-4)^2=r^2$

$x^2+4x+4+y^2-8y+16-r^2=0$

$x^2+y^2+4x-8y+20-r^2=0$ $\qquad \therefore a=4$

즉, $20-r^2=-16$에서 $r^2=36$

$\therefore r=6\ (\because r>0)$

$\therefore a+r=10$

28 $2x-y=5$에서 $y=2x-5$이므로

이 직선과 수직인 직선의 기울기는 $-\frac{1}{2}$이다.

$x^2+y^2-2x=0$에서 $(x-1)^2+y^2=1$

이 원의 넓이를 이등분하는 직선은 원의 중심 $(1, 0)$을 지난다.

따라서 구하는 직선의 방정식은

$y=-\frac{1}{2}(x-1)$

$\therefore x+2y=1$

29 원의 중심이 직선 $y=x-1$ 위에 있는 원이 y축에 접하므로 중심의 좌표는 $(a, a-1)$, 반지름의 길이는 $|a|$이다.

즉, 구하는 원의 방정식은

$(x-a)^2+(y-a+1)^2=a^2$

이 원이 점 $(3, -1)$을 지나므로

$(3-a)^2+(-1-a+1)^2=a^2$

$(a-3)^2=0$

$\therefore a=3$

따라서 구하는 원의 반지름의 길이는 3이다.

30 원 $x^2+y^2=4$의 중심 $(0, 0)$과 점 A$(3, 4)$ 사이의 거리는

$\sqrt{(3-0)^2+(4-0)^2}=5$

따라서 원의 반지름의 길이가 2이므로

선분 AP의 길이의 최댓값 M은 $5+2=7$

선분 AP의 길이의 최솟값 m은 $5-2=3$

$\therefore M^2-m^2=7^2-3^2=49-9=40$

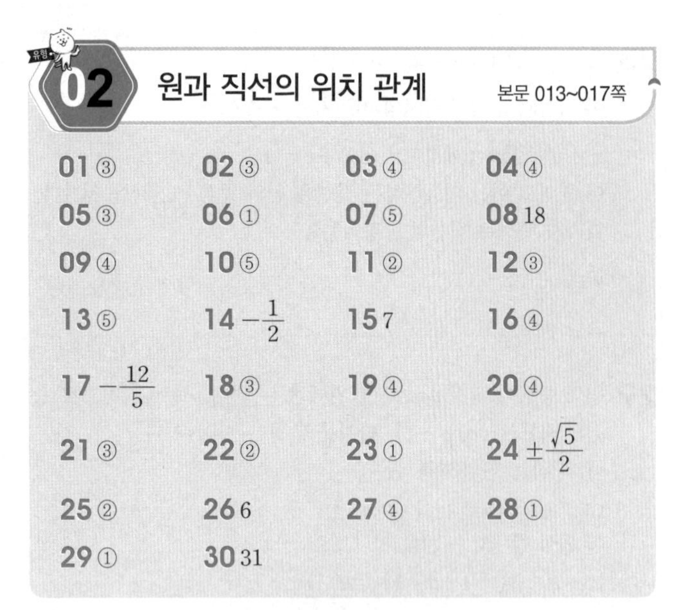

유형 02 원과 직선의 위치 관계

본문 013~017쪽

01 ③	02 ③	03 ④	04 ④
05 ③	06 ①	07 ⑤	08 18
09 ④	10 ⑤	11 ②	12 ③
13 ⑤	14 $-\frac{1}{2}$	15 7	16 ④
17 $-\frac{12}{5}$	18 ③	19 ④	20 ④
21 ③	22 ②	23 ①	24 $\pm\frac{\sqrt{5}}{2}$
25 ②	26 6	27 ④	28 ①
29 ①	30 31		

01 원 $x^2+y^2=k$의 중심 $(0,\ 0)$과 직선 $x+y-4=0$ 사이의 거리를 d라 하면

$d=\frac{|-4|}{\sqrt{1^2+1^2}}=\frac{4}{\sqrt{2}}=2\sqrt{2}$

또, 원 $x^2+y^2=k$의 반지름의 길이는 $\sqrt{k}$

원과 직선이 접할 때의 원의 중심과 직선 사이의 거리가 원의 반지름의 길이와 같다.

따라서 $2\sqrt{2}=\sqrt{k}$이므로

$k=8$

다른 풀이 1

$x+y-4=0$에서 $y=-x+4$ …… ㉠

㉠을 원의 방정식 $x^2+y^2=k$에 대입하면

$x^2+(-x+4)^2=k$

$\therefore 2x^2-8x+16-k=0$ …… ㉡

원과 직선이 접하므로 x에 대한 이차방정식 ㉡의 판별식을 D라 하면

$\frac{D}{4}=(-4)^2-2\times(16-k)=0$

$-16+2k=0$ $\therefore k=8$

다른 풀이 2

$x+y-4=0$에서 $y=-x+4$ …… ㉢

반지름의 길이가 $\sqrt{k}$이고, 기울기가 -1인 접선의 방정식은

$y=-x\pm\sqrt{k}\sqrt{(-1)^2+1}$ $\therefore y=-x\pm\sqrt{2k}$

이 직선이 직선 ㉢과 같으므로

$\sqrt{2k}=4,\ 2k=16$

$\therefore k=8$

02 $x+y-k=0$에서 $y=-x+k$를 $x^2+y^2=4$에 대입하여 정리하면

$2x^2-2kx+(k^2-4)=0$ …… ㉠

㉠의 판별식을 D라 하면

$\frac{D}{4}=(-k)^2-2(k^2-4)=-k^2+8$

서로 다른 두 점에서 만나려면 ㉠이 서로 다른 두 실근을 가져야 하므로

$\frac{D}{4}=-k^2+8>0,\ k^2-8<0$

$(k+2\sqrt{2})(k-2\sqrt{2})<0$ $\therefore -2\sqrt{2}<k<2\sqrt{2}$

따라서 서로 다른 두 점에서 만나도록 하는 정수 k의 개수는 $-2,\ -1,\ 0,\ 1,\ 2$의 5이다.

03 직선 $y=\sqrt{2}x+k$가 원 $x^2+y^2=4$에 접하므로 원의 중심 $(0,\ 0)$과 직선 $\sqrt{2}x-y+k=0$ 사이의 거리는 원의 반지름의 길이와 같다.

즉, $\frac{|k|}{\sqrt{2+1}}=2$에서 $|k|=2\sqrt{3}$

$\therefore k=2\sqrt{3}$ ($\because k>0$)

다른 풀이 1

$y=\sqrt{2}x+k$를 $x^2+y^2=4$에 대입하면

$x^2+(\sqrt{2}x+k)^2=4$

$3x^2+2\sqrt{2}kx+k^2-4=0$ …… ㉠

직선과 원이 접하므로 x에 대한 이차방정식 ㉠의 판별식을 D라 하면

$\frac{D}{4}=2k^2-3(k^2-4)=0$

$k^2=12$ $\therefore k=2\sqrt{3}$ ($\because k>0$)

다른 풀이 2

반지름의 길이가 2이고, 기울기가 $\sqrt{2}$인 접선의 방정식은

$y=\sqrt{2}x\pm2\sqrt{(\sqrt{2})^2+1}$

$\therefore y=\sqrt{2}x\pm2\sqrt{3}$

이 직선이 직선 $y=\sqrt{2}x+k$와 같으므로

$k=2\sqrt{3}$ ($\because k>0$)

04 원 $(x-2)^2+(y-1)^2=r^2$과 직선 $3x+4y+10=0$이 접하므로 원의 중심 $(2,\ 1)$과 직선 $3x+4y+10=0$ 사이의 거리는 원의 반지름의 길이 r와 같다.

$\therefore r=\frac{|3\times2+4\times1+10|}{\sqrt{3^2+4^2}}=\frac{20}{5}=4$

05 점 P에서 직선 $y=ax+b$까지의 거리는

(중심에서 직선까지의 거리)+(반지름의 길이)이므로

$4+2=6$

06 원의 중심 $(0,\ 0)$과 직선 $2x-y+10=0$ 사이의 거리는

$\frac{|10|}{\sqrt{2^2+(-1)^2}}=2\sqrt{5}$

따라서 점 P와 직선 $2x-y+10=0$ 사이의 거리의 최솟값은

$2\sqrt{5}-\sqrt{5}=\sqrt{5}$

07 반지름의 길이가 3이고, 기울기가 2인 직선의 방정식은

$y=2x\pm3\sqrt{2^2+1}$ $\therefore y=2x\pm3\sqrt{5}$

$\therefore a+b=2+3\sqrt{5}$ ($\because b>0$)

08 직선 $y=x+2$와 평행하므로 구하는 접선의 기울기는 1이다.

즉, 반지름의 길이가 3이고, 기울기가 1인 접선의 방정식은

$y=x\pm3\sqrt{1^2+1}=x\pm3\sqrt{2}$

따라서 $k=\pm3\sqrt{2}$이므로 $k^2=18$

다른 풀이

직선 $y=x+2$와 평행하고 y절편이 k인 직선의 방정식은

$y=x+k$

직선 $y=x+k$가 원 $x^2+y^2=9$에 접하므로

원의 방정식 $x^2+y^2=9$에 $y=x+k$를 대입하면

$x^2+(x+k)^2=9$

$2x^2+2kx+k^2-9=0$의 판별식을 D라 하면

$\frac{D}{4}=k^2-2k^2+18=0$

$\therefore k^2=18$

09 직선 $y=\frac{1}{2}x+2$에 수직인 직선의 기울기를 m이라 하면

$m=-2$

따라서 기울기가 -2이고 원 $x^2+y^2=5$에 접하는 접선의 방정식은

$y=-2x\pm\sqrt{5}\times\sqrt{(-2)^2+1}$

$\therefore y=-2x\pm5$

10 원 $x^2+y^2=10$ 위의 점 $(1, 3)$에서의 접선의 방정식은

$1\times x+3\times y=10$

$\therefore x+3y-10=0$

11 중심이 원점이고 반지름의 길이가 5인 원의 방정식은

$x^2+y^2=25$

원 $x^2+y^2=25$ 위의 점 $(3, -4)$에서의 접선의 방정식은

$3x-4y=25$

12 원 $x^2+y^2=5$ 위의 점 $(2, 1)$에서의 접선의 방정식은

$2\times x+1\times y=5$

$\therefore y=-2x+5$

즉, 기울기가 -2이고, 점 $(-1, 3)$을 지나는 직선의 방정식은

$y-3=-2\{x-(-1)\}$

$\therefore 2x+y-1=0$

13 원 $x^2+y^2=5$의 중심 $(0, 0)$에서 직선 $2x+y-k=0$까지의 거리가 반지름 $\sqrt{5}$보다 작아야 하므로

$\frac{|-k|}{\sqrt{2^2+1^2}}<\sqrt{5}$

$|-k|<5$

$\therefore -5<k<5$

$\therefore a=-5, b=5$

$\therefore b-a=10$

14 두 점 $\mathrm{A}(2, 4)$, $\mathrm{B}(-4, a)$를 지나는 직선의 방정식은

$y-4=\frac{a-4}{-4-2}(x-2)$

$-6y+24=(a-4)(x-2)$

$(a-4)x+6y-2a+8-24=0$

$(a-4)x+6y-2a-16=0$ ...... ㉠

직선 ㉠이 원 $x^2+y^2=4$와 접하므로 원의 중심 $(0, 0)$과 직선 ㉠ 사이의 거리가 원의 반지름의 길이 2와 같다.

$\frac{|-2a-16|}{\sqrt{(a-4)^2+6^2}}=2$

$|a+8|=\sqrt{(a-4)^2+36}$

위의 식의 양변을 제곱하면

$a^2+16a+64=a^2-8a+16+36$

$16a+64=-8a+52$

$24a=-12 \quad \therefore a=-\frac{1}{2}$

15 원 $x^2+y^2=4$와 직선 $y=ax+2\sqrt{b}$가 접하므로 원의 중심 $(0, 0)$과 직선 $ax-y+2\sqrt{b}=0$ 사이의 거리는 원의 반지름의 길이와 같다.

즉, $\frac{|2\sqrt{b}|}{\sqrt{a^2+1}}=2$에서 $|\sqrt{b}|=\sqrt{a^2+1}$

$\therefore b=a^2+1$

10보다 작은 자연수 a, b에 대하여 $b=a^2+1$을 만족시키는 순서쌍 (a, b)는

$(1, 2)$, $(2, 5)$

따라서 b의 모든 값의 합은 7이다.

16 $x^2+y^2-2x+2y-6=0$에서

$(x-1)^2+(y+1)^2=8$ ...... ㉠

직선 $x+y+k=0$이 원 ㉠에 접하므로 원의 중심 $(1, -1)$과 직선 사이의 거리는 원의 반지름의 길이와 같다.

즉, $\frac{|k|}{\sqrt{1^2+1^2}}=2\sqrt{2}$에서 $|k|=4$

$\therefore k=4$ ($\because k>0$)

17 $x^2+y^2+6x-4y+9=0$에서

$(x+3)^2+(y-2)^2=4$이므로 중심이 $(-3, 2)$, 반지름의 길이가 2인 원이다.

이 원에 직선 $y=mx$가 접하므로 원의 중심 $(-3, 2)$와 직선 $mx-y=0$ 사이의 거리는 반지름의 길이와 같다.

즉, $\frac{|-3m-2|}{\sqrt{m^2+1}}=2$

$|-3m-2|=2\sqrt{m^2+1}$ ...... ㉠

㉠의 양변을 제곱하여 정리하면

$5m^2+12m=0$

$\therefore m=-\frac{12}{5}$

18 원의 중심 $(0, 1)$과 직선 $kx-y+4=0$ 사이의 거리가 원의 반지름의 길이보다 크면 서로 만나지 않으므로

$\frac{|k\times0-1+4|}{\sqrt{k^2+(-1)^2}}>1$

$\sqrt{k^2+1}<3$, $k^2+1<9$, $k^2<8$

$\therefore -2\sqrt{2}<k<2\sqrt{2}$

따라서 서로 만나지 않도록 하는 정수 k의 개수는 -2, -1, 0, 1, 2의 5이다.

19 원의 중심의 좌표는 $(-2, 1)$이고 반지름의 길이는 1이다.

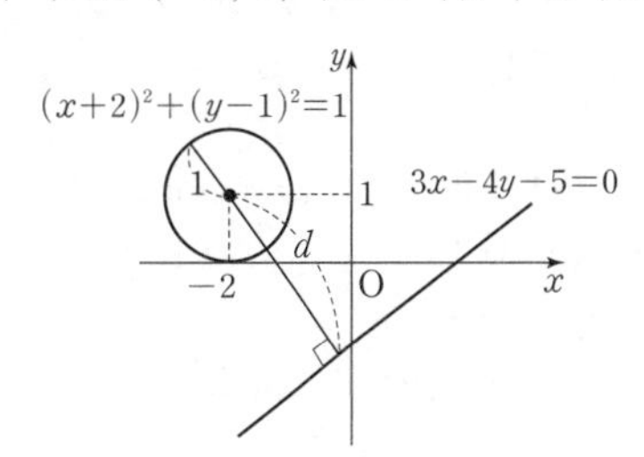

원의 중심 $(-2, 1)$과 직선 $3x-4y-5=0$ 사이의 거리를 d라 하면

$d=\dfrac{|-6-4-5|}{\sqrt{3^2+(-4)^2}}=\dfrac{|-15|}{\sqrt{25}}=3$

따라서 원 위의 점과 직선 사이의 거리의 최댓값은

$d+1=3+1=4$

20 $x^2+y^2-4x-4y+7=0$에서

$(x-2)^2+(y-2)^2=1$

즉, 원의 중심이 $C(2, 2)$이고 반지름의 길이가 1인 원이다.

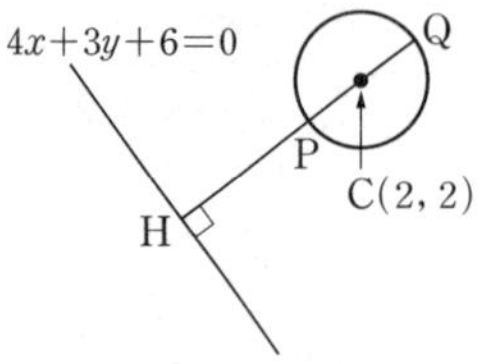

오른쪽 그림과 같이 원의 중심 $C(2, 2)$에서 직선 $4x+3y+6=0$에 내린 수선의 발을 H라 하면

$\overline{CH}=\dfrac{|4\times2+3\times2+6|}{\sqrt{4^2+3^2}}=4$

즉, 구하는 거리의 최댓값과 최솟값은

$\overline{CH}+\overline{CQ}=4+1=5$

$\overline{CH}-\overline{CP}=4-1=3$

따라서 최댓값과 최솟값의 합은

$5+3=8$

21 $y+2x-5=0$에서 $y=-2x+5$

즉, 반지름의 길이가 $2\sqrt{5}$이고, 기울기가 -2인 접선의 방정식은

$y=-2x\pm2\sqrt{5}\sqrt{(-2)^2+1}$ $\quad\therefore y=-2x\pm10$

$\therefore a+b=-2+10=8$ ($\because b>0$)

22 두 점 $A(-1, 2)$, $B(5, 0)$의 중점을 $M(p, q)$라 하면

$p=\dfrac{-1+5}{2}=2,\ q=\dfrac{2+0}{2}=1$

$\therefore M(2, 1)$

두 점 A와 M 사이의 거리가 반지름의 길이이므로

$\overline{AM}=\sqrt{(-1-2)^2+(2-1)^2}=\sqrt{10}$

따라서 원의 방정식은 $(x-2)^2+(y-1)^2=10$

한편, 기울기가 1인 접선의 방정식을 $y=x+k$ (k는 상수)라 하면 직선 $x-y+k=0$과 원의 중심 $(2, 1)$ 사이의 거리는 원의 반지름의 길이와 같다.

$\dfrac{|2-1+k|}{\sqrt{1^2+(-1)^2}}=\sqrt{10}$

$|1+k|=\sqrt{20}$

양변을 제곱하여 정리하면

$k^2+2k-19=0$

$\therefore k=-1\pm2\sqrt{5}$

따라서 접선의 방정식은

$y=x-1+2\sqrt{5}$, $y=x-1-2\sqrt{5}$

이때, y절편이 양수인 직선 $y=x-1+2\sqrt{5}$의 y절편은 $-1+2\sqrt{5}$이다.

23 원 $x^2+y^2=4$ 위의 점 $(1, \sqrt{3})$에서의 접선의 방정식은

$1\times x+\sqrt{3}\times y=4$

$\therefore x+\sqrt{3}y-4=0$

따라서 직선 $x+\sqrt{3}y-4=0$과 점 $(2, 0)$ 사이의 거리는

$\dfrac{|2-4|}{\sqrt{1+3}}=1$

24 원 $x^2+y^2=5$ 위의 점 $(2, -1)$에서의 접선은 $y=2x-5$이고 이 접선과 수직이므로 기울기는 $-\dfrac{1}{2}$이다.

즉, 원 $x^2+y^2=1$에 접하고 기울기가 $-\dfrac{1}{2}$인 직선의 방정식은

$y=-\dfrac{1}{2}x\pm\sqrt{\left(-\dfrac{1}{2}\right)^2+1}$

$=-\dfrac{1}{2}x\pm\dfrac{\sqrt{5}}{2}$

따라서 구하는 접선의 y절편은 $\pm\dfrac{\sqrt{5}}{2}$

25 조건 (가)에서 직선 $x+y-k=0$이 원 $x^2+y^2=9$와 서로 다른 두 점에서 만나므로 원의 중심 $(0, 0)$과 직선 $x+y-k=0$ 사이의 거리가 원의 반지름의 길이보다 작다.

$\dfrac{|-k|}{\sqrt{1^2+1^2}}<3$

$|-k|<3\sqrt{2}$

$\therefore -3\sqrt{2}<k<3\sqrt{2}$ $\quad\cdots\cdots$ ㉠

조건 (나)에서 직선 $x+y-k=0$이 원 $(x-3)^2+y^2=k^2$과 만나지 않으므로 원의 중심 $(3, 0)$과 직선 $x+y-k=0$ 사이의 거리는 원의 반지름의 길이보다 크다.

$|k|<\dfrac{|3-k|}{\sqrt{1^2+1^2}}$

$\sqrt{2}|k|<|3-k|$

$2k^2<9-6k+k^2$, $k^2+6k-9<0$

$\therefore -3-3\sqrt{2}<k<-3+3\sqrt{2}$ $\quad\cdots\cdots$ ㉡

㉠과 ㉡의 공통부분은

$-3\sqrt{2}<k<-3+3\sqrt{2}$

따라서 구하는 정수 k의 개수는

$-4, -3, -2, -1, 1$의 5이다.

26 $x^2+y^2-6y-7=0$에서 $x^2+(y-3)^2=16$

즉, 직선 $y=\sqrt{3}x+k$가 원 $x^2+(y-3)^2=16$에 접하므로 원의 중심 $(0, 3)$과 직선 $\sqrt{3}x-y+k=0$ 사이의 거리는 원의 반지름의 길이와 같다.

즉, $\dfrac{|-3+k|}{\sqrt{3+1}}=4$에서 $|k-3|=8$

$k-3=8$ 또는 $k-3=-8$

$\therefore k=11$ 또는 $k=-5$

따라서 모든 실수 k의 값의 합은 6이다.

27 $x^2+y^2+2x-4y-11=0$에서

$x^2+2x+1-1+y^2-4y+4-4-11=0$

$(x+1)^2+(y-2)^2=16$

원의 중심 $(-1, 2)$와 점 $(3, 5)$ 사이의 거리는

$\sqrt{(3+1)^2+(5-2)^2}=5$

따라서 점 $(3, 5)$에서 원 위의 점까지의

최대 거리는 $M=5+4=9$,

최소 거리는 $m=5-4=1$

$\therefore M+m=9+1=10$

28 직선 $x-3y+2=0$, 즉 $y=\frac{1}{3}x+\frac{2}{3}$와 수직인 직선의 기울기는 -3이다.
따라서 원 $x^2+y^2=4$에 접하고 기울기가 -3인 직선의 방정식은
$y=-3x\pm2\sqrt{(-3)^2+1}$
$\therefore y=-3x\pm2\sqrt{10}$
따라서 $a=-3$, $b=2\sqrt{10}$이므로
$ab=-6\sqrt{10}$

29 원 $x^2+y^2=5$ 위의 점 $(-1, 2)$에서의 접선의 방정식은
$-1\times x+2\times y=5$

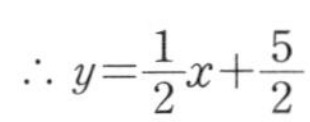

$\therefore y=\frac{1}{2}x+\frac{5}{2}$
이 직선의 x절편은 -5,

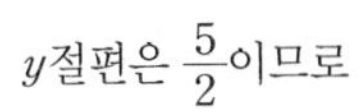

y절편은 $\frac{5}{2}$이므로
구하는 도형의 넓이는
$\frac{1}{2}\times5\times\frac{5}{2}=\frac{25}{4}$

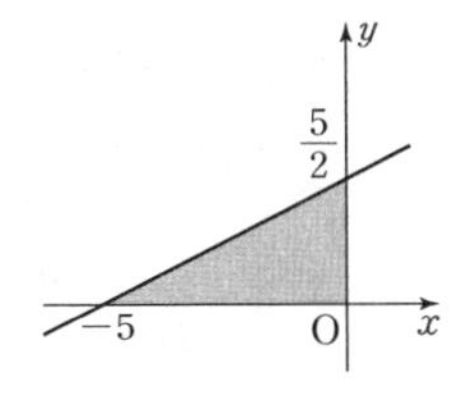

30 접점을 $Q(x_1, y_1)$이라 하면 점 Q는 원 위의 점이므로
$x_1^2+y_1^2=9$ …… ㉠
또, 접점 $Q(x_1, y_1)$에서의 접선의 방정식은
$x_1x+y_1y=9$
이 접선이 점 $(4, 3)$을 지나므로
$4x_1+3y_1=9$
$\therefore y_1=-\frac{4}{3}x_1+3$ …… ㉡
㉡을 ㉠에 대입하면
$x_1^2+\left(-\frac{4}{3}x_1+3\right)^2=9$
$25x_1^2-72x_1=0$
$x_1(25x_1-72)=0$
$\therefore x_1=\frac{72}{25}$ ($\because$ 기울기가 양수)
$x_1=\frac{72}{25}$를 ㉡에 대입하면
$y_1=-\frac{21}{25}$
따라서 구하는 접선의 기울기는
$-\frac{x_1}{y_1}=-\frac{\frac{72}{25}}{-\frac{21}{25}}=\frac{24}{7}$
$\therefore p+q=7+24=31$

유형 03 평행이동과 대칭이동

본문 019~023쪽

01 (1) $(7, 3)$ (2) $(2, 1)$ (3) $(7, 1)$ **02** ③
03 (1) $y=2x-8$ (2) $(x-3)^2+(y+2)^2=1$
04 ① **05** ① **06** ⑤ **07** ⑤
08 (1) $(2, 3)$ (2) $(-2, -3)$ (3) $(-2, 3)$ (4) $(-3, 2)$
09 ③ **10** (1) $y=-2x-6$ (2) $y=-2x+6$ (3) $y=2x-6$ (4) $y=\frac{1}{2}x-3$ **11** ②
12 64 **13** ③ **14** ② **15** 5
16 ③ **17** ② **18** ③ **19** ④
20 -16 **21** ⑤ **22** ① **23** ④
24 ① **25** 15 **26** ③ **27** ②
28 ③ **29** ④ **30** ②

01 (1) 점 $(2, 3)$을 x축의 방향으로 5만큼 평행이동한 점의 좌표는 $(2+5, 3)$
$\therefore (7, 3)$
(2) 점 $(2, 3)$을 y축의 방향으로 -2만큼 평행이동한 점의 좌표는 $(2, 3-2)$
$\therefore (2, 1)$
(3) 점 $(2, 3)$을 x축의 방향으로 5만큼, y축의 방향으로 -2만큼 평행이동한 점의 좌표는 $(2+5, 3-2)$
$\therefore (7, 1)$

02 점 $(2, -1)$을 x축의 방향으로 3만큼, y축의 방향으로 2만큼 평행이동한 점의 좌표는
$(2+3, -1+2)$ $\therefore (5, 1)$
$\therefore p+q=5+1=6$

03 (1) 직선 $y=2x$를 x축의 방향으로 3만큼, y축의 방향으로 -2만큼 평행이동하면
$y+2=2(x-3)$
$\therefore y=2x-8$
(2) 원 $x^2+y^2=1$을 x축의 방향으로 3만큼, y축의 방향으로 -2만큼 평행이동하면
$(x-3)^2+(y+2)^2=1$

04 직선 $3x+y-5=0$을 x축의 방향으로 1만큼, y축의 방향으로 a만큼 평행이동하므로 x 대신 $x-1$, y 대신 $y-a$를 대입하면
$3(x-1)+(y-a)-5=0$
$\therefore 3x+y-a-8=0$
이 직선이 점 $(2, 8)$을 지나므로
$6+8-a-8=0$
$\therefore a=6$

05 직선 $3x+2y+9=0$을 x축의 방향으로 a만큼 평행이동한 직선의 방정식은
$3(x-a)+2y+9=0$

이 직선이 원점을 지나므로
$-3a+9=0 \quad \therefore a=3$

06 원 $x^2+y^2=9$를 x축의 방향으로 2만큼, y축의 방향으로 -1만큼 평행이동하였으므로 x 대신 $x-2$, y 대신 $y+1$을 대입하면
$(x-2)^2+(y+1)^2=9$
$x^2+y^2-4x+2y-4=0$
$\therefore a=-4,\ b=2,\ c=-4$
$\therefore a+b+c=-6$

07 $y=(x-m)^2-2$가 점 $(-1,\ 7)$을 지나므로
$7=(-1-m)^2-2$
$m^2+2m-8=0$
$(m+4)(m-2)=0 \quad \therefore m=-4$ 또는 $m=2$
그런데 $m>0$이므로 $m=2$이다.
따라서 $y=(x-2)^2-2$이므로 이 포물선의 꼭짓점의 좌표는 $(2,\ -2)$이다.

08 (1) 점 $(2,\ -3)$을 x축에 대하여 대칭이동하면 y좌표의 부호가 바뀌므로 $(2,\ 3)$
(2) 점 $(2,\ -3)$을 y축에 대하여 대칭이동하면 x좌표의 부호가 바뀌므로 $(-2,\ -3)$
(3) 점 $(2,\ -3)$을 원점에 대하여 대칭이동하면 x좌표와 y좌표의 부호가 바뀌므로 $(-2,\ 3)$
(4) 점 $(2,\ -3)$을 직선 $y=x$에 대하여 대칭이동하면 x좌표와 y좌표가 서로 바뀌므로 $(-3,\ 2)$

09 점 $(2,\ -1)$을 x축에 대하여 대칭이동하면 $(2,\ 1)$
점 $(2,\ 1)$을 직선 $y=x$에 대하여 대칭이동하면 $(1,\ 2)$
점 $(1,\ 2)$를 x축의 방향으로 -2만큼 평행이동하면 $(-1,\ 2)$
점 $(-1,\ 2)$가 직선 $y=ax+5$ 위의 점이므로 $2=-a+5$
$\therefore a=3$

10 (1) 직선 $y=2x+6$을 x축에 대하여 대칭이동하면 y좌표의 부호가 바뀌므로
$-y=2x+6$
$\therefore y=-2x-6$
(2) 직선 $y=2x+6$을 y축에 대하여 대칭이동하면 x좌표의 부호가 바뀌므로
$y=2(-x)+6$
$\therefore y=-2x+6$
(3) 직선 $y=2x+6$을 원점에 대하여 대칭이동하면 x좌표와 y좌표의 부호가 모두 바뀌므로
$-y=2(-x)+6$
$\therefore y=2x-6$
(4) 직선 $y=2x+6$을 직선 $y=x$에 대하여 대칭이동하면 x좌표와 y좌표가 서로 바뀌므로
$x=2y+6$
$\therefore y=\dfrac{1}{2}x-3$

11 직선 $y=2x+6$을 x축에 대하여 대칭이동하므로 y 대신 $-y$를 대입하면
$-y=2x+6 \quad \therefore y=-2x-6$
따라서 이 직선의 x절편은 -3, y절편은 -6이므로
$a+b=-3+(-6)=-9$

12 원 $(x-5)^2+(y-2)^2=a$를 원점에 대하여 대칭이동하므로 x 대신 $-x$, y 대신 $-y$를 대입하면
$(-x-5)^2+(-y-2)^2=a$
$\therefore (x+5)^2+(y+2)^2=a$
이 원이 점 $(3,\ -2)$를 지나므로
$(3+5)^2+(-2+2)^2=a$
$\therefore a=64$

13 점 $(2,\ 3)$을 x축의 방향으로 -1만큼, y축의 방향으로 2만큼 평행이동하면 점 $(1,\ 5)$이므로 $a=1,\ b=5$
$\therefore a+b=6$

14 평행이동 $(x,\ y) \longrightarrow (x-1,\ y+3)$에 의하여 점 $(a,\ b)$가 점 $(5,\ 2)$로 옮겨지므로
$a-1=5,\ b+3=2 \quad \therefore a=6,\ b=-1$
$\therefore a-b=7$

15 직선 $y=3x-5$를 x축의 방향으로 a만큼, y축의 방향으로 $2a$만큼 평행이동한 직선은 $y-2a=3(x-a)-5$
즉, 직선 $y=3x-a-5$가 $y=3x-10$과 일치하므로
$-a-5=-10$
$\therefore a=5$

16 직선 $y=x-2$를 x축의 방향으로 -3만큼, y축의 방향으로 a만큼 평행이동한 직선의 방정식은
$y-a=(x+3)-2$
$\therefore x-y+a+1=0$
직선 $x-y+a+1=0$이 원 $x^2+y^2-4x-4y=0$, 즉 $(x-2)^2+(y-2)^2=(2\sqrt{2})^2$에 접하므로
원의 중심 $(2,\ 2)$와 직선 $x-y+a+1=0$ 사이의 거리가 원의 반지름의 길이 $2\sqrt{2}$와 같다.
즉, $\dfrac{|a+1|}{\sqrt{1^2+(-1)^2}}=2\sqrt{2}$에서 $|a+1|=4$
$a+1=\pm 4$
$\therefore a=3\ (\because a>0)$

17 원의 중심이 $(-5,\ 10)$에서 $(3,\ -2)$로 이동되었으므로 x축의 방향으로 8만큼, y축의 방향으로 -12만큼 평행이동하였다.
따라서 $m=8,\ n=-12$이므로
$m+n=-4$

18 원 $x^2+y^2=1$을 x축의 방향으로 a만큼 평행이동한 원의 방정식은
$(x-a)^2+y^2=1$
이 원이 직선 $3x-4y-4=0$에 접하므로 원의 중심 $(a,\ 0)$과 직선 $3x-4y-4=0$ 사이의 거리가 원의 반지름의 길이 1과 같다.
즉, $\dfrac{|3a-4|}{\sqrt{3^2+(-4)^2}}=1$에서

$|3a-4|=5$

$3a-4=\pm 5$

$\therefore a=3\ (\because a>0)$

19 점 A(2, 4)를 x축에 대하여 대칭이동한 점

B(2, -4)

직선 $y=x$에 대하여 대칭이동한 점

C(4, 2)

따라서 삼각형 ABC의 넓이는

$\frac{1}{2}\times 8\times(4-2)=8$

20 점 A(-1, 3)을 x축의 방향으로 a만큼, y축의 방향으로 b만큼 평행이동한 점의 좌표는

$(-1+a,\ 3+b)$

이 점을 다시 직선 $y=x$에 대하여 대칭이동한 점의 좌표는

$(3+b,\ -1+a)$

즉, 점 $(3+b,\ -1+a)$가 점 A(-1, 3)과 일치하므로

$3+b=-1,\ -1+a=3$

$\therefore a=4,\ b=-4$

$\therefore ab=-16$

21 직선 $ax+y+2=0$을 x축에 대하여 대칭이동한 직선은

$ax-y+2=0$

위 직선이 점 (1, 5)를 지나므로 대입하면

$a-5+2=0$

$\therefore a=3$

22 직선 $x+2y=1$을 직선 $y=x$에 대하여 대칭이동한

직선 $y+2x=1$이 원 $(x-3)^2+(y-5)^2=k$에 접하므로

$\frac{|2\times 3+1\times 5-1|}{\sqrt{2^2+1^2}}=\sqrt{k}$

$\therefore k=20$

23 원 $(x-1)^2+(y-3)^2=4$를 직선 $y=x$에 대하여 대칭이동한 원의 방정식은

$(x-3)^2+(y-1)^2=4$

따라서 두 원의 중심 (1, 3), (3, 1) 사이의 거리는

$\sqrt{(1-3)^2+(3-1)^2}=2\sqrt{2}$

24 $x^2+y^2-4x+6y+9=0$에서

$(x-2)^2+(y+3)^2=4$ …… ㉠

㉠을 원점에 대하여 대칭이동한 원의 방정식은

$(-x-2)^2+(-y+3)^2=4$

$\therefore (x+2)^2+(y-3)^2=4$ …… ㉡

㉡을 다시 x축에 대하여 대칭이동한 원의 방정식은

$(x+2)^2+(-y-3)^2=4$

$\therefore (x+2)^2+(y+3)^2=4$

따라서 구하는 원의 중심의 좌표는 $(-2,\ -3)$이다.

다른풀이

원 $x^2+y^2-4x+6y+9=0$의 중심의 좌표가 $(2,\ -3)$이므로 이 점을 원점에 대하여 대칭이동하면 점 $(-2,\ 3)$이고, 다시 이 점을 x축에 대하여 대칭이동하면 점 $(-2,\ -3)$이 된다.

25 점 A(-2, 1)을 x축의 방향으로 m만큼 평행이동한 점은

B($-2+m$, 1)

점 B($-2+m$, 1)을 y축의 방향으로 n만큼 평행이동한 점은

C($-2+m$, $1+n$)

세 점 A, B, C를 꼭짓점으로 하는 삼각형의 무게중심의 좌표가 G(2, 4)이므로

$\frac{-2+(-2+m)+(-2+m)}{3}=\frac{2m-6}{3}=2$

$\frac{1+1+(1+n)}{3}=\frac{3+n}{3}=4$

$m=6,\ n=9$

$\therefore m+n=15$

26 평행이동 $(x,\ y)\longrightarrow(x+m,\ y+n)$에 의하여 점 (3, 2)가 점 (1, 6)으로 옮겨지므로

$3+m=1,\ 2+n=6$ $\quad\therefore m=-2,\ n=4$

따라서 평행이동 $(x,\ y)\longrightarrow(x-2,\ y+4)$에 의하여

직선 $2x+3y=1$이 옮겨지는 직선의 방정식은

$2(x+2)+3(y-4)=1$ $\quad\therefore 2x+3y=9$

$\therefore a+b=2+3=5$

27 원 $x^2+y^2+2x-4y-3=0$은 $(x+1)^2+(y-2)^2=8$로 나타낼 수 있고 이를 x축의 방향으로 a만큼, y축의 방향으로 b만큼 평행이동하면 원의 중심은 $(-1+a,\ 2+b)$이고 반지름의 길이는 변함이 없다.

평행이동한 도형이 원 $(x-3)^2+(y+4)^2=c$이므로

$-1+a=3,\ 2+b=-4,\ c=8$

따라서 $a=4,\ b=-6,\ c=8$이므로

$a+b+c=6$

28 ㄱ. 점 (2, 4)를 x축의 방향으로 4만큼, y축의 방향으로 -4만큼 평행이동하면 $(2+4,\ 4-4)$, 즉 (6, 0)이 된다. (참)

ㄴ. 직선 $x-2y+3=0$을 x축에 대하여 대칭이동하면 y좌표의 부호가 바뀌므로 $x+2y+3=0$이 된다. (거짓)

ㄷ. 직선 $x-2y+3=0$을 직선 $y=x$에 대하여 대칭이동하면 $y-2x+3=0$이 되고, 이 직선을 x축의 방향으로 3만큼 평행이동하면 $y-2(x-3)+3=0$, 즉 $2x-y-9=0$이 된다. (참)

따라서 옳은 것은 ㄱ, ㄷ이다.

29 원 C_1: $(x-1)^2+(y+2)^2=1$을 직선 $y=x$에 대하여 대칭이동하면

$(x+2)^2+(y-1)^2=1$

$\therefore C_2$: $(x+2)^2+(y-1)^2=1$

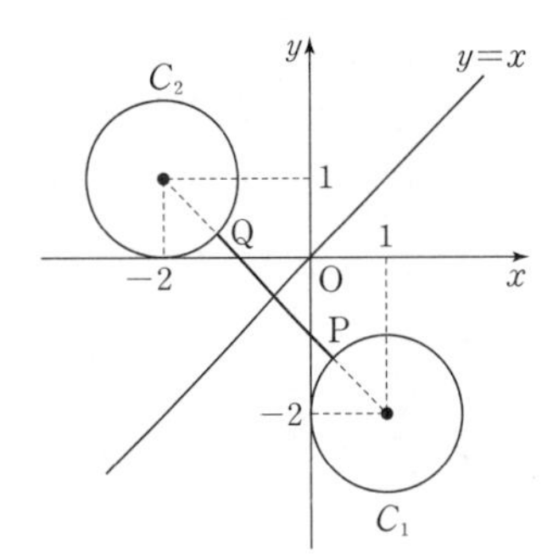

$\overline{\mathrm{PQ}}$의 최댓값은 두 원의 중심 사이의 거리와 두 원의 반지름의 길이의 합을 더한 것이므로

$\sqrt{(1+2)^2+(-2-1)^2}+2=3\sqrt{2}+2$

30 직선 $y=2x-5$의 그래프를 x축의 방향으로 2만큼, y축의 방향으로 1만큼 평행이동한 직선의 방정식은

$y-1=2(x-2)-5 \quad \therefore y=2x-8$

원 $(x-3)^2+(y+2)^2=5$를 직선 $y=x$에 대하여 대칭이동하면

$(x+2)^2+(y-3)^2=5$

$\overline{\mathrm{PQ}}$의 최솟값은 원의 중심 $(-2, 3)$과 직선 $2x-y-8=0$ 사이의 거리에서 원의 반지름의 길이 $\sqrt{5}$를 뺀 것이므로

$\dfrac{|2\times(-2)-3-8|}{\sqrt{2^2+(-1)^2}}-\sqrt{5}=\dfrac{15}{\sqrt{5}}-\sqrt{5}=2\sqrt{5}$

유형 04 집합의 뜻과 연산

본문 025~029쪽

01 ㄱ, ㄷ, ㄹ **02** ⑤ **03** $\varnothing$, $\{1\}$, $\{2\}$, $\{1, 2\}$
04 ② **05** ① **06** ④ **07** 11
08 10 **09** ④ **10** 6 **11** (1) $\{2, 4\}$
(2) $\{1, 2, 3, 4, 6, 8\}$ (3) $\{1, 3, 5, 7, 9\}$ (4) $\{6, 8\}$
12 ② **13** 22 **14** ⑤ **15** ④
16 ② **17** ④ **18** ③ **19** 5
20 ② **21** ① **22** ⑤ **23** ①
24 7 **25** ④ **26** 25 **27** ⑤
28 ① **29** 7 **30** ②

01 ㄴ. '키가 큰'은 명확한 기준이 아니므로 집합이 아니다.
따라서 집합인 것은 ㄱ, ㄷ, ㄹ이다.

02 집합 A의 원소의 개수는 5이므로
$n(A)=5$

03 집합 A의 부분집합은
$\varnothing$, $\{1\}$, $\{2\}$, $\{1, 2\}$

04 $A\subset B$이려면 $1\in B$, $3\in B$이어야 하므로
$a=1$, $b=3$ 또는 $a=3$, $b=1$
$\therefore a+b=4$

05 $A=\{x\,|\,x$는 2의 양의 약수$\}$
$=\{1, 2\}$
$B=\{x\,|\,x$는 8의 양의 약수$\}$
$=\{1, 2, 4, 8\}$
$C=\{x\,|\,x$는 32의 양의 약수$\}$
$=\{1, 2, 4, 8, 16, 32\}$
$\therefore A\subset B\subset C$

06 ④ $\{1, 2\}\subset A$

07 $A=\{5, a, 9\}$, $B=\{b, 6, 9\}$에서
$A=B$이므로 $a=6$, $b=5$
$\therefore a+b=6+5=11$

08 $A=\{2, 4, 6, 8\}$
$A\subset B$이고 $B\subset A$이므로 $A=B$
$\therefore a=4$, $b=6$ 또는 $a=6$, $b=4$
$\therefore a+b=10$

09 $A\cup B=\{1, 2\}\cup\{1, 2, 4\}=\{1, 2, 4\}$
따라서 집합 $A\cup B$의 모든 원소의 합은
$1+2+4=7$

10 $A\cap B=\{2, 4\}$
따라서 집합 $A\cap B$의 모든 원소의 합은

$2+4=6$

11 $U=\{1, 2, 3, 4, 5, 6, 7, 8, 9\}$
(1) $A\cap B=\{2, 4\}$
(2) $A\cup B=\{1, 2, 3, 4, 6, 8\}$
(3) $A^C=\{1, 3, 5, 7, 9\}$
(4) $A-B=\{6, 8\}$

12 $A-B=\{1, 2, 3, 4, 5\}-\{4, 5, 6, 7\}$
$=\{1, 2, 3\}$
따라서 집합 $A-B$의 모든 원소의 합은
$1+2+3=6$

13 $a\in A=\{-1, 0, 2\}$, $b\in B=\{1, 3, 5\}$이므로 a의 값인 -1, 0, 2의 각각에 대하여 b의 값이 1, 3, 5일 때, $a+b$의 값을 표로 나타내어 계산하면 다음과 같다.

b \ a	-1	0	2
1	0	1	3
3	2	3	5
5	4	5	7

$\therefore S=\{0, 1, 2, 3, 4, 5, 7\}$
따라서 집합 S의 모든 원소의 합은
$0+1+2+3+4+5+7=22$

14 $A=\{x\mid x^2-5x-6=0\}$
$=\{x\mid (x+1)(x-6)=0\}$
$=\{-1, 6\}$
이므로 두 집합 A, B를 $A\subset B$가 성립하도록 수직선 위에 나타내면 그림과 같다.

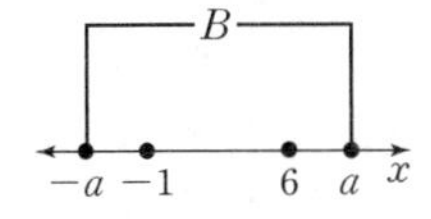

즉, $-a\leq -1$, $a\geq 6$에서 $a\geq 6$
따라서 a의 최솟값은 6이다.

15 $|x|\leq 1$에서 $-1\leq x\leq 1$이므로 $B=\{-1, 0, 1\}$
$x^2-x=0$에서 $x(x-1)=0$, 즉 $x=0$ 또는 $x=1$이므로
$C=\{0, 1\}$
따라서 세 집합 A, B, C의 포함관계는
$A\subset C\subset B$

16 ㄱ. $0\in A$
ㄴ. $\varnothing\subset B$
ㄷ. $\{1, 2\}\subset A$
ㄹ. $\{1, 3\}\subset B$
ㅁ. $A\not\subset B$
따라서 옳은 것은 ㄴ, ㄷ의 2개이다.

17 $a+1=3$, $b=5$이므로 $a=2$, $b=5$
$\therefore a+b=7$

18 $A\subset B$이고 $B\subset A$이므로 $A=B$
$a=5$, $a+b=20$
$\therefore b=15$

19 $A\cap B=\{2, b\}$에서 $2\in B$이므로 $a=2$
$A\cap B=\{1, 2, 3, 4\}\cap\{2, 3, 5\}$
$=\{2, 3\}$
$\therefore b=3$
$\therefore a+b=2+3=5$

20 $A\cup B=\{2, 3, 4, 5, 2a+1, 3a+1\}$이므로
$2a+1=7$ 또는 $3a+1=7$
(i) $2a+1=7$에서 $a=3$이므로
$A=\{2, 4, 7\}$
$B=\{3, 5, 10\}$
$\therefore A\cup B=\{2, 3, 4, 5, 7, 10\}$
즉, 주어진 조건을 만족하지 않는다.
(ii) $3a+1=7$에서 $a=2$이므로
$A=\{2, 4, 5\}$
$B=\{3, 5, 7\}$
$\therefore A\cup B=\{2, 3, 4, 5, 7\}$
(i), (ii)에 의하여 구하는 a의 값은 2이다.

21 $A=\{a, 3\}$, $B=\{5, b, 7\}$
$A\cap B=\{3\}$에서 $3\in B$이므로 $b=3$
즉, $B=\{3, 5, 7\}$이고, $A\cup B=\{2, 3, 5, 7\}$에서 $2\in A$이므로 $a=2$
$\therefore a+b=2+3=5$

22 ① $\{4\}\cap\{3, 4\}=\{4\}$
② $\{1, 3, 5\}\cap\{3, 4\}=\{3\}$
③ $\{1, 3, 5, 7, 9\}\cap\{3, 4\}=\{3\}$
④ $\{3, 6, 9\}\cap\{3, 4\}=\{3\}$
⑤ $\{1, 7\}\cap\{3, 4\}=\varnothing$
따라서 집합 A와 서로소인 집합은 ⑤이다.

23 $A\cap B^C=A-B$
$=\{1, 3, 5, 7, 9\}-\{4, 5, 6, 7, 8, 9\}$
$=\{1, 3\}$
따라서 $A\cap B^C$의 원소들의 합은
$1+3=4$

24 $A\cap B^C=\{6, 7\}$이므로 $3\in B$이다.
따라서 $a-4=3$이므로 $a=7$

25 2는 집합 A의 원소이므로 $2\in A$이고 $\{2\}\subset A$,
$\{1, 2\}$는 집합 A의 부분집합이고 동시에 원소이므로
$\{1, 2\}\in A$, $\{1, 2\}\subset A$, $\{\{1, 2\}\}\subset A$
따라서 옳지 않은 것은 ④이다.

26 $A=\{x\mid x^2-x-12=0\}$
$=\{x\mid (x+3)(x-4)=0\}$
$=\{-3, 4\}$
$A=B$이므로

$a=-3$, $b=4$ 또는 $a=4$, $b=-3$

$\therefore a^2+b^2=25$

27 $A\cap B=\{2, 5\}$이므로

$a^2-4a=5$

$(a-5)(a+1)=0$에서 $a=-1$ 또는 $a=5$

$a=-1$일 때,

$A=\{-4, -1, 1\}$, $B=\{1, 2, 5\}$에서 $A\cap B=\{1\}$이므로 조건을 만족하지 않는다.

$a=5$일 때,

$A=\{2, 5, 7\}$, $B=\{1, 2, 5\}$에서 $A\cap B=\{2, 5\}$이고, $A\cup B=\{1, 2, 5, 7\}$이므로

$1+2+5+7=15$

28 $A=\{x|(x-3)(x-6)>0\}$

$=\{x|x<3$ 또는 $x>6\}$

(가), (나) 조건을 만족시키는 영역을 수직선에 나타내면

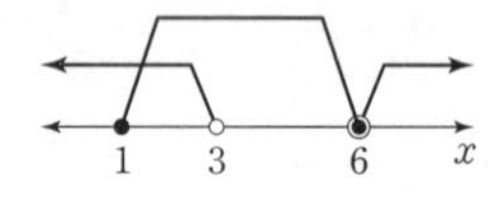

$x^2+ax+b=0$의 실근이 1, 6이어야 하므로

근과 계수의 관계에 의하여

$1+6=-a$, $a=-7$

$1\times 6=b$, $b=6$

$a+b=-1$

29 $A-B^C=A\cap (B^C)^C=A\cap B=\{3, 4\}$

따라서 집합 $A-B^C$의 모든 원소의 합은

$3+4=7$

30 두 원소 3, 4를 모두 포함하는 집합의 개수는

집합 $\{1, 2\}$의 부분집합의 개수와 같으므로

$2^2=4$

유형 05 연산의 성질과 원소의 개수 본문 031~035쪽

01 ④	02 ②	03 ②	04 ③
05 ④	06 (1) U (2) $B\cap A^C(=B-A)$		
07 ⑤	08 ③	09 ④	10 ④
11 ⑤	12 ⑤	13 ③	14 ④
15 $B=\{1, 2, 5, 6\}$		16 ①	17 ③
18 7	19 ②	20 ①	21 ②
22 ③	23 ①	24 ③	25 14
26 16	27 ④	28 ⑤	29 12
30 ②			

01 $A\cap B^C=A-B=\{3, 5\}$

$A^C\cap B^C=(A\cup B)^C=\{7, 8\}$

$\therefore B=\{1, 2, 4, 6\}$

따라서 집합 B의 원소의 합은

$1+2+4+6=13$

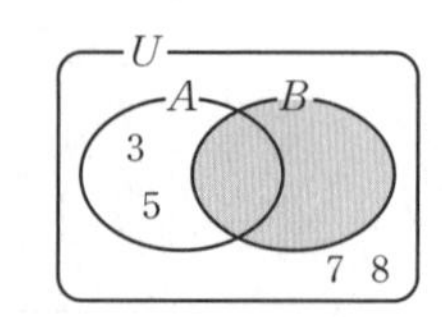

02 $(A^C-B)^C=(A^C\cap B^C)^C$

$=A\cup B$

03 $(A\cup B)\cap (A\cap B)^C=(A\cup B)-(A\cap B)$

$=\{1, 2, 4, 5, 8\}-\{2, 8\}$

$=\{1, 4, 5\}$

따라서 모든 원소의 합은

$1+4+5=10$

04 $U=\{1, 2, 3, 4, 5, 6, 7, 8\}$

$A=\{1, 3, 5, 7\}$, $B=\{4, 5, 6, 7, 8\}$에서

$(A-B)\cup (B-A)=\{1, 3\}\cup \{4, 6, 8\}$

$=\{1, 3, 4, 6, 8\}$

$\therefore n((A-B)\cup (B-A))=5$

05 $(A-B)^C\cap B^C=(A\cap B^C)^C\cap B^C$

$=(A^C\cup B)\cap B^C$

$=(A^C\cap B^C)\cup (B\cap B^C)$

$=(A\cup B)^C\cup \varnothing$

$=(A\cup B)^C$

따라서 옳은 것은 ④ $(A\cup B)^C$이다.

06 (1) $A\cup (A\cap B)^C=A\cup (A^C\cup B^C)$

$=(A\cup A^C)\cup B^C$

$=U\cup B^C$

$=U$

(2) $(A\cup B)\cap A^C=(A\cap A^C)\cup (B\cap A^C)$

$=\varnothing\cup (B\cap A^C)$

$=B\cap A^C(=B-A)$

07 주어진 벤다이어그램에서 $B\subset A$이므로

ㄱ. $A^C \subset B^C$ (참)
ㄴ. $B-A=\varnothing$ (참)
ㄷ. $A \cup B=A$ (참)
따라서 ㄱ, ㄴ, ㄷ 모두 옳다.

08 $A \subset B$이므로 두 집합 A, B를 벤다이어그램으로 나타내면 그림과 같다.

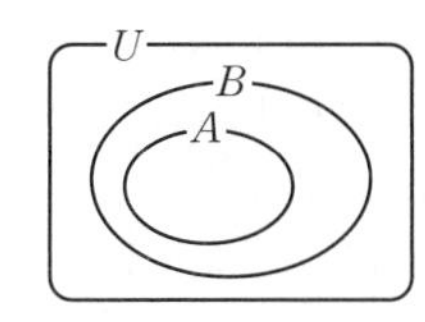

① $A \cup B=B$ (참)
② $A \cap B=A$ (참)
③ $(A \cap B)^C=A^C$ (거짓)
④ $B^C \subset A^C$ (참)
⑤ $A-B=\varnothing$ (참)
따라서 항상 성립한다고 할 수 없는 것은 ③이다.

09 $A^C \subset B^C$이므로 $B \subset A$
즉, 두 집합 A, B 사이의 관계를 벤다이어그램으로 나타내면 그림과 같다.

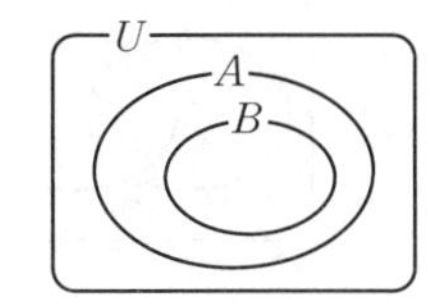

① $A \cup B=A$ (거짓)
② $A \cap B=B$ (거짓)
③ $A-B \neq \varnothing$ (거짓)
④ $A^C \cap B=\varnothing$ (참)
⑤ $A \not\subset B$ (거짓)
따라서 옳은 것은 ④이다.

10 $A \cup B=\{1, 2, 3, 4, 5, 6, 7\}$
$\therefore n(A \cup B)=7$

11 $n(A \cup B)=n(A)+n(B)-n(A \cap B)$에서
$15=8+n(B)-3$
$\therefore n(B)=10$

12 $n(A \cup B)=n(A)+n(B)-n(A \cap B)$에서
$8=5+3-n(A \cap B)$
$\therefore n(A \cap B)=0$
$\therefore n(A^C \cup B^C)=n((A \cap B)^C)$
$=n(U)-n(A \cap B)$
$=10$

13 $U=\{1, 2, 3, 4, 5, 6, 7, 8\}$
$A^C \cap B=B \cap A^C=B-A=\{2, 3\}$,
$(A \cup B)^C=\{6, 8\}$
$A^C \cup B^C=(A \cap B)^C=\{2, 3, 4, 6, 8\}$
$\therefore A \cap B=\{1, 5, 7\}$

벤다이어그램에 각 원소를 적어보면 $A-B=\{4\}$이다.

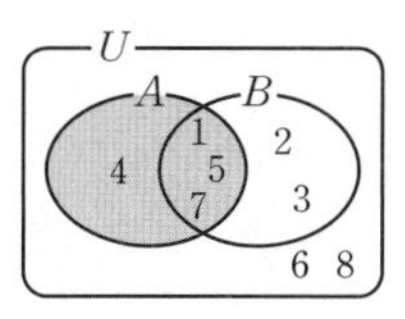

$\therefore A=\{1, 4, 5, 7\}$
따라서 집합 A의 모든 원소의 합은
$1+4+5+7=17$

14 $(A-B^C)^C=\{A \cap (B^C)^C\}^C=(A \cap B)^C=A^C \cup B^C$

15 $(A \cup B)-(A \cap B)$를 벤다이어그램으로 나타내면 그림의 어두운 부분이다.

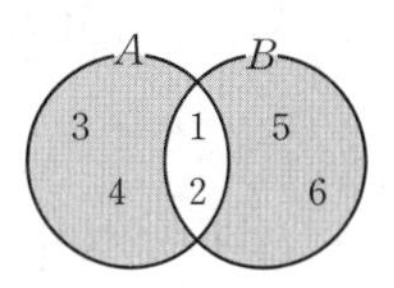

따라서 $(A \cup B)-(A \cap B)=\{3, 4, 5, 6\}$이려면
$A \cap B=\{1, 2\}$이고 $3 \notin B$, $4 \notin B$, $5 \in B$, $6 \in B$이어야 한다.
$\therefore B=\{1, 2, 5, 6\}$

16 $U=\{1, 2, 3, \cdots, 10\}$, $A=\{1, 2, 3, 4\}$
$(A \cup B) \cap (A^C \cup B^C)=(A \cup B) \cap (A \cap B)^C$
$=(A-B) \cup (B-A)$
$=\{2, 4, 5, 6\}$
$\therefore A \cap B=\{1, 3\}$
$\therefore B=\{1, 3, 5, 6\}$
따라서 집합 B의 모든 원소의 합은
$1+3+5+6=15$

17 두 집합 A, B가 서로소이므로
$A \cap B=\varnothing$에서 $B \cap A^C=B$
$\therefore (A \cup B) \cap (B \cap A^C)=(A \cup B) \cap B$
$=(A \cap B) \cup (B \cap B)$
$=\varnothing \cup B$
$=B$

18 $A \cap (A^C \cup B)=(A \cap A^C) \cup (A \cap B)$
$=\varnothing \cup (A \cap B)$
$=A \cap B=\{3, 4\}$
따라서 집합 $A \cap (A^C \cup B)$의 모든 원소의 합은
$3+4=7$

19 $A \cap B=A$일 때, 두 집합 A, B 사이의 관계를 벤다이어그램으로 나타내면 그림과 같다.

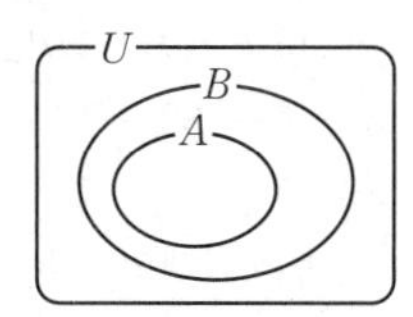

ㄱ. $A \subset B$ (참)
ㄴ. $A \cup B=B$ (참)
ㄷ. $A \cap B^C=\varnothing$ (참)

ㄹ. $A^C \not\subset B^C$ (거짓)
따라서 옳은 것은 ㄱ, ㄴ, ㄷ이다.

20 $(A-B)^C=(A\cap B^C)^C$
$=A^C\cup B$
이므로
$(A\cup B)\cap(A-B)^C=(A\cup B)\cap(A^C\cup B)$
$=(A\cap A^C)\cup B$
$=\varnothing\cup B$
$=B$
$\therefore \{(A\cup B)\cap(A-B)^C\}\cup A=B\cup A$
따라서 $B\cup A=B$이므로 $A\subset B$

21 전체집합을 $U=\{1, 2, 3, \cdots, 100\}$이라 하고, 100 이하의 자연수 중에서
5의 배수의 집합을 A
4로 나누었을 때의 나머지가 2인 수의 집합을 B
라 하면
$A=\{5, 10, 15, \cdots, 100\}$
$B=\{2, 6, 10, 14, 18, 22, 26, 30, \cdots, 90, 94, 98\}$
이때, 5의 배수이고, 4로 나누었을 때의 나머지가 2가 아닌 자연수의 집합은 $A\cap B^C$이므로
$A-B=A-(A\cap B)$
이고 $A\cap B=\{10, 30, 50, 70, 90\}$
이므로 구하는 자연수의 개수는
$n(A)-n(A\cap B)=20-5=15$

22 전체 학생의 집합을 U, 빨간색을 좋아하는 학생의 집합을 A, 파란색을 좋아하는 학생의 집합을 B라 하면
$n(U)=100$, $n(A)=67$, $n(B)=58$, $n((A\cup B)^C)=11$
이므로
$n(A\cup B)=n(U)-n((A\cup B)^C)$
$=100-11=89$
따라서 빨간색, 파란색 둘 다 좋아하는 학생의 수는
$n(A\cap B)=n(A)+n(B)-n(A\cup B)$
$=67+58-89$
$=36$

23 전체 학생의 집합을 U, 음악을 좋아하는 학생의 집합을 A, 미술을 좋아하는 학생의 집합을 B라 하면
$n(U)=100$, $n(A)=63$, $n(B)=54$, $n((A\cup B)^C)=18$
이므로
$n(A\cup B)=n(U)-n((A\cup B)^C)$
$=100-18$
$=82$
$\therefore n(A\cap B)=n(A)+n(B)-n(A\cup B)$
$=63+54-82$
$=35$
따라서 미술만 좋아하는 학생의 수는
$n(B-A)=n(B)-n(A\cap B)$
$=54-35$
$=19$

24 어떤 반 학생 30명 전체의 집합을 U, 배영과 평영을 할 수 있는 학생의 집합을 각각 A, B라 하면
$n(U)=30$, $n(A)=24$, $n(B)=13$
배영과 평영을 모두 할 수 있는 학생의 집합은 $A\cap B$이므로
$n(A\cap B)=x$
(i) $n(A\cap B)\le n(A)$, $n(A\cap B)\le n(B)$이므로
$x\le 24$, $x\le 13$에서 $x\le 13$
(ii) $n(A\cup B)=n(A)+n(B)-n(A\cap B)\le n(U)$이므로
$24+13-x\le 30$에서 $x\ge 7$
(i), (ii)에서 $7\le x\le 13$
따라서 x의 최댓값은 13, 최솟값은 7이므로
(최댓값)+(최솟값)$=13+7=20$

25 $A-B=\{2, 4\}$
$A^C\cap B=B-A$
$=\{1, 3, 10\}$
$A^C\cap B^C=(A\cup B)^C$
$=U-(A\cup B)$
$=\{5, 7, 9\}$
위의 조건을 만족시키는 집합의 관계를 벤다이어그램으로 나타내면 그림과 같다.

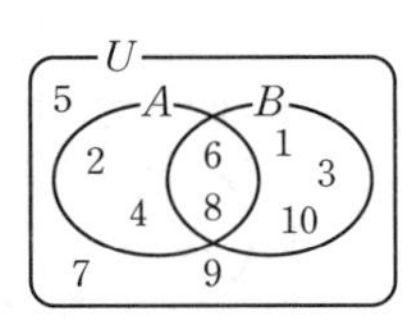

$\therefore A\cap B=\{6, 8\}$
따라서 $A\cap B$의 모든 원소의 합은
$6+8=14$

26 $A=\{1, 2, 3\}$, $B=\{2, 3, 4, 5\}$에서
$A\cup B=\{1, 2, 3, 4, 5\}$, $A\cap B=\{2, 3\}$이므로
$P=(A\cup B)\cap(A\cap B)^C$
$=(A\cup B)-(A\cap B)$
$=\{1, 4, 5\}$
$P\subset X\subset U$이므로
$\{1, 4, 5\}\subset X\subset\{1, 2, 3, 4, 5, 6, 7\}$
집합 X는 1, 4, 5를 반드시 원소로 갖는 전체집합 U의 부분집합이다.
이를 만족시키는 집합 X의 개수는
$2^{7-3}=2^4=16$

27 ① $(A\cap B)\cup(A-B)=(A\cap B)\cup(A\cap B^C)$
$=A\cap(B\cup B^C)$
$=A\cap U=A$
② $(A\cap B^C)\cup B=(A\cup B)\cap(B^C\cup B)$
$=(A\cup B)\cap U$
$=A\cup B$
③ $(A\cup B)\cap(A-B)^C=(A\cup B)\cap(A\cap B^C)^C$
$=(A\cup B)\cap(A^C\cup B)$
$=(A\cap A^C)\cup B$
$=\varnothing\cup B$
$=B$

④ $A\cap(A^C\cup B)=(A\cap A^C)\cup(A\cap B)$
$=\varnothing\cup(A\cap B)$
$=A\cap B$
⑤ $(A\cap B^C)\cap(A^C\cap B)=(A\cap A^C)\cap(B^C\cap B)$
$=\varnothing\cap\varnothing=\varnothing$
따라서 옳지 않은 것은 ④이다.

28 $A\cup B=B$이므로 $A\subset B$이다.
① $A\cap B=A$
② $B^C\subset A^C$
③ $A^C\cup B=U$
④ $A-B=\varnothing$
⑤ $B\cap A^C=B-A\not\subset A$
따라서 옳지 않은 것은 ⑤이다.

29 $n(A\cup B)=n(A)+n(B)-n(A\cap B)$이므로
$15=7+n(B)-4$
$\therefore n(B)=12$

30 수영을 좋아하는 학생의 집합을 A, 등산을 좋아하는 학생의 집합을 B라 하면
$n(A)=23,\ n(B)=28,\ n(A\cap B)=12$
$\therefore n(A\cup B)=n(A)+n(B)-n(A\cap B)$
$=23+28-12$
$=39$

유형 06 명제와 조건

본문 037~040쪽

01 ④	02 ④	03 3	04 ②
05 ⑤	06 ③	07 ①	08 ⑤
09 ④	10 ⑤	11 7	12 ③
13 ⑤	14 ③	15 ③	16 ④
17 ④	18 ④	19 ③	20 ④
21 4	22 ③	23 ③	24 2

01 명제란 참과 거짓을 구분할 수 있는 문장이나 식이다.
따라서 거짓인 문장 '④ 2는 소수가 아니다.'는 명제이다.

02 $(x-1)(x-3)=0$에서
$x=1$ 또는 $x=3$
$\therefore P=\{1,\ 3\}$
따라서 집합 P의 모든 원소의 합은
$1+3=4$

03 주어진 조건 $x+2<5$에서
$x=1$을 대입하면 $1+2=3<5$ (참)
$x=2$를 대입하면 $2+2=4<5$ (참)
$x=3$을 대입하면 $3+2=5<5$ (거짓)
$x=4$를 대입하면 $4+2=6<5$ (거짓)
$x=5$를 대입하면 $5+2=7<5$ (거짓)
즉, 조건 p의 진리집합은
$\{1,\ 2\}$
따라서 조건 p의 진리집합의 모든 원소의 합은
$1+2=3$

04 ㄱ. 3은 6의 배수가 아니다. (거짓)
ㄴ. [반례] $x=-1$이면 $x^2=1$이다. (거짓)
ㄷ. 모든 자연수는 유리수이다. (참)
ㄹ. $\varnothing$은 모든 집합의 부분집합이다. (참)
ㅁ. [반례] $a=\sqrt{2},\ b=-\sqrt{2}$일 때, $a+b=0$ (거짓)
따라서 참인 명제는 ㄷ, ㄹ의 2개이다.

05 ① [반례] $x=-2$일 때, $x^2=4$이다. (거짓)
② [반례] $x=-2$이면 $x<1$이지만 $x^2>1$이다. (거짓)
③ [반례] $x=2,\ y=-2$일 때, $x^2=y^2$이다. (거짓)
④ m과 n이 홀수이어도 $m+n$은 짝수이다. (거짓)
⑤ $|x|+|y|=0$이면 $x=0,\ y=0$이므로 $x^2+y^2=0$이다.
따라서 참인 명제는 ⑤이다.

06 명제 $p\longrightarrow q$가 참이므로
$P\subset Q$
따라서 항상 옳은 것은 ③ $P-Q=\varnothing$이다.

07 '$\le$'의 부정은 '$>$'
'$>$'의 부정은 '$\le$'
'이고'의 부정은 '또는'

이므로 주어진 명제의 부정은 '$x \le -1$ 또는 $x > 2$'이다.

08 조건 p의 진리집합을 P라 하면
$x(x-11) \ge 0$에서
$x \le 0$ 또는 $x \ge 11$
$\therefore P = \{x \mid x \le 0$ 또는 $x \ge 11$, x는 정수$\}$
따라서 조건 $\sim p$의 진리집합은
$P^C = \{x \mid 0 < x < 11$, x는 정수$\}$
이므로 원소의 개수는 10이다.

09 주어진 조건 $x^2 - x > 0$에서
$x=0$을 대입하면 $0-0=0>0$ (거짓)
$x=1$을 대입하면 $1^2-1=0>0$ (거짓)
$x=2$를 대입하면 $2^2-2=2>0$ (참)
$x=3$을 대입하면 $3^2-3=6>0$ (참)
$x=4$를 대입하면 $4^2-4=12>0$ (참)
따라서 조건 p의 진리집합은
$\{2, 3, 4\}$

10 $|x| < 3$에서
$-3 < x < 3$
즉, 조건 p가 참이 되게 하는 정수 x의 개수는
$-2, -1, 0, 1, 2$의 5이다.

11 명제가 참이기 위해서는 $x=a$가 $x^2-5x-14=0$의 근이어야 하므로
$a^2-5a-14=0$
$(a+2)(a-7)=0$
$a=-2$ 또는 $a=7$
$\therefore a=7$ ($\because a>0$)

12 [반례]는 가정인 $x>\sqrt{2}$를 만족하지만
결론인 $x \ge \sqrt{6}$을 만족하지 않는 것이어야 한다.
즉 $\sqrt{2} < x < \sqrt{6}$이어야 한다.
보기 중에서 $\sqrt{2} < x < \sqrt{6}$인 x의 값은 2뿐이다.

13 두 조건 p, q의 진리집합을 각각 P, Q라 하면
$P = \{x \mid x \ne -2, x \ne 4$, x는 실수$\}$
$Q = \{x \mid -2 \le x \le 4\}$
① $P \not\subset Q$이므로 명제 $p \longrightarrow q$는 거짓이다.
② 두 조건 $\sim p$, $\sim q$의 진리집합을 각각 P^C, Q^C이다.
$P^C = \{x \mid x=-2$ 또는 $x=4\}$,
$Q^C = \{x \mid x<-2$ 또는 $x>4\}$
이므로 $P^C \not\subset Q^C$이다.
따라서 명제 $\sim p \longrightarrow \sim q$는 거짓이다.
③ $Q = \{x \mid -2 \le x \le 4\}$,
$P^C = \{x \mid x=-2$ 또는 $x=4\}$
이므로 $Q \not\subset P^C$이다.
따라서 명제 $q \longrightarrow \sim p$는 거짓이다.
④ $Q = \{x \mid -2 \le x \le 4\}$,
$P = \{x \mid x \ne -2, x \ne 4$, x는 실수$\}$
이므로 $Q \not\subset P$이다.
따라서 명제 $q \longrightarrow p$는 거짓이다.
⑤ $P^C = \{x \mid x=-2$ 또는 $x=4\}$,
$Q = \{x \mid -2 \le x \le 4\}$
이므로 $P^C \subset Q$이다.
따라서 명제 $\sim p \longrightarrow q$는 참이다.
따라서 참인 명제는 ⑤이다.

14 두 조건 p, q의 진리집합을 각각 P, Q라 하면
$P = \{x \mid 1 \le x \le 3\}$, $Q = \{x \mid -2 \le x \le a\}$
이고, 명제 $p \longrightarrow q$가 참이 되려면 $P \subset Q$이어야 한다.

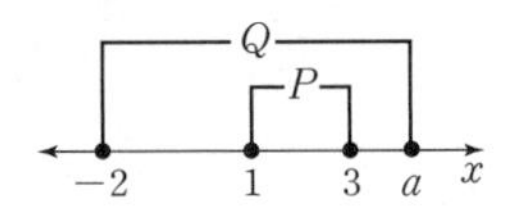

즉, 그림에서 $a \ge 3$
따라서 실수 a의 최솟값은 3이다.

15 두 조건 p, q의 진리집합을 각각 P, Q라 하면
$x^2 \le 9$에서 $(x+3)(x-3) \le 0$
$\therefore -3 \le x \le 3$
$\therefore P = \{x \mid -3 \le x \le 3\}$
$Q = \{x \mid x \le a\}$
명제 $p \longrightarrow q$가 참이 되려면 $P \subset Q$이어야 한다.

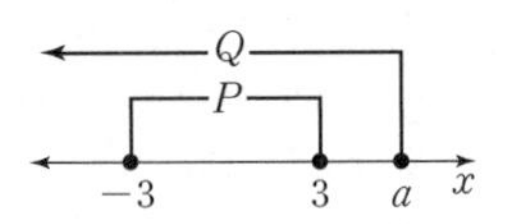

따라서 $a \ge 3$이므로 실수 a의 최솟값은 3이다.

16 명제 $p \longrightarrow \sim q$가 참이므로
$P \subset Q^C$
즉, 두 집합 P, Q 사이의 관계를 벤다이어그램으로 나타내면 그림과 같다.

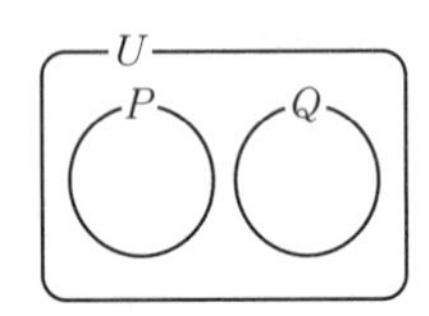

$\therefore P - Q = P$

17 $P = \{1, 2, 5\}$, $Q = \{3, 6, 9\}$이므로
$Q \subset P^C$
따라서 명제 $q \longrightarrow \sim p$가 참이다.

18 $P \cap Q^C = P$가 성립하므로 $P \subset Q^C$
따라서 $p \longrightarrow \sim q$가 항상 참이다.

19 조건 p의 진리집합을 P라 하면
$x^2 - x - 6 > 0$에서 $(x+2)(x-3) > 0$
$\therefore x < -2$ 또는 $x > 3$
$\therefore P = \{x \mid x < -2$ 또는 $x > 3$, x는 정수$\}$
따라서 조건 $\sim p$의 진리집합은
$P^C = \{x \mid -2 \le x \le 3$, x는 정수$\}$
이므로 모든 원소의 합은
$(-2)+(-1)+0+1+2+3=3$

20 ㄱ. [반례] 2는 소수이지만 홀수가 아니다. (거짓)
ㄴ. 두 실수 a, b에 대하여 $a^2+b^2=0$이면 $a=0$, $b=0$이므로 $ab=0$이다. (참)
ㄷ. $x^2+x-6\le0$에서 $(x+3)(x-2)\le0$
$\therefore -3\le x\le2$
이때, $x=\frac{5}{2}$이면 $2<x<3$이지만 $x^2+x-6\le0$은 아니다. (거짓)
ㄹ. $(x-2)^2=0$이면 $x=2$이므로 $(x+2)(x-2)=0$ (참)
따라서 참인 명제는 ㄴ, ㄹ이다.

21 두 조건 p, q의 진리집합을 각각 P, Q라 하면
$x-a=0$에서 $x=a$
$\therefore P=\{a\}$
$x^2-2x-8=0$에서 $(x+2)(x-4)=0$
$\therefore x=-2$ 또는 $x=4$
$\therefore Q=\{-2, 4\}$
명제 $p \longrightarrow q$가 참이려면 $P\subset Q$가 되어야 하므로
a가 Q의 원소이어야 한다.
$\therefore a=-2$ 또는 $a=4$
따라서 양수 a의 값은 4이다.

22 조건 p가 $-2<x-2<2$이므로
조건 p의 진리집합은 $P=\{x|0<x<4\}$이고
조건 q가 $5-k<x<k$이므로
조건 q의 진리집합은 $Q=\{x|5-k<x<k\}$이다.
조건 p가 조건 q이기 위한 충분조건이므로 $P\subset Q$

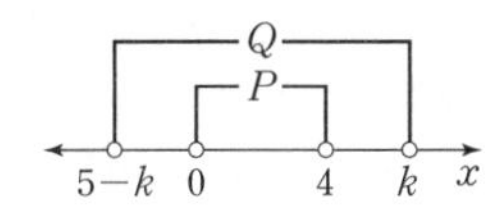

즉, 그림에서 $5-k\le0$, $k\ge4$
$\therefore k\ge5$
따라서 k의 최솟값은 5이다.

23 $P^C\cap Q=Q$이므로 $Q\subset P^C$
따라서 명제 $q \longrightarrow \sim p$와 그 대우 $p \longrightarrow \sim q$는 항상 참이다.

24 q: $x^3-4x=0$에서 $x(x+2)(x-2)=0$
$\therefore x=-2$ 또는 $x=0$ 또는 $x=2$
즉, $P=\{a, b\}$, $Q=\{-2, 0, 2\}$
a, b는 음이 아닌 정수이므로
$a+b=2$

유형 07 명제 사이의 관계

본문 043~047쪽

01 ④	02 ⑤	03 ②	04 ④
05 ③	06 ①	07 ④	08 ⑤
09 ⑤	10 ②	11 15	12 −2
13 ⑤	14 9	15 ②	16 ③
17 ⑤	18 ②	19 ①	20 ④
21 ③	22 ②	23 ①	24 −1
25 ⑤	26 ③	27 ②	28 ③
29 4	30 4		

01 ① 역: $x^2=4$이면 $x=2$이다. (거짓)
[반례] $x=-2$일 때, $x^2=4$이지만 $x\ne2$이다.
② 역: $x+y>0$이면 $x>0$이고 $y>0$이다. (거짓)
[반례] $x=2$, $y=-1$이면 $x+y>0$이지만 $x>0$, $y<0$이다.
③ 역: $x>y$이면 $x^2>y^2$이다. (거짓)
[반례] $x=1$, $y=-2$일 때, $x>y$이지만 $x^2<y^2$이다.
④ 역: $x=0$이고 $y=0$이면 $|x|+|y|=0$이다. (참)
⑤ 역: △ABC의 두 내각의 크기가 같으면 정삼각형이다. (거짓)
[반례] 이등변삼각형은 두 내각의 크기가 같지만 정삼각형은 아니다.
따라서 역이 참인 명제는 ④이다.

02 $p \longrightarrow q$의 대우는 $\sim q \longrightarrow \sim p$이므로
'$x=1$이면 $x^2=1$이다.'의 대우는
'$x^2\ne1$이면 $x\ne1$이다.'이다.

03 '$a\ge\sqrt{3}$이면 $a^2\ge3$이다.'의 대우는
'$a^2<3$이면 $a<\sqrt{3}$이다.'이다.

04 $p \longrightarrow \sim q$가 참이면 그 대우 $q \longrightarrow \sim p$도 참이다.

05 역과 대우가 참이 되려면 원래 명제와 역이 모두 참이면 된다.
① 명제: $x<-1$이면 $x^2>1$이다. (참)
역: $x^2>1$이면 $x<-1$이다. (거짓)
② 명제: $\frac{x}{y}>1$이면 $x>y$이다. (거짓)
역: $x>y$이면 $\frac{x}{y}>1$이다. (거짓)
③ 명제: $x^2+y^2=0$이면 $|x|+|y|=0$이다. (참)
역: $|x|+|y|=0$이면 $x^2+y^2=0$이다. (참)
④ 명제: $xy\ne0$이면 $x\ne0$ 또는 $y\ne0$이다. (참)
역: $x\ne0$ 또는 $y\ne0$이면 $xy\ne0$이다. (거짓)
⑤ 명제: $x\le0$이고 $y\le0$이면 $x+y\le0$이다. (참)
역: $x+y\le0$이면 $x\le0$이고 $y\le0$이다. (거짓)
따라서 역과 대우가 모두 참인 것은 ③이다.

06 $p \Longrightarrow \sim q$이고 $\sim q \Longrightarrow r$이면 $p \Longrightarrow \sim q \Longrightarrow r$이므로 $p \Longrightarrow r$
따라서 명제 $p \longrightarrow r$는 참이다.

07 명제 $p \longrightarrow q$, $q \longrightarrow \sim r$가 모두 참이므로 삼단논법에 의해 $p \longrightarrow \sim r$와 그 대우 $r \longrightarrow \sim p$도 항상 참이다.

08 ㄱ. $p \longrightarrow q$ (참), $q \longrightarrow p$ (거짓)이므로
p는 q이기 위한 충분조건이다.
ㄴ. $p \longrightarrow q$ (거짓), $q \longrightarrow p$ (참)이므로
p는 q이기 위한 필요조건이다.
ㄷ. $p \longrightarrow q$ (참), $q \longrightarrow p$ (참)이므로
p는 q이기 위한 필요충분조건이다.
ㄹ. $p \longrightarrow q$ (거짓), $q \longrightarrow p$ (참)이므로
p는 q이기 위한 필요조건이다.
따라서 p는 q이기 위한 필요조건이지만 충분조건은 아닌 것은 ㄴ, ㄹ이다.

09 ① p: $x^2=1$ $\underset{\circ}{\overset{\times}{\rightleftarrows}}$ q: $x=1$ (필요조건)
[반례] $x=-1$이면 $x^2=1$이지만 $x \neq 1$이다.
② p: $x+y=0$ $\underset{\circ}{\overset{\times}{\rightleftarrows}}$ q: $x^2+y^2=0$ (필요조건)
[반례] $x=1$, $y=-1$이면 $x+y=0$이지만 $x^2+y^2 \neq 0$이다.
③ p: $x<3$ $\underset{\circ}{\overset{\times}{\rightleftarrows}}$ q: $|x|<3$ (필요조건)
[반례] $x=-4$이면 $x<3$이지만 $|x|>3$이다.
④ p: $A-B=A$ $\underset{\circ}{\overset{\circ}{\rightleftarrows}}$ q: $A \cap B=\varnothing$ (필요충분조건)
⑤ p: $x>0$, $y>0$ $\underset{\times}{\overset{\circ}{\rightleftarrows}}$ q: $xy>0$ (충분조건)
[반례] $x=-1$, $y=-2$이면 $xy>0$이지만 $x<0$, $y<0$이다.
따라서 p가 q이기 위한 충분조건이지만 필요조건이 아닌 것은 ⑤이다.

10 p: $x=y$, q: $x^2=y^2$
이라 하면 명제 $p \longrightarrow q$는 참이다. (충분조건)
한편, $x=1$, $y=-1$이면 $x^2=y^2$이지만 $x \neq y$이므로 명제 $q \longrightarrow p$는 거짓이다.
r: $xy=0$, s: $x=0$ 또는 $y=0$
이라 하면 명제 $r \longrightarrow s$와 $s \longrightarrow r$는 참이다. (필요충분조건)
$\therefore$ (가): 충분, (나): 필요충분

11 조건 p가 조건 q이기 위한 필요조건이 되기 위해서는
$q \Longrightarrow p$
이어야 한다. 즉, $x-3=0$에서 $x=3$이 방정식 $x^2+2x-a=0$의 근이 되어야 하므로
$9+2\times3-a=0 \qquad \therefore a=15$

12 두 조건 p, q의 진리집합을 각각 P, Q라 하면
p: $x^2-x-2=0$에서 $(x+1)(x-2)=0$
$\therefore x=-1$ 또는 $x=2$
$\therefore P=\{-1, 2\}$
q: $a<x<a+5$에서 $Q=\{x|a<x<a+5\}$
p는 q이기 위한 충분조건이므로 $P \subset Q$

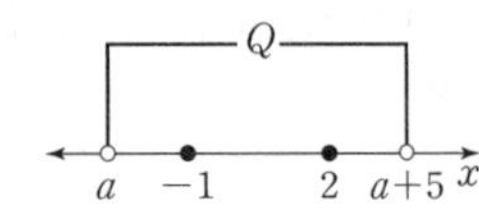

즉, $a<-1$, $2<a+5$이므로
$-3<a<-1$
따라서 정수 a의 값은 -2이다.

13 명제 $p \longrightarrow q$의 역이 참이므로 명제 $q \longrightarrow p$가 참이다.
그러므로 $Q \subset P$가 성립해야 한다.
$4 \in Q$이므로 $4 \in P$이어야 한다.
$a^2=4$, 즉 $a=2$ 또는 $a=-2$
(i) $a=-2$일 때
$P=\{2, 3, 4\}$, $Q=\{-1, 4\}$이므로
$Q \not\subset P$
(ii) $a=2$일 때
$P=\{2, 3, 4\}$, $Q=\{3, 4\}$이므로
$Q \subset P$
따라서 (i), (ii)에 의하여 $a=2$

14 주어진 명제가 참이 되려면 대우가 참이면 된다.
즉, 주어진 명제의 대우
'$x=3$이면 $x^2=a$이다.'
가 참이면 되므로
$a=3^2=9$

15 명제 $p \longrightarrow q$가 참이므로 그 대우 $\sim q \longrightarrow \sim p$도 참이다.
$\therefore Q^C \subset P^C$

16 ㄱ. 명제 $p \longrightarrow \sim r$가 참이므로 그 대우 $r \longrightarrow \sim p$도 참이다.
ㄴ. 명제 $\sim q \longrightarrow r$가 참이라고 해서 그 역 $r \longrightarrow \sim q$가 참인 것은 아니다.
ㄷ. 명제 $\sim q \longrightarrow r$가 참이므로 그 대우 $\sim r \longrightarrow q$도 참이다.
즉, $p \longrightarrow \sim r$, $\sim r \longrightarrow q$가 참이므로 삼단논법에 의해 $p \longrightarrow q$가 참이고 그 대우 $\sim q \longrightarrow \sim p$도 참이다.
따라서 항상 참인 명제는 ㄱ, ㄷ이다.

17 주어진 벤다이어그램에서 $R \subset P$이므로
명제 $r \longrightarrow p$가 참이고 그 대우 $\sim p \longrightarrow \sim r$도 참이다.

18 두 조건 p, q의 진리집합을 각각 P, Q라 하면
ㄱ. $x^2+x-6=0$에서 $(x-2)(x+3)=0$
$\therefore x=-3$ 또는 $x=2$
$\therefore P=\{2\}$, $Q=\{-3, 2\}$
즉, $P \subset Q$이므로 p가 q이기 위한 충분조건이다.
ㄴ. $P=\{1, 2, 4, 8, 16\}$, $Q=\{1, 2, 4, 8\}$
즉, $Q \subset P$이므로 p가 q이기 위한 필요조건이다.
ㄷ. $P=\{-1, 1\}$, $Q=\{-1, 1\}$
즉, $P=Q$이므로 p가 q이기 위한 필요충분조건이다.
따라서 p가 q이기 위한 필요조건이지만 충분조건이 아닌 것은 ㄴ뿐이다.

19 ㄱ. p: $x+y=0$ $\underset{\circ}{\overset{\times}{\rightleftarrows}}$ q: $x^2+y^2=0$ (필요조건)
[반례] $x=1$, $y=-1$이면 $x+y=0$이지만 $x^2+y^2 \neq 0$이다.
ㄴ. p: $|x|+|y|=0$ $\underset{\times}{\overset{\circ}{\rightleftarrows}}$ q: $xy=0$ (충분조건)
[반례] $x=0$, $y=1$이면 $xy=0$이지만 $|x|+|y| \neq 0$이다.
ㄷ. p: $x^2+y^2=0$ $\underset{\circ}{\overset{\circ}{\rightleftarrows}}$ q: $|x|+|y|=0$ (필요충분조건)

따라서 p가 q이기 위한 필요조건이지만 충분조건이 아닌 것은 ㄱ뿐이다.

20 ㄱ. [반례] $a=0$, $b=1$이면 $ab=0$이지만 $a=0$, $b\neq0$이다.
ㄴ. [반례] $a=1$, $b=-1$이면 $a+b=0$이지만 $a\neq0$, $b\neq0$이다.
ㄷ. $a^2+b^2=0 \Longleftrightarrow a^2=0$이고 $b^2=0$
$\Longleftrightarrow a=0$이고 $b=0$
ㄹ. $|a|+|b|=0 \Longleftrightarrow |a|=0$이고 $|b|=0$
$\Longleftrightarrow a=0$이고 $b=0$
따라서 두 실수 a, b가 모두 0이기 위한 필요충분조건인 것은 ㄷ, ㄹ이다.

21 두 조건 p, q의 진리집합을 각각 P, Q라 하면
$P=\{x|(x-3)(x-7)\le0\}=\{x|3\le x\le7\}$
$Q=\{x|x\le k\}$
조건 p가 조건 q이기 위한 충분조건이 되려면 $P\subset Q$이어야 한다.

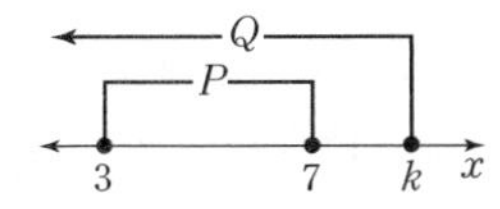

따라서 $k\ge7$이므로 k의 최솟값은 7이다.

22 두 조건 p, q의 진리집합을 각각 P, Q라 하면
$P=\{x|x\ge1\}$, $Q=\{x|a\le x\le3\}$
p는 q이기 위한 필요조건이므로
$p \Longleftarrow q$, 즉 $Q\subset P$

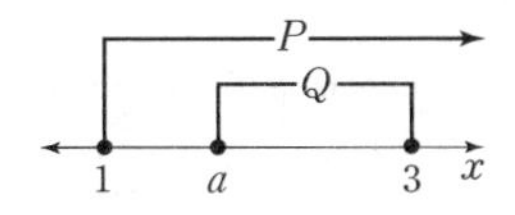

따라서 a의 값의 범위는 $1\le a\le3$이다.

23 두 조건 p, q의 진리집합을 각각 P, Q라 하면
p: $(x-2)^2=a$에서
$x^2-4x+4-a=0$
$\therefore P=\{x|x^2-4x+4-a=0\}$
$Q=\{x|x=5$ 또는 $x=b\}$
p는 q이기 위한 필요충분조건이므로 $P=Q$
즉, 이차방정식 $x^2-4x+4-a=0$의 두 근이 $x=5$ 또는 $x=b$이므로 근과 계수의 관계에 의하여
$5+b=4$, $5b=4-a$ $\quad\therefore a=9$, $b=-1$
$\therefore a+b=8$

24 두 조건 p, q의 진리집합을 각각 P, Q라 하면
p가 q이기 위한 필요조건이므로 $Q\subset P$

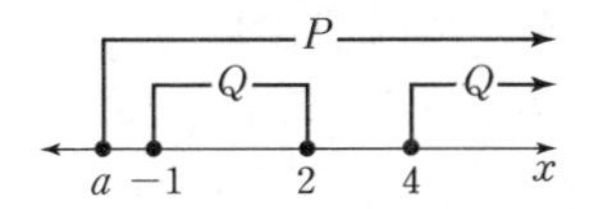

따라서 $a\le-1$이므로 a의 최댓값은 -1이다.

25 $Q\subset P$이므로 명제 $q \longrightarrow p$는 항상 참이다.
따라서 명제 $q \longrightarrow p$의 대우 $\sim p \longrightarrow \sim q$도 항상 참이다.

26 명제 $r \longrightarrow \sim q$가 참이므로 그 대우 $q \longrightarrow \sim r$도 항상 참이다.
즉, 명제 $p \longrightarrow q$, $q \longrightarrow \sim r$가 모두 참이므로 삼단논법에 의해 $p \longrightarrow \sim r$와 그 대우 $r \longrightarrow \sim p$도 항상 참이다.

27 ㄱ. '$a>0$이면 $a^2>0$이다.'는 참이다.
그러나 '$a^2>0$이면 $a>0$이다.'는 거짓이다.
[반례] $a=-2$이면 $a^2>0$이지만 $a<0$이다.
따라서 p는 q이기 위한 충분조건이지만 필요조건은 아니다.
ㄴ. '$ac=bc$이면 $a=b$이다.'는 거짓이다.
[반례] $a=1$, $b=2$, $c=0$이면 $ac=bc=0$이지만 $a\neq b$이다.
그러나 '$a=b$이면 $ac=bc$'는 참이다.
따라서 p는 q이기 위한 필요조건이지만 충분조건은 아니다.
ㄷ. '$a\neq0$ 또는 $b\neq0$이면 $a^2+b^2>0$이다.'는 참이고
'$a^2+b^2>0$이면 '$a\neq0$ 또는 $b\neq0$'이다.'도 참이다.
따라서 p는 q이기 위한 필요충분조건이다.
따라서 p는 q이기 위한 필요조건이지만 충분조건이 아닌 것은 ㄴ이다.

28 p: $x<0$, $y>0$ $\overset{\circ}{\underset{\times}{\rightleftarrows}}$ q: $xy<0$ (충분조건)
[반례] $x=3$, $y=-2$이면 $xy<0$이지만 $x>0$, $y<0$이다.
q: $xy<0$ $\overset{\circ}{\underset{\circ}{\rightleftarrows}}$ r: $|xy|=-xy$ (필요충분조건)
$\therefore$ (가): 충분조건, (나): 필요충분조건

29 세 조건을 각각
p: $-1\le x<3$, q: $-a<x<a$, r: $-b\le x<b$
라 하고 각 조건의 진리집합을 각각 P, Q, R라 하면
$P=\{x|-1\le x<3\}$, $Q=\{x|-a<x<a\}$,
$R=\{x|-b\le x<b\}$
q는 p이기 위한 충분조건이므로 $Q\subset P$
r는 p이기 위한 필요조건이므로 $P\subset R$

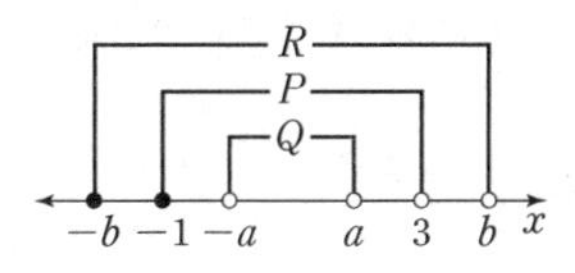

즉, $-b\le-1$, $3\le b$에서 $b\ge3$
$-1\le-a$, $a\le3$에서 $a\le1$
따라서 a의 최댓값은 1, b의 최솟값은 3이므로 그 합은 4이다.

30 두 조건 p, q의 진리집합을 각각 P, Q라 하면
$P=\{x||x-1|\le3\}=\{x|-3\le x-1\le3\}$
$=\{x|-2\le x\le4\}$
$Q=\{x||x|\le a\}=\{x|-a\le x\le a\}$
p는 q이기 위한 충분조건이 되려면 $P\subset Q$이어야 한다.

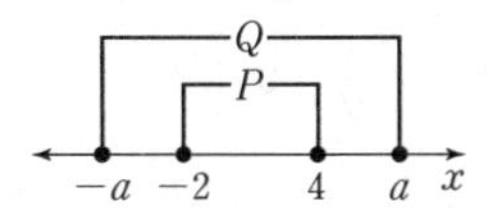

즉, $-a\le-2$이고 $4\le a$이므로 $a\ge4$
따라서 자연수 a의 최솟값은 4이다.

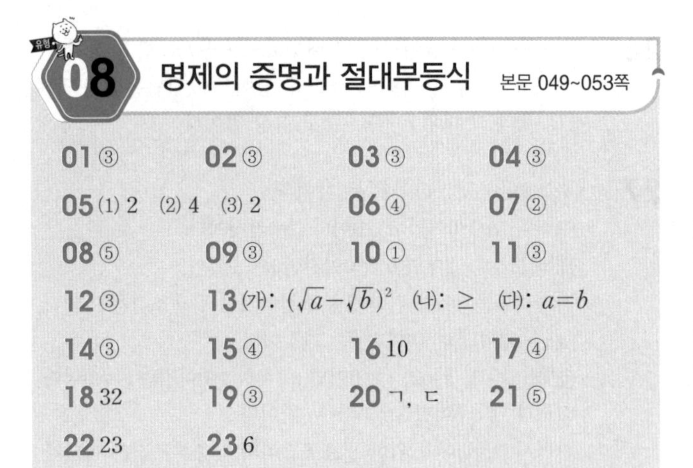

08 명제의 증명과 절대부등식 본문 049~053쪽

01 ③ 02 ③ 03 ③ 04 ③
05 (1) 2 (2) 4 (3) 2 06 ④ 07 ②
08 ⑤ 09 ③ 10 ① 11 ③
12 ③ 13 (가): $(\sqrt{a}-\sqrt{b})^2$ (나): $\ge$ (다): $a=b$
14 ③ 15 ④ 16 10 17 ④
18 32 19 ③ 20 ㄱ, ㄷ 21 ⑤
22 23 23 6

01 명제와 대우의 참, 거짓은 일치하므로 주어진 명제가 참임을 보이기 위하여 주어진 명제의 대우인 'x와 y가 모두 짝수이면 $x+y$도 짝수이다.'가 참임을 증명해도 된다.

02 ① [반례] $-2>-3$이지만 $(-2)^2<(-3)^2$ (거짓)

② [반례] $3>2$이지만 $\frac{1}{3}<\frac{1}{2}$ (거짓)

③ 부등식의 양변에 같은 수를 더하여도 부등호의 방향은 바뀌지 않는다. (참)

④, ⑤ [반례] $a=3$, $b=2$, $c=-1$일 때,

$3\times(-1)<2\times(-1)$, $\frac{3}{-1}<\frac{2}{-1}$ (거짓)

03 ㄱ. 모든 실수 x에 대하여 $x^2\ge0$이 성립한다.
ㄴ. $x\ne-1$인 모든 실수 x에 대하여 $|x+1|>0$이 성립한다.
ㄷ. 모든 실수 x에 대하여 $x+1>x-1$이 성립한다
ㄹ. $y\ge0$일 때, $x+y\ge x-y$이 성립한다.
ㅁ. 모든 실수 x, y에 대하여 $|x|+|y|\ge|x+y|$이 성립한다.
따라서 절대부등식은 ㄱ, ㄷ, ㅁ의 3개이다.

04 $a^2+ab+b^2=\left(a+\frac{b}{2}\right)^2+\boxed{\frac{3}{4}b^2}$

$\left(a+\frac{b}{2}\right)^2\ge0$, $\boxed{\frac{3}{4}b^2}\ge0$이므로 $a^2+ab+b^2\ge0$이다.

이 부등식에서 등호는 $a+\frac{b}{2}=0$, $b=0$, 즉 $\boxed{a=b=0}$일 때 성립한다.

$\therefore$ (나): $a=b=0$

05 (1) $x+\frac{1}{x}\ge2\sqrt{x\times\frac{1}{x}}=2$

따라서 최솟값은 2이다. ($x=1$일 때)

(2) $y+\frac{4}{y}\ge2\sqrt{y\times\frac{4}{y}}=2\times\sqrt{4}=4$

따라서 최솟값은 4이다. ($y=2$일 때)

(3) $\frac{y}{x}+\frac{x}{y}\ge2\sqrt{\frac{y}{x}\times\frac{x}{y}}=2$

따라서 최솟값은 2이다. ($x=y$일 때)

06 $x>2$에서 $x-2>0$이므로 산술평균과 기하평균의 관계에 의하여

$$x+\frac{9}{x-2}=x-2+\frac{9}{x-2}+2$$
$$\ge2\sqrt{(x-2)\times\frac{9}{x-2}}+2$$
$$=6+2=8$$

$\left(\text{단, 등호는 } x-2=\frac{9}{x-2},\text{ 즉 } x=5\text{일 때 성립한다.}\right)$

따라서 $x+\frac{9}{x-2}$의 최솟값은 8이다.

07 (i) $n=3k+1$일 때,

$n^2=(3k+1)^2=9k^2+6k+1$
$=3(3k^2+2k)+\boxed{1}$

(ii) $n=3k+2$일 때,

$n^2=(3k+2)^2=9k^2+12k+4$
$=3(3k^2+4k+1)+\boxed{1}$

$\therefore$ (가): 1, (나): 1
$\therefore$ (가)+(나)=2

08 $a=2k+1$, $b=2l+1$ (k, l은 0 또는 자연수)로 놓으면
$ab=(2k+1)(2l+1)=4kl+2k+2l+1$
$=2(2kl+k+l)+1$
$2kl+k+l$은 0 또는 $\boxed{\text{자연수}}$이므로 ab는 $\boxed{\text{홀수}}$이다.
따라서 주어진 명제의 대우가 $\boxed{\text{참}}$이므로 주어진 명제도 $\boxed{\text{참}}$이다.
$\therefore$ (가): 자연수, (나): 홀수, (다): 참

09 결론을 부정하여 $\sqrt{3}$이 유리수라고 가정하면
$\sqrt{3}=\frac{n}{m}$ (m, n은 서로소인 자연수)로 나타낼 수 있다.
양변을 제곱하면 $\boxed{3m^2}=n^2$ …… ①
이때, n^2이 3의 배수이므로 n도 3의 배수이다.
$n=3k$ (k는 자연수)라 하면 ①에서
$3m^2=\boxed{9k^2}$, 즉 $m^2=\boxed{3k^2}$
이때, m^2이 3의 배수이므로 m도 3의 배수이다.
즉, m, n이 모두 3의 배수이므로 m, n이 서로소라는 가정에 모순이다.
따라서 $\sqrt{3}$은 유리수가 아니다.
$\therefore$ (가): $3m^2$, (나): $9k^2$, (다): $3k^2$

10 $b\ne0$이라고 가정하면 $a+b\sqrt{2}=0$에서
$\sqrt{2}=-\frac{a}{b}$
이때, $\sqrt{2}$는 $\boxed{\text{무리수}}$, $-\frac{a}{b}$는 $\boxed{\text{유리수}}$이다.
즉, (무리수)=(유리수)가 되어 모순이므로 $b=0$
$b=0$을 $a+b\sqrt{2}=0$에 대입하면 $a=\boxed{0}$
따라서 유리수 a, b에 대하여 $a+b\sqrt{2}=0$이면 $a=b=0$이다.
$\therefore$ (가): 무리수, (나): 유리수, (다): 0

11 ㄷ. [반례] $a=-1$, $b=-2$일 때는 성립하지 않는다.

12 ㄱ. $|a-b|\ge0$은 모든 실수 a, b에 대하여 항상 성립한다.
ㄴ. $|a+b|\le|a|+|b|$는 모든 실수 a, b에 대하여 항상 성립한다.

ㄷ. [반례] $a=1$, $b=-1$일 때, $|a-b| \le |a+b|$는 성립하지 않는다.

따라서 항상 성립하는 부등식은 ㄱ, ㄴ이다.

13 $\frac{a+b}{2}-\sqrt{ab}=\frac{(\sqrt{a})^2+(\sqrt{b})^2-2\sqrt{a}\sqrt{b}}{2}$

$=\frac{\boxed{(\sqrt{a}-\sqrt{b})^2}}{2}$

그런데 a, b는 모두 양수이므로

$(\sqrt{a}-\sqrt{b})^2 \boxed{\ge} 0$

따라서 $\frac{a+b}{2}-\sqrt{ab} \boxed{\ge} 0$이므로

$\frac{a+b}{2} \ge \sqrt{ab}$ (단, 등호는 $\boxed{a=b}$일 때 성립)

$\therefore$ (가): $(\sqrt{a}-\sqrt{b})^2$, (나): $\ge$, (다): $a=b$

14 $(|a|+|b|)^2-|a+b|^2$

$=|a|^2+2|a||b|+|b|^2-\boxed{(a+b)^2}$

$=a^2+2\boxed{|ab|}+b^2-(a^2+2ab+b^2)$

$=2(\boxed{|ab|}-ab)$

그런데 $ab \ge 0$이면 $|ab|-ab=ab-ab=0$

$ab<0$이면 $|ab|-ab=-ab-ab=-2ab>0$

즉, $(|a|+|b|)^2-|a+b|^2 \boxed{\ge} 0$이므로

$(|a|+|b|)^2 \boxed{\ge} |a+b|^2$

$|a|+|b| \ge 0$, $|a+b| \ge 0$이므로

$|a+b| \le |a|+|b|$ (단, 등호는 $ab \ge 0$일 때 성립한다.)

$\therefore$ (가): $(a+b)^2$, (나): $|ab|$, (다): $\ge$

15 $x-2+\frac{4}{x-2}+6 \ge 2\sqrt{(x-2)\times\frac{4}{x-2}}+6=10$

$x-2=\frac{4}{x-2}$일 때, 즉 $x=4$일 때 최솟값 10을 갖는다.

$\therefore a=4$, $b=10$

$\therefore a+b=14$

16 $x>1$에서 $x-1>0$이므로 산술평균과 기하평균의 관계에 의하여

$x+1+\frac{16}{x-1}=x-1+\frac{16}{x-1}+2$

$\ge 2\sqrt{(x-1)\times\frac{16}{x-1}}+2$

$=8+2=10$

$\left(\text{단, 등호는 } x-1=\frac{16}{x-1}\text{, 즉 } x=5\text{일 때 성립한다.}\right)$

따라서 $x+1+\frac{16}{x-1}$의 최솟값은 10이다.

17 $a>0$, $b>0$이므로 산술평균과 기하평균의 관계에 의하여

$(a+b)\left(\frac{1}{a}+\frac{1}{b}\right)=1+\frac{a}{b}+\frac{b}{a}+1$

$=\frac{a}{b}+\frac{b}{a}+2$

$\ge 2\sqrt{\frac{a}{b}\times\frac{b}{a}}+2$

$=2+2=4$

$\left(\text{단, 등호는 } \frac{a}{b}=\frac{b}{a}\text{, 즉 } a=b\text{일 때 성립한다.}\right)$

따라서 $(a+b)\left(\frac{1}{a}+\frac{1}{b}\right)$의 최솟값은 4이다.

18 $ab=8$에서 $a \ne 0$, $b \ne 0$이므로

$a^2>0$, $b^2>0$

산술평균과 기하평균의 관계에 의하여

$a^2+4b^2 \ge 2\sqrt{4a^2b^2}=4|ab|=4\times 8=32$

(단, 등호는 $a^2=4b^2$일 때 성립한다.)

따라서 a^2+4b^2의 최솟값은 32이다.

19 주어진 명제의 대우는 '자연수 n에 대하여 n이 홀수이면 n^2도 $\boxed{\text{홀수}}$이다.'이므로

$n=2k+\boxed{1}$ (k는 0 또는 자연수)로 놓으면

$n^2=(2k+1)^2=4k^2+4k+1$

$=2(2k^2+2k)+\boxed{1}$

이므로 n^2도 $\boxed{\text{홀수}}$이다.

따라서 주어진 명제의 대우가 참이므로 주어진 명제도 참이다.

$\therefore$ (가): 홀수, (나): 1, (다): 1

20 ㄱ. $|a| \ge 0$이므로 $|a| \ge a$가 항상 성립한다. (참)

ㄴ. [반례] $a=-1$, $b=0$이면 $a<b$이지만 $a^2>b^2$이다. (거짓)

ㄷ. $a>b$이면 $a-b>0$이고, $b>c$이면 $b-c>0$이므로

$a-c=a-c-b+b=(a-b)+(b-c)>0$

$\therefore a>c$ (참)

ㄹ. [반례] $a=-2$, $b=-1$이면 $a<b<0$이지만 $\frac{1}{a}>\frac{1}{b}$이다. (거짓)

따라서 옳은 것은 ㄱ, ㄷ이다.

21 (i) $|a|<|b|$일 때,

$|a+b|>0$, $|a|-|b| \boxed{<} 0$이므로 주어진 부등식이 성립한다.

(ii) $|a| \ge |b|$일 때,

$|a+b|^2-(|a|-|b|)^2=\boxed{2(ab+|ab|)}$

이때, $|ab| \ge -ab$이므로 $\boxed{2(ab+|ab|)} \ge 0$

$\therefore |a+b|^2 \ge (|a|-|b|)^2$

따라서 $|a+b| \ge 0$, $\boxed{|a|-|b| \ge 0}$이므로

$|a+b| \ge |a|-|b|$이다.

(i), (ii)에서 $|a+b| \ge |a|-|b|$이다.

(단, 등호는 $|a| \ge |b|$, $ab \le 0$일 때 성립한다.)

22 $x>3$에서 $x^2-9>0$이므로 산술평균과 기하평균의 관계에 의하여

$x^2+\frac{49}{x^2-9}=x^2-9+\frac{49}{x^2-9}+9$

$\ge 2\sqrt{(x^2-9)\times\frac{49}{x^2-9}}+9$

$=14+9=23$

$\left(\text{단, 등호는 } x^2-9=\frac{49}{x^2-9}\text{, 즉 } x=4\text{일 때 성립한다.}\right)$

따라서 $x^2+\frac{49}{x^2-9}$의 최솟값은 23이다.

23 $a>0$, $b>0$, $c>0$이므로 산술평균과 기하평균의 관계에 의하여

$$\frac{b+c}{a}+\frac{c+a}{b}+\frac{a+b}{c}$$
$$=\frac{b}{a}+\frac{c}{a}+\frac{c}{b}+\frac{a}{b}+\frac{a}{c}+\frac{b}{c}$$
$$=\left(\frac{b}{a}+\frac{a}{b}\right)+\left(\frac{c}{a}+\frac{a}{c}\right)+\left(\frac{c}{b}+\frac{b}{c}\right)$$
$$\geq 2\sqrt{\frac{b}{a}\times\frac{a}{b}}+2\sqrt{\frac{c}{a}\times\frac{a}{c}}+2\sqrt{\frac{c}{b}\times\frac{b}{c}}$$
$=2+2+2=6$ (단, 등호는 $a=b=c$일 때 성립한다.)

따라서 $\frac{b+c}{a}+\frac{c+a}{b}+\frac{a+b}{c}$의 최솟값은 6이다.

유형 09 함수

본문 055~059쪽

01 ④	02 ④	03 ⑤	04 ③
05 24	06 20	07 ④	08 ②
09 ①	10 ①	11 (1) 2 (2) 5 (3) 8	
12 10	13 ③	14 ⑤	15 20
16 −2	17 ③	18 ⑤	19 ③
20 ①	21 ①	22 ②	23 5
24 ②	25 ②	26 ③	27 44
28 ④	29 4	30 14	

01 ㄱ. $f(3)$이 정의되지 않으므로 함수가 아니다.
ㄹ. $f(4)$의 값이 하나로 정의되지 않으므로 함수가 아니다.
집합 X에서 집합 Y로의 함수인 것은 ㄴ, ㄷ이다.

02 $f(2)=3\times2+1=7$
$f(3)=3\times3+1=10$
$\therefore f(2)+f(3)=17$

03 $f(1)=1+1=2$
$f(3)=3^2-2=7$
$\therefore f(1)+f(3)=9$

04 $f(-1)=-(-1)^2+1=0$
$f(0)=-0^2+1=1$
$f(1)=-1^2+1=0$
따라서 치역은 $\{0, 1\}$이므로 원소들의 합은
$0+1=1$

05 $f(0)=g(0)$에서 $0-0-6=0+b$
$\therefore b=-6$ …… ㉠
$f(1)=g(1)$에서 $1-a-6=5+b$
$\therefore a+b=-10$ …… ㉡
㉠을 ㉡에 대입하면 $a=-4$
$\therefore ab=24$

06 $f(-1)=g(-1)$에서 $2-a+3=-4+b$
$a+b=9$ …… ㉠
$f(1)=g(1)$에서 $2+a+3=4+b$
$a-b=-1$ …… ㉡
㉠, ㉡의 두 식을 연립하여 풀면
$a=4$, $b=5$
$\therefore ab=20$

07 ④ $y=x^2-1\ (x\geq-1)$에서 $x=-\frac{1}{2}$과 $x=\frac{1}{2}$의 함숫값이 $-\frac{3}{4}$으로 같다. 따라서 일대일함수가 아니다.

08 주어진 조건을 만족시키는 함수는 일대일함수이다.

① $x_1=1$, $x_2=2$이면 $x_1 \neq x_2$이지만
$f(x_1)=f(x_2)=5$이므로 $f(x)=5$는 일대일함수가 아니다.
③ $x_1=-1$, $x_2=1$이면 $x_1 \neq x_2$이지만
$f(x_1)=(-1)^2=1$, $f(x_2)=1^2=1$
따라서 $f(x)=x^2$은 일대일함수가 아니다.
④ $x_1=-2$, $x_2=0$이면 $x_1 \neq x_2$이지만
$f(x_1)=|-2+1|=1$, $f(x_2)=|0+1|=1$
따라서 $f(x)=|x+1|$은 일대일함수가 아니다.
⑤ $x_1=-1$, $x_2=1$이면 $x_1 \neq x_2$이지만
$f(x_1)=(-1)^2-6=-5$, $f(x_2)=1^2-6=-5$
따라서 $f(x)=x^2-6$은 일대일함수가 아니다.
따라서 조건을 만족시키는 함수는 ②이다.

09 ㄱ. 일차함수는 일대일대응이다.
ㄴ. $x_1=1$, $x_2=-1$이면 $x_1 \neq x_2$이지만
$g(x_1)=1$, $g(x_2)=1$이므로 일대일대응이 아니다.
ㄷ. $x_1=2$, $x_2=-2$이면 $x_1 \neq x_2$이지만
$h(x_1)=4$, $h(x_2)=4$이므로 일대일대응이 아니다.
따라서 일대일대응은 ㄱ뿐이다.

10 함수 $y=f(x)$의 그래프는 오른쪽 그림과 같고, $y=f(x)$가 일대일대응이므로
$f(1)=2\times1+1=b$,
$f(a)=2a+1=7$
$\therefore a=3$, $b=3$
$\therefore a+b=3+3=6$

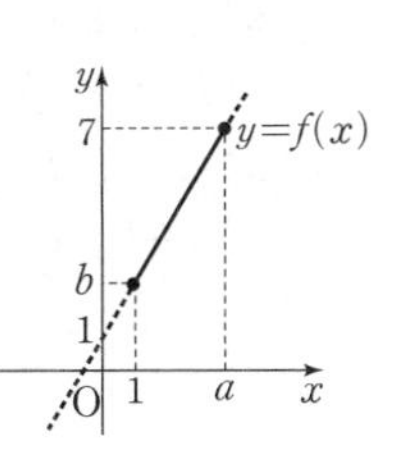

11 (1) $f(2)=2$
(2) $g(2)=5$
(3) $f(3)+g(3)=3+5=8$

12 f는 항등함수이므로 $f(x)=x$이고 $f(5)=5$
$g(x)=5$이므로 g는 상수함수이고 $g(6)=5$
$\therefore f(5)+g(6)=5+5=10$

13 함수는 정의역의 각 원소에 대하여 공역의 원소가 하나만 대응해야 한다.
따라서 y축에 평행한 직선을 그었을 때, 주어진 그래프와 한 점에서만 만나야 하므로 함수의 그래프가 아닌 것은 ③이다.

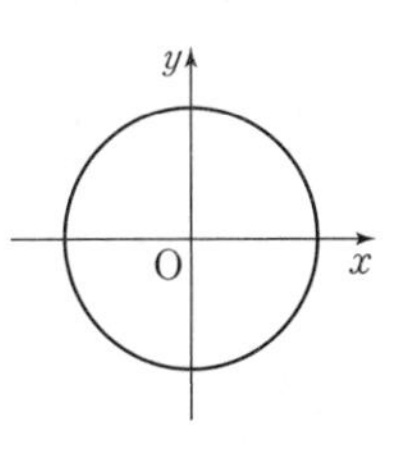

14 ① $f(-1)=-1+1=0 \notin Y$
② $f(0)=|0|=0 \notin Y$
③ $f(0)=0 \notin Y$
④ $f(-1)=-1+1=0 \notin Y$
⑤ $f(-1)=1 \in Y$
$f(0)=f(1)=2 \in Y$
따라서 집합 X에서 집합 Y로의 함수인 것은 ⑤이다.

15 $x-3=2$에서 $x=5$
$f(x-3)=x^2-5$에 $x=5$를 대입하면
$f(2)=25-5=20$

다른풀이
$x-3=t$로 놓으면 $x=t+3$이므로
$f(t)=(t+3)^2-5=t^2+6t+4$
$\therefore f(2)=4+12+4=20$

16 함수 $f(x)=ax+b$에서 $a>0$이므로 함수 $y=f(x)$의 그래프는 기울기가 양수인 직선이다. 즉, 함수 $y=f(x)$의 그래프는 오른쪽 그림과 같아야 하므로
$f(0)=b=-1$
$f(2)=2a+b=3$ $\qquad \therefore a=2$
$\therefore ab=-2$

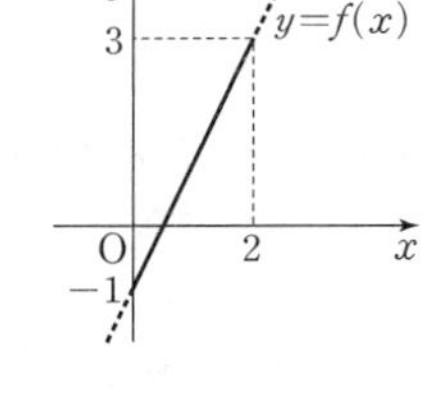

17 $f(x)=g(x)$이므로 $f(1)=g(1)$, $f(2)=g(2)$이어야 한다.
$f(1)=g(1)$에서 $1-1=a+b$
$\therefore a+b=0$ $\quad \cdots\cdots$ ㉠
$f(2)=g(2)$에서 $4-2=2a+b$
$\therefore 2a+b=2$ $\quad \cdots\cdots$ ㉡
㉠, ㉡을 연립하여 풀면 $a=2$, $b=-2$
$\therefore a-b=2-(-2)=4$

18 $f(x)=g(x)$이므로
$f(-2)=g(-2)$에서 $2a+b=9$
$f(0)=g(0)$에서 $b=1$
$f(2)=g(2)$에서 $2a+b=9$
$\therefore a=4$, $b=1$
$\therefore a+b=5$

19 함수 $f(x)$가 일대일함수이고 $f(2)=4$이므로 4가 아닌 집합 Y의 서로 다른 두 원소 a, b에 대하여
$f(1)=a$, $f(3)=b$로 놓을 수 있다.
$f(1)+f(3)$의 최댓값은 $a+b$의 최댓값과 같다.
그런데 $a=2$, $b=3$ 또는 $a=3$, $b=2$일 때 $a+b$가 최대이다.
따라서 $f(1)+f(3)$의 최댓값은 5이다.

20 $f(2)-f(3)=3$에서
$f(2)=8$, $f(3)=5$
$f(1)=7$이고, 함수 f가 일대일대응이므로
$f(4)=6$
$\therefore f(3)+f(4)=5+6=11$

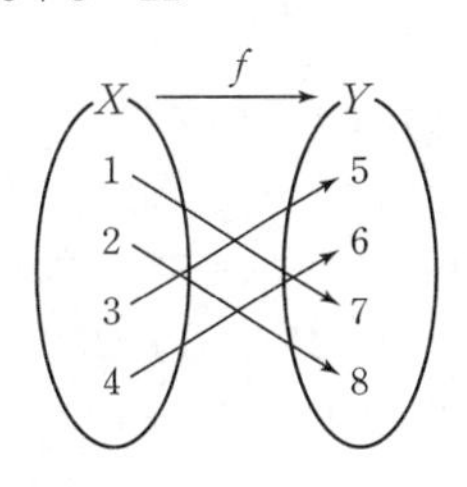

21 $a>0$이므로 $f(x)=ax+b$가 일대일대응이려면
$f(0)=b=1$, $f(1)=a+b=3$
$\therefore a=2$, $b=1$
따라서 $f(x)=2x+1$이므로
$f\left(\frac{1}{2}\right)=2\times\frac{1}{2}+1=2$

22 함수 $y=f(x)$가 일대일대응이므로 함수의 그래프는 오른쪽 그림과 같은 모양이다.
따라서 $x<0$일 때의 직선의 기울기가 양수이어야 하므로
$2-a>0$
$\therefore a<2$

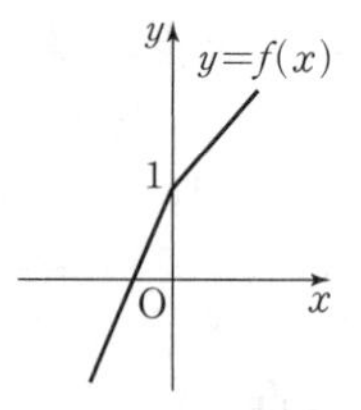

23 $f(x)$가 항등함수이므로
$f(2)=2$
$\therefore g(2)=f(2)=2$
$y=g(x)$가 상수함수이므로
$g(x)=2$
$\therefore f(3)+g(4)=3+2=5$

24 $y=g(x)$가 항등함수이므로 $g(3)=3$
$\therefore f(2)=h(6)=3$
한편, $f(x)$가 일대일대응이고 $f(2)=3$이므로
$f(2)f(3)=f(6)$이 성립하려면 $f(3)=2$이어야 한다.
또한, $y=h(x)$가 상수함수이므로 $h(2)=3$
$\therefore f(3)+h(2)=2+3=5$

25 $X=\{-1, 0, 1\}$, $Y=\{-2, -1, 0, 1, 2\}$이고
② $y=2x+1$의 치역은 $\{-1, 1, 3\}$이므로
$\{-1, 1, 3\}\not\subset Y$
따라서 주어진 조건에서 함수가 될 수 없다.

26 $f(1)=a+b=-3$ …… ㉠
$f(5)=5a+b=5$ …… ㉡
㉠, ㉡을 연립하여 풀면
$a=2$, $b=-5$
따라서 $f(x)=2x-5$이므로
$f(10)=2\times10-5=15$

27 $X=\{2, 3, 5, 7\}$인 함수 $f: X \longrightarrow Y$에 대하여
$x\le5$일 때, $f(x)=x^2-1$이므로
$f(2)=3$, $f(3)=8$, $f(5)=24$
$x>5$일 때, $f(x)=x+2$이므로
$f(7)=9$
따라서 치역은 $\{3, 8, 9, 24\}$이므로 모든 원소의 합은
$3+8+9+24=44$

28 $f(2)=g(2)$에서 $1=-4+b$
$\therefore b=5$
$f(a)=g(a)$에서 $a^2-3a+3=-2a+5$
$a^2-a-2=0$, $(a-2)(a+1)=0$
$\therefore a=-1$ ($\because a\neq2$)
$\therefore a+b=4$

29 $a>0$이고 함수 $y=f(x)$가 일대일대응이 되어야 하므로
$f(-1)=0$, $f(1)=1$
즉, $-a+b=0$, $a+b=1$이므로 두 식을 연립하여 풀면

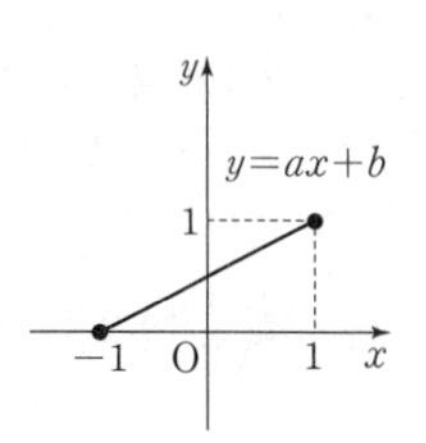

$a=\frac{1}{2}$, $b=\frac{1}{2}$
$\therefore 16ab=4$

30 X에서 Y로의 함수의 개수를 구해보면
1에 대응할 수 있는 공역의 원소는 1, 2의 2가지
2에 대응할 수 있는 공역의 원소는 1, 2의 2가지
3에 대응할 수 있는 공역의 원소는 1, 2의 2가지
따라서 X에서 Y로의 함수의 개수 a는
$a=2\times2\times2=8$
X에서 Z로의 일대일대응의 개수를 구해보면
1에 대응할 수 있는 공역의 원소는 2, 3, 4의 3가지
2에 대응할 수 있는 공역의 원소는 1에 대응한 원소를 제외한 2가지
3에 대응할 수 있는 공역의 원소는 1, 2에 대응한 원소를 제외한 1가지
따라서 X에서 Z로의 일대일대응의 개수 b는
$b=3\times2\times1=6$
$\therefore a+b=14$

다른 풀이
세 집합 X, Y, Z의 원소의 개수가 각각 3, 2, 3이므로
$a=2^3=8$, $b=3\times2\times1=6$
$\therefore a+b=14$

10 합성함수와 역함수

본문 061~065쪽

01 ④	02 ②	03 2	04 ①
05 ③	06 ③	07 ⑤	08 ②
09 ①	10 ④	11 (1) 8 (2) 3	12 ④
13 ①	14 ②	15 2	16 −1
17 ④	18 ④	19 ④	20 ③
21 ⑤	22 ④	23 ④	24 ②
25 ③	26 ①	27 23	28 ②
29 ④	30 ④		

01 $(g\circ f)(2)=g(f(2))=g(3)=4$

02 $(f\circ f)(2)=f(f(2))=f(3)=4$

03 $g(2)=2-1=1$

$\therefore (f\circ g)(2)=f(g(2))=f(1)=1^2+1=2$

04 $(f\circ g)(1)=f(g(1))=f(2)=6$

$(g\circ f)(1)=g(f(1))=g(4)=11$

$\therefore (f\circ g)(1)-(g\circ f)(1)=6-11=-5$

05 $((h\circ g)\circ f)(x)=(h\circ(g\circ f))(x)$

$=h(x+2)$

$=3(x+2)+2$

$=3x+8$

즉, $3x+8=5$이므로

$x=-1$

06 $f(3)=4$이므로 $f^{-1}(4)=3$

07 $(g\circ f)(2)=g(f(2))=g(4)=5$

$g^{-1}(5)=k$라 하면 $g(k)=5$이므로 $k=4$

$(g\circ f)(2)+g^{-1}(5)=5+4=9$

08 $f^{-1}(-4)=k$라 하면 $f(k)=-4$이므로

$3k+2=-4$

$3k=-6$ $\quad\therefore k=-2$

$\therefore f^{-1}(-4)=-2$

09 $f(2)=2$이므로

$2a+b=2$ $\quad\cdots\cdots$ ㉠

$f^{-1}(5)=3$이므로 $f(3)=5$

$\therefore 3a+b=5$ $\quad\cdots\cdots$ ㉡

㉠, ㉡을 연립하여 풀면

$a=3,\ b=-4$

$\therefore f(x)=3x-4$

$\therefore f(1)=-1$

10 $y=x+4$로 놓고 x를 y에 대한 식으로 나타내면

$x=y-4$

x와 y를 서로 바꾸면 $y=x-4$

$\therefore f^{-1}(x)=x-4$

11 (1) $f^{-1}(3)=a$라 하면 $f(a)=3$이므로

$a-5=3$에서 $a=8$

$\therefore f^{-1}(3)=8$

(2) $(f\circ(g\circ f)^{-1})(4)=(f\circ f^{-1}\circ g^{-1})(4)=g^{-1}(4)$

$g^{-1}(4)=b$라 하면 $g(b)=4$이므로

$2b-2=4$에서 $b=3$

$\therefore (f\circ(g\circ f)^{-1})(4)=3$

12 $(f^{-1}\circ g^{-1})(7)=(g\circ f)^{-1}(7)=k$라 하면

$(g\circ f)(k)=7$이므로 $2k+3=7$

$\therefore k=2$

$\therefore (f^{-1}\circ g^{-1})(7)=2$

13 $-3<0$이므로

$f(x)=\begin{cases}-x^2-1 & (x\ge 0)\\ -2x-1 & (x<0)\end{cases}$에서

$f(-3)=(-2)\times(-3)-1=5$

$(f\circ f)(-3)=f(f(-3))=f(5)$

$5>0$이므로

$f(x)=\begin{cases}-x^2-1 & (x\ge 0)\\ -2x-1 & (x<0)\end{cases}$에서

$f(5)=-5^2-1=-26$

$\therefore (f\circ f)(-3)=-26$

14 $f(x)=3x+1$에서 $f(1)=4,\ f(2)=7$이므로

$g(f(1))=g(4)=7$

15 $(f\circ g)(x)=f(g(x))=f(2x+k)$

$=3(2x+k)+4=6x+3k+4$

$(g\circ f)(x)=g(f(x))=g(3x+4)$

$=2(3x+4)+k=6x+8+k$

즉, $6x+3k+4=6x+8+k$에서 $2k=4$

$\therefore k=2$

16 $(f\circ h)(x)=f(h(x))=2h(x)-1$

$(f\circ h)(x)=g(x)$이므로

$2h(x)-1=-x+3$

$\therefore h(x)=-\frac{1}{2}x+2$

$\therefore h(6)=-1$

다른 풀이

$h(6)=k$라 하면

$(f\circ h)(6)=g(6)$에서 $f(h(6))=g(6)$

$\therefore f(k)=-3$

즉, $2k-1=-3$이므로 $k=-1$

$\therefore h(6)=-1$

17 $f(1)=2,\ f(2)=3,\ f(3)=1$이므로

$f^2(1)=f(f(1))=f(2)=3,$

$f^3(1)=f(f^2(1))=f(3)=1$
같은 방법으로
$f^3(2)=2$, $f^3(3)=3$이므로
$f^3(x)=x$
즉, $f^3(x)=I$ (항등함수)이므로
$f^{30}(1)=f^{3\times10}(1)=f^3(1)=1$
$f^{31}(2)=f^{3\times10+1}(2)=f(2)=3$
$f^{32}(3)=f^{3\times10+2}(3)=f^2(3)=f(1)=2$
$\therefore f^{30}(1)+2f^{31}(2)+3f^{32}(3)=1+6+6=13$

18 $(f^{-1}\circ g)(2)=f^{-1}(g(2))=f^{-1}(1)=3$
$(g\circ f^{-1})(2)=g(f^{-1}(2))=g(1)=2$
$\therefore (f^{-1}\circ g)(2)+(g\circ f^{-1})(2)=3+2=5$

19 $f(-1)=(-1)^3+1=0$
이므로
$(g^{-1}\circ f)(-1)=g^{-1}(f(-1))=g^{-1}(0)$
$g^{-1}(0)=k$라 하면
$g(k)=0$이므로
$g(k)=k-4=0 \quad \therefore k=4$
$\therefore (g^{-1}\circ f)(-1)=4$

20 $f^{-1}(4)=1$에서 $f(1)=4$이므로
$2+a=4 \quad \therefore a=2$
$\therefore f(x)=2x+2$
$f^{-1}(8)=b$에서 $f(b)=8$이므로
$2b+2=8$
$\therefore b=3$

21 $g^{-1}(x)=x+3$이므로
$f(g^{-1}(x))=2(x+3)+1=2x+7$이다.
따라서 $a=2$, $b=7$이다.
그러므로 $ab=14$이다.

22 $y=f(2x+3)$에서 x, y를 서로 바꾸어 쓰면 $x=f(2y+3)$이다.
그러므로
$2y+3=g(x)$
역함수는 $y=\frac{1}{2}g(x)-\frac{3}{2}$이다.
따라서 $a=\frac{1}{2}$, $b=-\frac{3}{2}$이다.
$\therefore a+b=-1$

23 $(g^{-1}\circ f)^{-1}(4)=(f^{-1}\circ g)(4)=f^{-1}(g(4))$
$=f^{-1}(-3)$
$f^{-1}(-3)=k$라 하면
$f(k)=-3$이므로 $2k+1=-3$
$\therefore k=-2$
$\therefore (g^{-1}\circ f)^{-1}(4)=-2$

24 $(f\circ(f\circ g)^{-1}\circ f)(5)=(f\circ g^{-1}\circ f^{-1}\circ f)(5)$
$=(f\circ g^{-1})(5)=f(g^{-1}(5))$
$g^{-1}(5)=k$라 하면 $g(k)=5$이므로
$k+2=5 \quad \therefore k=3$
$\therefore (f\circ(f\circ g)^{-1}\circ f)(5)=f(g^{-1}(5))$
$=f(3)=3^2+3=12$

25 $f(2)=-1$이므로
$2a+b=-1 \quad \cdots\cdots$ ㉠
$(f\circ f)(2)=f(f(2))=f(-1)=2$이므로
$-a+b=2 \quad \cdots\cdots$ ㉡
㉠, ㉡을 연립하여 풀면
$a=-1$, $b=1$
$\therefore a+b=0$

26 $h(3)=k$라 하면
$f(h(3))=g(3)$이므로 $f(k)=-4$
$\frac{1}{2}k+1=-4$, $k=-10$
따라서 $h(3)=-10$

다른풀이
$h=(f^{-1}\circ f)\circ h=f^{-1}\circ(f\circ h)=f^{-1}\circ g$이므로
$h(3)=f^{-1}(g(3))=f^{-1}(-4)=k$라 하면
역함수의 성질에 의하여
$f(k)=\frac{1}{2}k+1=-4$이므로 $k=-10$
따라서 $h(3)=-10$

27 $f(x)=x+2$에 대하여
$f^2(x)=f(f(x))=(x+2)+2=x+4$
$f^3(x)=f(f^2(x))=(x+4)+2=x+6$
$\vdots$
$f^{10}(x)=x+20$
$\therefore f^{10}(3)=3+20=23$

28 $g^{-1}(6)=a$이므로 $g(a)=6$
$\therefore a=1$
$\therefore (g\circ f)(a)=g(f(a))=g(f(1))$
$=g(3)=2$

29 $((f^{-1}\circ g)^{-1}\circ f)(-1)=(g^{-1}\circ f\circ f)(-1)$
$=g^{-1}(f(f(-1)))$
$=g^{-1}(f(1))$
$=g^{-1}(3)$
$g^{-1}(3)=k$라 하면 $g(k)=3$이므로
$k-1=3 \quad \therefore k=4$
$\therefore ((f^{-1}\circ g)^{-1}\circ f)(-1)=4$

30 함수 $f(x)=ax+b$의 그래프와 그 역함수의 그래프가 모두 점 $(1, -5)$를 지나므로
$f(1)=-5$에서 $a+b=-5 \quad \cdots\cdots$ ㉠
$f^{-1}(1)=-5$, 즉 $f(-5)=1$에서
$f(-5)=-5a+b=1 \quad \cdots\cdots$ ㉡
㉠, ㉡을 연립하여 풀면 $a=-1$, $b=-4$
따라서 $f(x)=-x-4$이므로
$f(0)=-4$

11 유리함수

본문 067~071쪽

01 (1) $\frac{4x}{x^2-4}$ (2) $\frac{2ax}{y^2}$		02 ②	03 ①
04 5	05 ②		
06 (1) $y=\frac{4}{x-1}+1$ (2) $y=\frac{1}{x-1}-2$			07 -2
08 ①	09 ①	10 10	11 ②
12 ⑤	13 ④	14 ②	15 ②
16 ⑤	17 ④	18 ⑤	19 ⑤
20 ③	21 ①	22 6	23 ②
24 ②	25 11	26 ③	27 ③
28 ②	29 ①	30 ②	

01 (1) $\frac{x}{x-2}-\frac{x}{x+2}=\frac{x(x+2)-x(x-2)}{(x-2)(x+2)}$

$=\frac{x^2+2x-x^2+2x}{x^2-4}$

$=\frac{4x}{x^2-4}$

(2) $\frac{8x^3y}{6a^3b^2}\times\frac{3a^4b^2}{2x^2y^3}=\frac{8x^3y\times3a^4b^2}{6a^3b^2\times2x^2y^3}=\frac{2ax}{y^2}$

02 $\frac{x-2}{x^2+3x+2}\times\frac{x^3+x^2-2x}{x^2-3x+2}\div\frac{x^2-x}{x+1}$

$=\frac{x-2}{(x+1)(x+2)}\times\frac{x(x+2)(x-1)}{(x-1)(x-2)}\div\frac{x(x-1)}{x+1}$

$=\frac{x-2}{(x+1)(x+2)}\times\frac{x(x+2)(x-1)}{(x-1)(x-2)}\times\frac{x+1}{x(x-1)}$

$=\frac{1}{x-1}$

03 유리함수 $y=-\frac{2}{x}$의 그래프는 오른쪽 그림과 같으므로

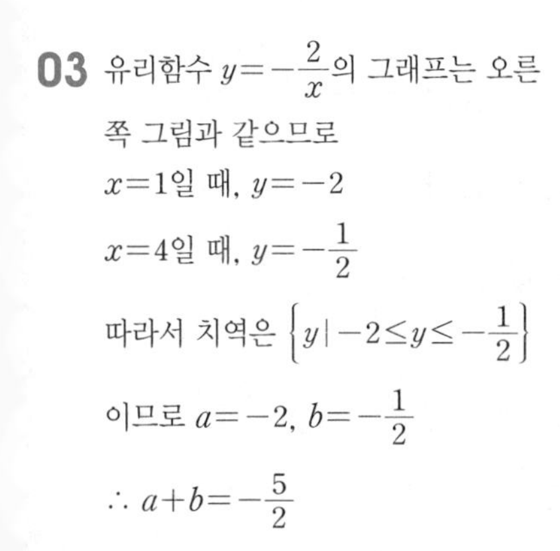

$x=1$일 때, $y=-2$

$x=4$일 때, $y=-\frac{1}{2}$

따라서 치역은 $\left\{y \mid -2\le y\le -\frac{1}{2}\right\}$

이므로 $a=-2$, $b=-\frac{1}{2}$

$\therefore a+b=-\frac{5}{2}$

04 유리함수 $y=\frac{5}{x-3}+2$의 그래프의 점근선의 방정식은

$x=3$, $y=2$

따라서 $p=3$, $q=2$이므로

$p+q=5$

05 $y=\frac{3x+1}{x-2}=\frac{3(x-2)+\boxed{7}}{x-2}=\frac{\boxed{7}}{x-2}+3$

따라서 점근선의 방정식은 $x=\boxed{2}$, $y=\boxed{3}$이다.

즉, $p=7$, $q=2$, $r=3$이므로

$p+q+r=12$

06 (1) $y=\frac{x+3}{x-1}=\frac{(x-1)+4}{x-1}=\frac{4}{x-1}+1$

$\therefore y=\frac{4}{x-1}+1$

(2) $y=\frac{-2x+3}{x-1}=\frac{-2(x-1)+1}{x-1}=\frac{1}{x-1}-2$

$\therefore y=\frac{1}{x-1}-2$

07 유리함수 $y=\frac{-1}{x-p}+q$의 그래프의 점근선의 방정식이

$x=-1$, $y=2$이므로 $p=-1$, $q=2$

$\therefore pq=-2$

08 유리함수 $y=\frac{2}{x}$에서 분모는 0이 아니므로 정의역은 0을 제외한 실수 전체의 집합이다.

따라서 옳지 않은 것은 ①이다.

09 함수 $y=\frac{1}{x}$의 그래프는 오른쪽 그림과 같으므로 직선 $y=x$, $y=-x$에 대하여 대칭이다.

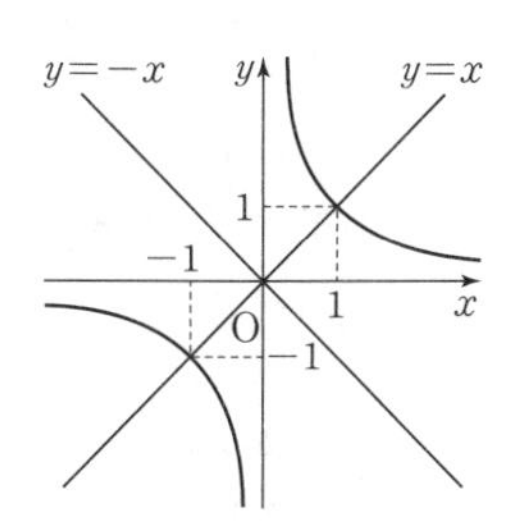

$\therefore a=-1$ 또는 $a=1$

10 함수 $y=\frac{5}{x-2}+3$은 $y-3=\frac{5}{x-2}$이므로 함수 $y=\frac{5}{x}$의 그래프를 x축의 방향으로 2만큼, y축의 방향으로 3만큼 평행이동한 것이다.

$\therefore a=5$, $b=2$, $c=3$

$\therefore a+b+c=5+2+3=10$

11 유리함수 $y=\frac{3}{x}$의 그래프를 x축의 방향으로 1만큼, y축의 방향으로 -2만큼 평행이동하면

$y=\frac{3}{x-1}-2=\frac{3-2(x-1)}{x-1}=\frac{-2x+5}{x-1}$

$\therefore a=-2$, $b=5$, $c=-1$

$\therefore a+b+c=2$

12 $f(10)=\frac{10+1}{10-1}=\frac{11}{9}$이므로

$(f\circ f)(10)=f(f(10))=f\left(\frac{11}{9}\right)$

$=\frac{\frac{11}{9}+1}{\frac{11}{9}-1}=\frac{\frac{20}{9}}{\frac{2}{9}}=10$

13 점근선의 방정식이 $x=-3$, $y=5$이므로

$a=-3$, $b=5$

또 y절편이 c이므로 $c=\frac{6}{3}+5=7$

$\therefore a+b+c=-3+5+7=9$

14 $f(x)=\frac{2(x+3)-7}{x+3}=-\frac{7}{x+3}+2$

즉, 점근선은 두 직선 $x=-3$, $y=2$이므로 $p=-3$, $q=2$

$\therefore p+q=-3+2=-1$

15 $y=\frac{bx-5}{x+a}=\frac{b(x+a)-(ab+5)}{x+a}$

$=\frac{-ab-5}{x+a}+b$

의 점근선은 두 직선 $x=-a$, $y=b$

유리함수 $y=\frac{bx-5}{x+a}$의 점근선은 두 직선 $x=-1$, $y=2$이므로

$a=1$, $b=2$

$\therefore a+b=3$

16 점근선의 방정식이 $x=3$, $y=2$이므로 $y=\frac{k}{x-3}+2\ (k\neq 0)$로 나타낼 수 있다.

이 그래프가 점 $(2,\ 0)$을 지나므로 $0=-k+2$

$\therefore k=2$

$\therefore y=\frac{2}{x-3}+2=\frac{2x-4}{x-3}$

따라서 $a=2$, $b=-4$, $c=-3$이므로

$a+b+c=-5$

17 $y=\frac{2x+1}{x+1}=\frac{2(x+1)-1}{x+1}=\frac{-1}{x+1}+2$

즉, 점근선의 방정식이 $x=-1$, $y=2$이므로

유리함수 $y=\frac{2x+1}{x+1}$의 그래프는 점 $(-1,\ 2)$에 대하여 대칭이다.

$\therefore a+b=-1+2=1$

18 유리함수 $y=\frac{3}{x-5}+k$의 점근선은 $x=5$, $y=k$이므로 유리함수 $y=\frac{3}{x-5}+k$의 그래프는 점 $(5,\ k)$에 대하여 대칭이다.

따라서 점 $(5,\ k)$는 직선 $y=x$ 위에 있어야 하므로

$k=5$

19 ㄱ. $y=\frac{x+2}{x+1}=\frac{1}{x+1}+1$

ㄴ. $y=\frac{x}{x-1}=\frac{(x-1)+1}{x-1}=\frac{1}{x-1}+1$

ㄷ. $y=\frac{1}{1-x}=\frac{-1}{x-1}$

ㄹ. $y=\frac{3x-5}{x-2}=\frac{3(x-2)+1}{x-2}=\frac{1}{x-2}+3$

따라서 평행이동하여 $y=\frac{1}{x}$의 그래프와 일치하는 것은 ㄱ, ㄴ, ㄹ이다.

20 $y=\frac{-2x+6}{x-2}=\frac{-2(x-2)+2}{x-2}=\frac{2}{x-2}-2$

이므로 $y=\frac{2}{x+3}+1$의 그래프를 x축의 방향으로 5만큼, y축의 방향으로 -3만큼 평행이동한 것이다.

따라서 $m=5$, $n=-3$이므로 $m+n=2$

21 $f(x)=\frac{3}{x-2}+2$라 하면

$f(-1)=\frac{3}{-3}+2=1$, $f(1)=\frac{3}{-1}+2=-1$

$\therefore a=-1$, $b=1$

$\therefore a-b=-1-1=-2$

22 $y=\frac{3x+a}{x+1}=\frac{3(x+1)+a-3}{x+1}=\frac{a-3}{x+1}+3$

(i) $a-3>0$, 즉 $a>3$일 때

$x=0$에서 최댓값을 가지므로

$\frac{3\times 0+a}{0+1}=6$

$\therefore a=6$

(ii) $a-3<0$, 즉 $a<3$일 때

$x=1$에서 최댓값을 가지므로

$\frac{3+a}{2}=6$

$\therefore a=9$

그런데 $a<3$이므로 a의 값은 조건을 만족하지 않는다.

(iii) $a=3$일 때

$y=3$으로 상수함수이고, 최댓값이 6이라는 조건을 만족하지 않는다.

(i), (ii), (iii)에서 $a=6$

23 $f(x)=\frac{x-1}{x}$이므로

$f(2)=\frac{2-1}{2}=\frac{1}{2}$

$f^2(2)=f(f(2))=f\left(\frac{1}{2}\right)=\frac{\frac{1}{2}-1}{\frac{1}{2}}=-1$

$f^3(2)=f(f^2(2))=f(-1)=\frac{-1-1}{-1}=2$

$f^4(2)=f(f^3(2))=f(2)=\frac{1}{2}$

$f^5(2)=f(f^4(2))=f\left(\frac{1}{2}\right)=-1$

24 함수 $f(x)=\frac{x-1}{x-2}$의 역함수는 $f^{-1}(x)=\frac{ax+b}{x+c}$이므로

$y=\frac{x-1}{x-2}$로 놓고 x에 대하여 정리하면

$xy-2y=x-1$, $(y-1)x=2y-1$

$\therefore x=\frac{2y-1}{y-1}$

x와 y를 서로 바꾸면 $y=\frac{2x-1}{x-1}$

$\therefore f^{-1}(x)=\frac{2x-1}{x-1}$

따라서 $a=2$, $b=-1$, $c=-1$이므로

$a+b+c=0$

25 점근선의 방정식이 $x=-2$, $y=3$이므로 $y=\frac{k}{x+2}+3\ (k\neq0)$으로 나타낼 수 있다.

이 그래프가 점 $(1, -1)$을 지나므로

$-1=\frac{k}{3}+3 \qquad \therefore k=-12$

$\therefore y=\frac{-12}{x+2}+3=\frac{3x-6}{x+2}$

따라서 $a=2$, $b=3$, $c=-6$이므로

$a+b-c=11$

26 $y=\frac{3x+5}{x-1}=\frac{3(x-1)+8}{x-1}=\frac{8}{x-1}+3$

이므로 그래프는 그림과 같다.

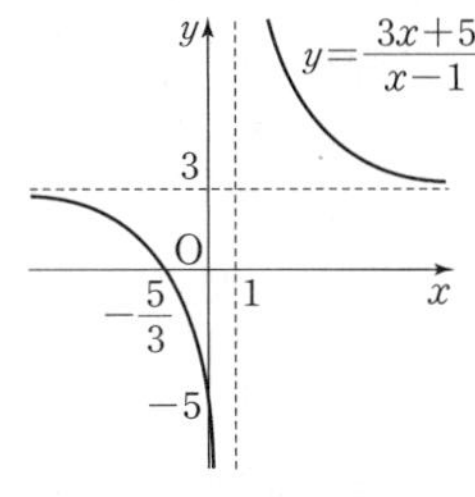

ㄱ. 점근선의 방정식은 $x=1$, $y=3$이다. (참)

ㄴ. 그래프는 제3사분면을 지난다. (참)

ㄷ. 그래프는 점근선의 교점 $(1, 3)$을 지나고 기울기가 1 또는 -1인 직선에 대하여 대칭이므로

$y-3=\pm1(x-1)$에서 $y=x+2$ 또는 $y=-x+4$

즉, 그래프는 직선 $y=x+3$에 대하여 대칭이 아니다. (거짓)

따라서 옳은 것은 ㄱ, ㄴ이다.

27 유리함수 $y=\frac{bx+2}{x-a}$의 그래프는 두 직선 $y=x+2$, $y=-x$의 교점 $(-1, 1)$에 대하여 대칭이므로 점근선의 방정식은 $x=-1$, $y=1$이다.

$y=\frac{bx+2}{x-a}=\frac{b(x-a)+ab+2}{x-a}=\frac{ab+2}{x-a}+b$

$\therefore a=-1$, $b=1$

$\therefore a+b=0$

28 $y=\frac{2x+5}{x+1}=\frac{2(x+1)+3}{x+1}=\frac{3}{x+1}+2$

이므로 x축의 방향으로 1만큼, y축의 방향으로 -2만큼 평행이동하면 $y=\frac{3}{x}$의 그래프와 일치한다.

따라서 $a=1$, $b=-2$, $k=3$이므로

$a+b+k=2$

29 $y=\frac{-2x+1}{x+1}=\frac{-2(x+1)+3}{x+1}=\frac{3}{x+1}-2$

이므로 $a\le x\le -2$에서 주어진 함수의 그래프는 오른쪽 그림과 같다.

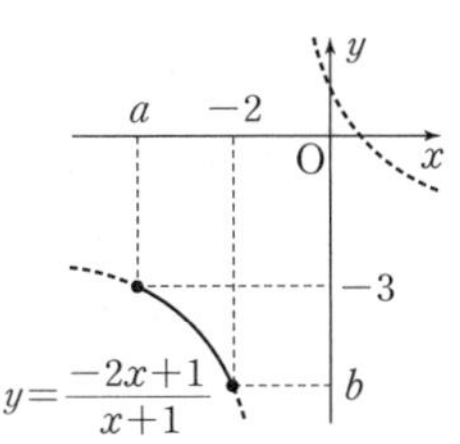

즉, $x=a$일 때 최댓값 -3, $x=-2$일 때 최솟값 b를 가지므로

$\frac{3}{a+1}-2=-3$

$\frac{3}{-2+1}-2=b$

$\therefore a=-4$, $b=-5$

$\therefore a+b=-9$

30 $y=g(x)$는 $y=f(x)$의 역함수이므로

$y=\frac{3}{x-1}+2$로 놓고 x에 대하여 정리하면

$xy-y=3+2x-2$, $x(y-2)=y+1$

$\therefore x=\frac{y+1}{y-2}$

x와 y를 서로 바꾸면 $y=\frac{x+1}{x-2}$

$\therefore g(x)=\frac{x+1}{x-2} \qquad \therefore g(3)=4$

다른 풀이

$g(3)=k$라 하면 $f(k)=3$이므로

$\frac{3}{k-1}+2=3$, $k-1=3 \qquad \therefore k=4$

$\therefore g(3)=4$

12 무리함수

본문 073~077쪽

01 (1) x (2) 1 (3) $\frac{2x+2}{x-1}$ **02** ②

03 (1) $y=\sqrt{2(x+2)}$ (2) $y=-\sqrt{2(x-3)}+2$

(3) $y=\sqrt{-(x-2)}-1$

04 4 **05** ⑤ **06** ②

07 (1) $a>0,\ b<0,\ c>0$ (2) $a<0,\ b>0,\ c<0$

08 ③	**09** ③	**10** 3	**11** ②
12 3	**13** ③	**14** ②	**15** ⑤
16 3	**17** 11	**18** ②	**19** ②
20 ②	**21** ③	**22** ④	**23** ④
24 ①	**25** ④	**26** ②	**27** ①
28 35	**29** ③	**30** ④	

01 (1) $(\sqrt{x+4}+2)(\sqrt{x+4}-2)=(\sqrt{x+4})^2-2^2$
$=(x+4)-4=x$

(2) $(\sqrt{x+1}+\sqrt{x})(\sqrt{x+1}-\sqrt{x})=(\sqrt{x+1})^2-(\sqrt{x})^2$
$=(x+1)-x=1$

(3) $\frac{\sqrt{x}+1}{\sqrt{x}-1}+\frac{\sqrt{x}-1}{\sqrt{x}+1}=\frac{(\sqrt{x}+1)^2+(\sqrt{x}-1)^2}{(\sqrt{x}-1)(\sqrt{x}+1)}$
$=\frac{x+2\sqrt{x}+1+x-2\sqrt{x}+1}{x-1}$
$=\frac{2x+2}{x-1}$

02 $\frac{1}{\sqrt{x+1}+\sqrt{x}}+\frac{1}{\sqrt{x+1}-\sqrt{x}}$
$=\frac{(\sqrt{x+1}-\sqrt{x})+(\sqrt{x+1}+\sqrt{x})}{(\sqrt{x+1}+\sqrt{x})(\sqrt{x+1}-\sqrt{x})}$
$=2\sqrt{x+1}$
따라서 $x=8$일 때 구하는 값은 6이다.

03 (1) $y=\sqrt{2x+4}=\sqrt{2(x+2)}$
$\therefore y=\sqrt{2(x+2)}$
(2) $y=-\sqrt{2x-6}+2=-\sqrt{2(x-3)}+2$
$\therefore y=-\sqrt{2(x-3)}+2$
(3) $y=\sqrt{-(x-2)}-1$
$\therefore y=\sqrt{-(x-2)}-1$

04 주어진 무리함수의 정의역은 $2-x\geq0$에서 $x\leq2$이므로
$\{x\mid x\leq2\}$ $\therefore a=2$
$y=-\sqrt{2-x}-2$에서 $-\sqrt{2-x}\leq0$이므로 치역은
$\{y\mid y\leq-2\}$ $\therefore b=-2$
$\therefore a-b=4$

05 $y=\sqrt{x+1}+k$의 그래프가 점 $(3,\ 7)$을 지나므로
$7=\sqrt{3+1}+k$
$\therefore k=5$

06 주어진 무리함수의 그래프는 $y=-\sqrt{x}$의 그래프를 x축의 방향으로 -2만큼, y축의 방향으로 1만큼 평행이동한 것이므로
$y=-\sqrt{x+2}+1$
$\therefore a=-2,\ b=1$
$\therefore a+b=-1$

다른풀이
무리함수 $y=-\sqrt{x-a}+b$의 그래프는 정의역이 $\{x\mid x\geq a\}$, 치역이 $\{y\mid y\leq b\}$이므로 $a=-2,\ b=1$
$\therefore a+b=-1$

07 (1) 그래프가 제2사분면 위의 점에서 출발하여 제1사분면 방향으로 향하는 모양이므로
$a>0,\ b<0,\ c>0$
(2) 그래프가 제4사분면 위의 점에서 출발하여 제3사분면 방향으로 향하는 모양이므로
$a<0,\ b>0,\ c<0$

08 ③ $\sqrt{ax}\geq0$이므로 치역은 $\{y\mid y\geq0\}$이다.

09 무리함수 $y=\sqrt{-x}$의 그래프를 x축의 방향으로 1만큼, y축의 방향으로 2만큼 평행이동하면
$y=\sqrt{-(x-1)}+2=\sqrt{-x+1}+2$
$\therefore a=1,\ b=2$
$\therefore a+b=3$

10 $y=2\sqrt{x}+k$의 그래프가 점 $(1,\ 5)$를 지나므로
$5=2\sqrt{1}+k$
$\therefore k=3$

11

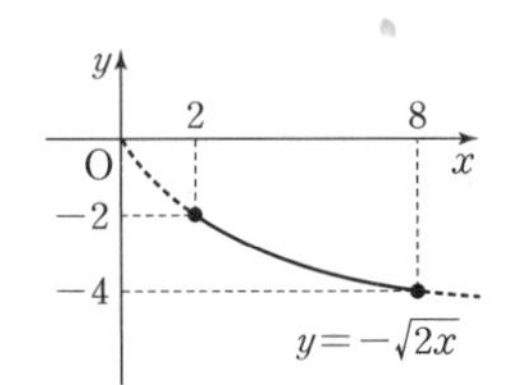

$2\leq x\leq8$에서 $y=-\sqrt{2x}$의 그래프는 그림과 같으므로
$x=2$일 때 최댓값 $M=-2$,
$x=8$일 때 최솟값 $m=-4$
$\therefore M+m=-6$

12 $f(\sqrt{7})=(\sqrt{7})^2+3=10$이므로
$(g\circ f)(\sqrt{7})=g(f(\sqrt{7}))=g(10)$
$=\sqrt{10-1}=3$

13 $\frac{\sqrt{x+1}-\sqrt{x-1}}{\sqrt{x+1}+\sqrt{x-1}}=\frac{(\sqrt{x+1}-\sqrt{x-1})^2}{(\sqrt{x+1}+\sqrt{x-1})(\sqrt{x+1}-\sqrt{x-1})}$
$=\frac{x+1-2\sqrt{x^2-1}+x-1}{x+1-x+1}$
$=x-\sqrt{x^2-1}$
이 식에 $x=\sqrt{5}$를 대입하면
$\sqrt{5}-\sqrt{5-1}=-2+\sqrt{5}$
$\therefore a=-2,\ b=1$
$\therefore a-b=-3$

14 $y=-\sqrt{x}$의 그래프를 x축의 방향으로 -3만큼, y축의 방향으로 2만큼 평행이동한 것이므로 오른쪽 그림과 같다.
이때, 그래프는 y축과 점 $(0,\ -\sqrt{3}+2)$에서 만난다.
따라서 그래프는 제1, 2, 4사분면을 지난다.

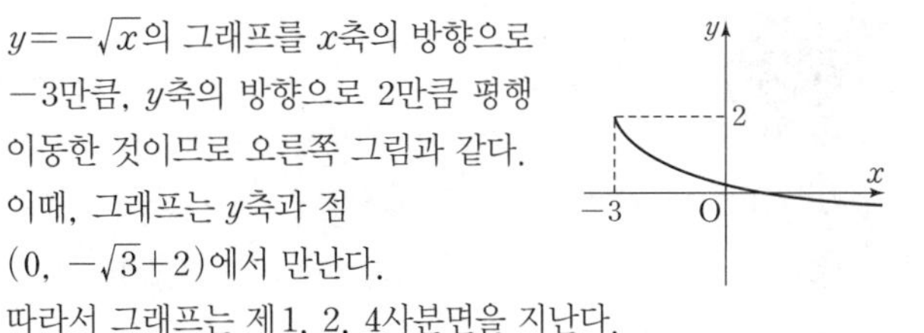

15 무리함수 $y=\sqrt{x-2}+b$의 정의역은 $\{x|x\geq 2\}$,
치역은 $\{y|y\geq b\}$이므로 $a=2,\ b=3$이다.
$\therefore a+b=5$

16 주어진 함수의 그래프에서 점근선의 방정식이 $x=-1,\ y=2$이므로
$a=-1,\ b=2$
$y=\sqrt{ax+1}+b=\sqrt{-x+1}+2$
$\therefore y=\sqrt{-(x-1)}+2$
이 함수의 정의역은 $\{x|x\leq 1\}$이고, 치역은 $\{y|y\geq 2\}$이다.
$\therefore p=1,\ q=2$
$\therefore p+q=3$

17 주어진 그래프는 $y=\sqrt{4x}$의 그래프를 x축의 방향으로 -3만큼, y축의 방향으로 -1만큼 평행이동한 것이므로
$f(x)=\sqrt{4(x+3)}-1=\sqrt{4x+12}-1$
$\therefore a=12,\ b=-1$
$\therefore a+b=11$

18 주어진 함수의 그래프에서 점근선의 방정식이 $x=a,\ y=b$이므로
$a>0,\ b<0$
$y=\sqrt{ax-1}+b=\sqrt{a\left(x-\frac{1}{a}\right)}+b$이므로 무리함수의 그래프는
점 $\left(\frac{1}{a},\ b\right)$를 출발하여 제1사분면 방향으로 그리는 개형이다.
따라서 그래프는 제1, 4사분면을 지난다.

19 무리함수 $y=\sqrt{ax}$의 그래프를 x축의 방향으로 1만큼, y축의 방향으로 -2만큼 평행이동한 그래프를 나타내는 함수의 식은
$y=\sqrt{a(x-1)}-2$
이 함수의 그래프가 원점을 지나므로
$0=\sqrt{a\times(-1)}-2$
$\sqrt{-a}=2$
$\therefore a=-4$

20 $y=-\sqrt{2x-4}+3=-\sqrt{2(x-2)}+3$
이므로 $y=-\sqrt{2x}$의 그래프를 x축의 방향으로 2만큼, y축의 방향으로 3만큼 평행이동한 것이므로
$a=2,\ m=2,\ n=3$
$\therefore a+m+n=7$

21 $y=3-\sqrt{2x+3}=-\sqrt{2\left(x+\frac{3}{2}\right)}+3$
이므로 주어진 무리함수의 그래프는 $y=-\sqrt{2x}$의 그래프를 x축의 방향으로 $-\frac{3}{2}$만큼, y축의 방향으로 3만큼 평행이동한 것이다.

$-1\leq x\leq 3$에서 $y=3-\sqrt{2x+3}$의 그래프는 오른쪽 그림과 같으므로
$x=-1$일 때 최댓값 $M=2$,
$x=3$일 때 최솟값 $m=0$
$\therefore Mm=0$

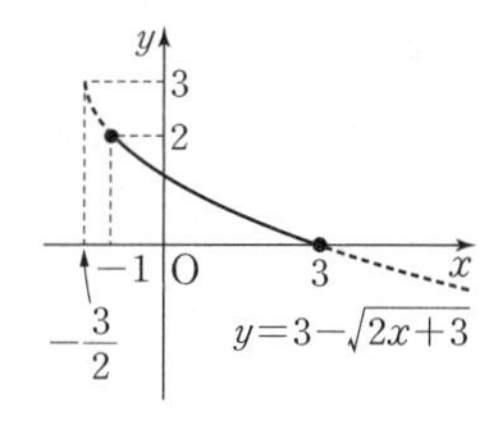

22 $\overline{AB}=\sqrt{2\times\frac{5}{2}+4}=3$이므로
삼각형 AOB의 넓이는 $\frac{1}{2}\times\frac{5}{2}\times 3=\frac{15}{4}$이다.

23 $f^{-1}(10)=3$에서 $f(3)=10$
$f(3)=a\sqrt{3+1}+2$
$=2a+2$
$=10$
$\therefore a=4$

24 $f(x)=\sqrt{ax+b}$에서 $f(2)=3$이므로
$\sqrt{2a+b}=3$
$\therefore 2a+b=9$ ⋯⋯ ㉠
$g(x)$가 $f(x)$의 역함수이므로
$g(5)=10$에서 $f(10)=5$
$\sqrt{10a+b}=5$
$\therefore 10a+b=25$ ⋯⋯ ㉡
㉠, ㉡을 연립하여 풀면
$a=2,\ b=5$
$\therefore a+b=7$

25 $y=\sqrt{a-2x}+1$의 그래프는 $y=\sqrt{-2x}$의 그래프가 평행이동한 것이므로 x의 값이 증가할수록 y의 값은 감소한다.
즉, $x=-6$일 때 $y=5$, $x=0$일 때 $y=b$이므로
$5=\sqrt{a+12}+1,\ b=\sqrt{a}+1$
$\therefore a=4,\ b=3$
$\therefore a+b=7$

26 주어진 그래프는 무리함수 $y=\sqrt{ax}$의 그래프를 x축의 방향으로 -2만큼, y축의 방향으로 -1만큼 평행이동한 것이므로
$\therefore y=\sqrt{a(x+2)}-1$ ⋯⋯ ㉠
㉠이 점 $(-1,\ 0)$을 지나므로
$\sqrt{a}-1=0$ $\therefore a=1$
$a=1$을 ㉠에 대입하면 $y=\sqrt{x+2}-1$
$\therefore a=1,\ b=2,\ c=-1$
$\therefore abc=-2$

27 함수 $y=a\sqrt{x}+4$의 그래프를 x축의 방향으로 m만큼, y축의 방향으로 n만큼 평행이동한 그래프를 나타내는 함수는
$y-n=a\sqrt{x-m}+4$
$\therefore y=a\sqrt{x-m}+n+4$
이 함수의 그래프와 함수 $y=\sqrt{9x-18}$
즉, $y=3\sqrt{x-2}$의 그래프가 일치하므로
$a=3,\ m=2,\ n=-4$
$\therefore a+m+n=3+2+(-4)=1$

28 $y=\sqrt{2x-4}-3=\sqrt{2(x-2)}-3$

이므로 $10\le x\le a$에서 주어진 함수의 그래프는 그림과 같다.

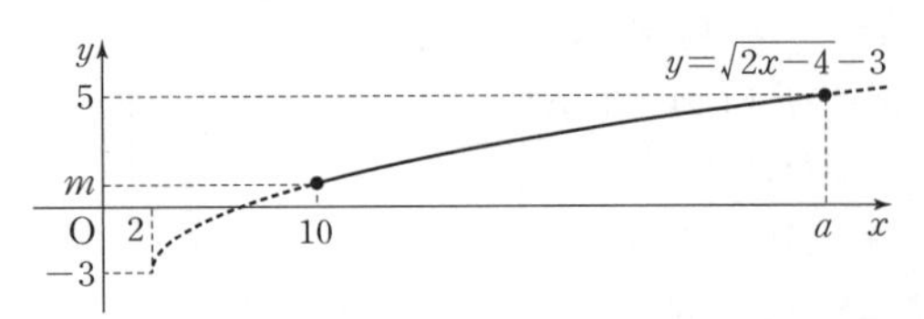

즉, $x=a$일 때 최댓값 5, $x=10$일 때 최솟값 m을 가지므로

$5=\sqrt{2a-4}-3$

$\sqrt{2a-4}=8$

$2a-4=64$

$\therefore a=34$

$m=\sqrt{16}-3=1$

$\therefore a+m=34+1=35$

29 $(f\circ(g\circ f)^{-1}\circ f)(3)=(f\circ f^{-1}\circ g^{-1}\circ f)(3)$

$=(g^{-1}\circ f)(3)$

$=g^{-1}(2)$

$g^{-1}(2)=a$라 하면 $g(a)=2$

$\sqrt{2a-1}=2$에서 $a=\frac{5}{2}$

$\therefore g^{-1}(2)=\frac{5}{2}$

30 점 (2, 3)이 함수 $y=f(x)$의 그래프와 그 역함수 $y=f^{-1}(x)$의 그래프의 교점이므로

$f(2)=3$에서 $\sqrt{2a+b}=3$

$\therefore 2a+b=9$ …… ㉠

$f^{-1}(2)=3$, 즉 $f(3)=2$에서

$\sqrt{3a+b}=2$

$\therefore 3a+b=4$ …… ㉡

㉠, ㉡을 연립하여 풀면

$a=-5$, $b=19$

$\therefore a+b=14$

유형 13 경우의 수

본문 079~083쪽

01 (1) 12 (2) 14		**02** (1) 9 (2) 7	
03 ③	**04** ③	**05** ③	**06** 15
07 25	**08** ②	**09** ④	**10** ③
11 ③	**12** ⑤	**13** ②	**14** ③
15 ③	**16** 12	**17** ④	**18** 189
19 307	**20** 432	**21** ④	**22** ②
23 ④	**24** ②	**25** ③	**26** ①
27 ⑤	**28** 15	**29** ③	**30** ④

01 (1) $n(A\cup B)=n(A)+n(B)-n(A\cap B)$

$=5+7-0=12$

(2) $n(A\cup B)=n(A)+n(B)-n(A\cap B)$

$=8+12-6=14$

02 (1) 두 사건 A, B가 동시에 일어나지 않으므로

$n(A\cap B)=0$

따라서 구하는 경우의 수는 $4+5=9$

(2) $4+5-2=7$

03 $A=\{1, 2\}$, $B=\{4, 5, 6\}$이고 $A\cap B=\varnothing$이므로

$n(A\cup B)=n(A)+n(B)$

$=2+3=5$

04 합이 2인 경우 (1, 1)

합이 3인 경우 (1, 2), (2, 1)

합이 4인 경우 (1, 3), (2, 2), (3, 1)

합이 5인 경우 (1, 4), (2, 3), (3, 2), (4, 1)

따라서 경우의 수는

$1+2+3+4=10$

05 방정식 $x+y=7$을 만족하는 자연수 x, y의 순서쌍 (x, y)는

(1, 6), (2, 5), (3, 4), (4, 3), (5, 2), (6, 1)

의 6개이다.

06 $5\times3=15$

07 십의 자리에 올 수 있는 숫자는 1, 3, 5, 7, 9의 5가지이고, 일의 자리에 올 수 있는 숫자는 0, 2, 4, 6, 8의 5가지이다.

따라서 구하는 자연수의 개수는

$5\times5=25$

08 ab의 값이 홀수가 되려면 a, b 모두 홀수이어야 하므로 a의 값이 될 수 있는 수는 1, 3, 5의 3개이고, b의 값이 될 수 있는 수는 1, 3의 2개이다.

따라서 구하는 순서쌍의 개수는

$3\times2=6$

09 A도시에서 B도시로 가는 방법의 수는 3, B도시에서 C도시로 가는 방법의 수는 4이므로 구하는 방법의 수는
$3\times4=12$

10 $(a+b+c)(d+e)$를 전개할 때 생기는 항은 a, b, c 중에서 하나와 d, e 중에서 하나를 곱한 형태이다.
따라서 항의 개수는 $3\times2=6$

11 2^0, 2^1, 2^2, 2^3 중에서 1가지를 택하고, 5^0, 5^1, 5^2 중에서 1가지를 택하여 곱한 값들이 $2^3\times5^2$의 양의 약수가 된다.
$\therefore 4\times3=12$

12 100원짜리 동전을 지불하는 방법은
0개, 1개, 2개, 3개의 4가지
1000원짜리 지폐를 지불하는 방법은
0장, 1장, 2장의 3가지
10000원짜리 지폐를 지불하는 방법은
0장, 1장, 2장, 3장, 4장의 5가지
한편, 0원을 지불하는 경우가 1가지이므로
지불할 수 있는 금액의 수는
$4\times3\times5-1=59$

13 눈의 합이 3인 경우
(1, 2), (2, 1): 2가지
눈의 합이 6인 경우
(1, 5), (2, 4), (3, 3), (4, 2), (5, 1): 5가지
따라서 구하는 경우의 수는 $2+5=7$

14 3의 배수의 집합을 A, 5의 배수의 집합을 B라 하면
$A=\{3, 6, 9, \cdots, 57, 60\}$
$B=\{5, 10, 15, \cdots, 55, 60\}$
$\therefore n(A)=20$, $n(B)=12$
$A\cap B$는 3과 5의 최소공배수인 15의 배수의 집합이므로
$n(A\cap B)=4$
3의 배수 또는 5의 배수의 집합은 $A\cup B$이므로
$n(A\cup B)=n(A)+n(B)-n(A\cap B)$
$=20+12-4=28$
따라서 3의 배수도 아니고, 5의 배수도 아닌 양의 정수의 집합은 $A^C\cap B^C$이므로
$n(A^C\cap B^C)=n((A\cup B)^C)=60-n(A\cup B)$
$=60-28=32$

15 정육면체의 꼭짓점이 8개이고, 각 꼭짓점마다 하나의 정삼각형을 만들 수 있으므로 8개의 정삼각형을 만들 수 있다.

16 $3x+y\le10$에서
(i) $x=1$일 때,
$y\le7$을 만족시키는 자연수 y는 1, 2, 3, $\cdots$, 7의 7개
(ii) $x=2$일 때,
$y\le4$를 만족시키는 자연수 y는 1, 2, 3, 4의 4개
(iii) $x=3$일 때,
$y\le1$을 만족시키는 자연수 y는 1의 1개
따라서 구하는 순서쌍의 개수는 $7+4+1=12$

17 (i) $z=1$일 때, $x+2y=7$을 만족시키는 자연수 x, y의 순서쌍 (x, y)는 (1, 3), (3, 2), (5, 1)의 3개
(ii) $z=2$일 때, $x+2y=4$를 만족시키는 자연수 x, y의 순서쌍 (x, y)는 (2, 1)의 1개
(i), (ii)에 의하여 구하는 순서쌍 (x, y, z)의 개수는
$3+1=4$

18 세 주사위 A, B, C를 동시에 던졌을 때 나오는 눈의 수의 곱이 짝수인 경우의 수는 전체의 경우의 수에서 나오는 눈의 수의 곱이 홀수인 경우의 수를 뺀 것과 같다. 세 주사위 A, B, C를 동시에 던졌을 때 일어나는 모든 경우의 수는
$6\times6\times6=216$
눈의 수의 곱이 홀수인 경우의 수는
$3\times3\times3=27$
따라서 구하는 경우의 수는 $216-27=189$

19 백의 자리 수가 1인 자연수(1□△)가 $9\times8=72$개, 백의 자리 수가 2인 자연수(2□△)가 $9\times8=72$개이다. 모두 144개이므로 150번째 수는 백의 자리 수가 3이고, 작은 수부터 6번째 수인 307이다.

20 배열하는 모든 경우의 수는 $4!\times4!$이고, A와 a가 대응되는 경우의 수는 $4!\times3!$이다.
따라서 A와 a가 대응되지 않는 경우의 수는
$4!\times4!-4!\times3!=4!\times3!\times3=432$

21 (i) A → B → D인 경우
$3\times2=6$(가지)
(ii) A → C → D인 경우
$2\times4=8$(가지)
따라서 구하는 방법의 수는 $6+8=14$

22 $(x+y)(a+b+c)(p+q)$를 전개할 때 생기는 서로 다른 항은 x, y 중에서 하나 a, b, c 중에서 하나와 p, q 중에서 하나를 곱한 형태이다.
따라서 항의 개수는 $2\times3\times2=12$

23 480을 소인수분해하면
$480=2^5\times3\times5$
이므로 양의 약수의 개수는
$(5+1)\times(1+1)\times(1+1)=6\times2\times2=24$

24 5000원짜리 지폐 2장으로 10000원짜리 지폐 1장을 대체할 수 있으므로 5000원짜리 지폐와 10000원짜리 지폐로 지불할 수 있는 금액의 수는 함께 생각한다.
1000원짜리 지폐로 지불할 수 있는 금액은 0원, 1000원, 2000원, 3000원의 4가지이고 5000원짜리 지폐와 10000원짜리 지폐로 지불할 수 있는 금액은 0원, 5000원, 10000원, 15000원, 20000원, 25000원, $\cdots$, 45000원의 10가지이다.
따라서 지불할 수 있는 금액의 수는 0원을 지불하는 경우를 제외하면
$4\times10-1=39$

25 함수 $f : B \to A$ 중에서 $f(5) < f(6)$을 만족하는 경우는 다음과 같다.

(i) $f(5)=1$일 때, $f(6)=2, 3, 4$의 3가지

(ii) $f(5)=2$일 때, $f(6)=3, 4$의 2가지

(iii) $f(5)=3$일 때, $f(6)=4$의 1가지

(i), (ii), (iii)에 의하여 구하는 함수의 개수는

$3+2+1=6$

26 $a=4$일 때, $b=4, 5, 6, 7, 8, 9$의 6가지

$a=5$일 때, $b=5, 6, 7, 8, 9$의 5가지

$a=6$일 때, $b=6, 7, 8, 9$의 4가지

$a=7$일 때, $b=7, 8, 9$의 3가지

$a=8$일 때, $b=8, 9$의 2가지

$a=9$일 때, $b=9$의 1가지

따라서 구하는 순서쌍의 개수는

$6+5+4+3+2+1=21$

27 백의 자리에 올 수 있는 수는 2가지이고, 십의 자리에 올 수 있는 수는 백의 자리의 수를 제외한 3가지이고, 일의 자리에 올 수 있는 수는 백의 자리와 십의 자리의 수를 제외한 4가지이다.
따라서 구하는 세 자리의 수의 개수는 $2\times3\times4=24$

28 (i) A → B → C인 경우

A지점에서 B지점으로 가는 길은 4가지, 각각의 경우에 대하여 B지점에서 C지점으로 가는 길은 3가지이므로
곱의 법칙에 의하여 $4\times3=12$(가지)

(ii) A → C인 경우

A지점에서 C지점으로 가는 길은 3가지가 있다.

(i), (ii)의 사건은 동시에 일어날 수 없으므로 합의 법칙에 의하여 구하는 전체 경우의 수는 $12+3=15$

29 $m-n$은 540의 양의 약수 중 3의 배수가 아닌 것의 개수를 의미하므로

$540=2^2\times3^3\times5$에서 $2^2\times5$의 양의 약수의 개수와 같다.

따라서 구하는 $m-n$의 값은

$m-n=(2+1)\times(1+1)=6$

30 A가 가장 많은 면과 이웃하여 있으므로 A부터 칠하는 방법을 생각한다.

A		
B	C	D

(i) A를 칠할 수 있는 색은 4가지

(ii) B에는 A에 칠한 색을 칠할 수 없으므로 칠할 수 있는 색은 3가지

(iii) C에는 A, B에 칠한 색을 칠할 수 없으므로 칠할 수 있는 색은 2가지

(iv) D에는 A, C에 칠한 색을 칠할 수 없으므로 칠할 수 있는 색은 2가지

따라서 구하는 방법의 수는 $4\times3\times2\times2=48$

유형 14 순열

본문 085~089쪽

01 ⑤	02 ④	03 ⑤	04 ③
05 ①	06 ④	07 ③	08 ⑤
09 ②	10 ①	11 ①	12 ④
13 ④	14 ①	15 ④	16 ②
17 ③	18 ⑤	19 ④	20 160
21 ②	22 ④	23 72	24 48
25 ①	26 ⑤	27 8	28 ④
29 ④	30 ④		

01 $4!=4\times3\times2\times1$

02 ${}_6\mathrm{P}_2=6\times5$

03 ${}_5\mathrm{P}_2=5\times4=20$

04 4명의 학생을 일렬로 세우는 방법의 수는

$4!=4\times3\times2\times1$

05 6명의 학생 중에서 4명을 뽑아 일렬로 세우는 방법의 수는 6명에서 4명을 택하는 순열의 수이므로 ${}_6\mathrm{P}_4$이다.

06 서로 다른 종류의 6개의 과일 중에서 2개를 골라 차례로 먹는 방법의 수는 서로 다른 6개에서 2개를 뽑아 일렬로 나열하는 방법의 수와 같으므로

${}_6\mathrm{P}_2=6\times5=30$

07 여자 3명을 묶어서 한 사람으로 생각하여 남자 4명과 여자 1명을 일렬로 세우는 경우의 수는 $(4+1)!$

그 각각에 대하여 묶음 안에서 여자 3명을 일렬로 세우는 경우의 수는 $3!$

따라서 구하는 경우의 수는 $(4+1)!\times3!$

그러므로 □ 안에 들어갈 수는 3이다.

08 남학생끼리 이웃하지 않게 서기 위해서는 아래 그림과 같이 여학생 4명이 일렬로 서고, 남학생 3명이 여학생 사이사이와 양 끝의 5자리 중에서 3자리를 선택하여 서면 된다.

○ 여 ○ 여 ○ 여 ○ 여 ○

따라서 구하는 방법의 수는 $4!\times{}_5\mathrm{P}_3$

그러므로 □ 안에 들어갈 수는 ${}_5\mathrm{P}_3$이다.

09 a, e를 묶어서 한 문자로 생각하여 4개의 문자를 일렬로 나열하는 경우의 수는 $4!=24$

그 각각에 대하여 a와 e가 자리를 바꾸는 경우의 수는 $2!=2$

따라서 구하는 경우의 수는 $24\times2=48$

10 맨 앞과 맨 뒤에 남자 2명을 고정시키고, 그 사이에 여자 3명이 한 줄로 서는 방법의 수는 $3!=6$

남자 2명이 자리를 바꾸는 방법의 수는 $2!=2$
따라서 구하는 방법의 수는 $6\times2=12$

11 서로 다른 5장의 카드에서 3장을 뽑는 순열의 수이므로
${}_5P_3=5\times4\times3=60$

12 백의 자리에는 0을 제외한 4가지가 올 수 있고, 십의 자리와 일의 자리의 숫자는 백의 자리에 온 숫자를 제외한 4개의 숫자 중에서 2개를 뽑는 순열의 수이므로
${}_4P_2=4\times3=12$
따라서 구하는 방법의 수는
$4\times12=48$

13 ${}_nP_2=n\times(n-1)=20=5\times4$
$\therefore n=5$

14 ${}_nP_5=20{}_nP_3$에서
$n(n-1)(n-2)(n-3)(n-4)=20n(n-1)(n-2)$
$n^2-7n-8=0,\ (n-8)(n+1)=0$
$\therefore n=8\ (\because n\geq3)$

15 10명에서 2명을 택하는 순열의 수와 같으므로
${}_{10}P_2=10\times9=90$

16 여학생 2명이 한 명씩 차례로 놀이공원에 입장하는 방법의 수는
$2!=2$
남학생 3명이 한 명씩 차례로 놀이공원에 입장하는 방법의 수는
$3!=6$
따라서 구하는 방법의 수는 $2\times6=12$

17 여학생 2명을 묶어서 한 사람으로 생각하여 남학생 4명과 함께 모두 5명을 일렬로 세우는 경우의 수는 $5!=120$
그 각각에 대하여 묶음 안의 여학생 2명이 자리를 바꾸는 경우의 수는 $2!=2$
따라서 구하는 경우의 수는
$120\times2=240$

18 남자 3명과 여자 2명을 일렬로 세울 때 남자와 여자가 교대로 서는 경우는 그림과 같다.

㊚ 남 여 남 여 남

남자 3명을 일렬로 세우는 방법의 수는
$3!=6$
남자 사이사이에 여자 2명을 일렬로 세우는 방법의 수는
$2!=2$
따라서 구하는 방법의 수는
$6\times2=12$

19 ∧○○∧○○∧○○∧○○∧○○∧○○∧

우선 남학생 12명을 일렬로 세우는 경우의 수는 12!이다.
여기서 남학생 2명씩 묶어서 양 끝과 그 사이사이에 여학생 2명을 세우는 경우의 수는 ${}_7P_2=7\times6=42$이므로 경우의 수는 $42\times12!$이 되어 $N=42$이다.

20 남학생과 여학생이 짝을 짓는 경우의 수는 2!
5줄 중에서 앉을 2줄을 선택하는 경우의 수는 ${}_5P_2$
짝지어진 남녀가 자리를 선택하는 경우의 수는 $2!\times2!$
따라서 구하는 방법의 수는
$2!\times{}_5P_2\times2!\times2!=160$

21 (i) A가 마지막 주자인 경우
□□□A ➡ $3\times2\times1=6$(가지)
(ii) B가 마지막 주자인 경우
□□□B ➡ $3\times2\times1=6$(가지)
(i), (ii)에서 구하는 방법의 수는
$6+6=12$

22 남자 2명이 양 끝에 서는 경우의 수는
${}_3P_2=3\times2=6$
남자 2명을 제외한 나머지 5명이 한 줄로 서는 경우의 수는
$5!=120$
따라서 구하는 경우의 수는
$6\times120=720$

23 홀수는 일의 자리에 1 또는 3 또는 5가 올 수 있으므로
(i) □□□1 ➡ ${}_4P_3=4\times3\times2=24$
(ii) □□□3 ➡ ${}_4P_3=4\times3\times2=24$
(iii) □□□5 ➡ ${}_4P_3=4\times3\times2=24$
(i), (ii), (iii)에서 구하는 홀수의 개수는
$3\times24=72$

24 3의 배수인 3, 6을 일의 자리와 백의 자리에 나열하는 방법의 수는 $2!=2$
나머지 숫자 1, 2, 4, 5를 나머지 자리에 나열하는 방법의 수는
$4!=24$
따라서 구하는 자연수의 개수는
$2\times24=48$

25 8명의 학생 중에서 3명을 뽑는 순열의 수와 같으므로
${}_8P_3=8\times7\times6=336$

26 국어책 3권과 영어책 1권을 일렬로 배열하는 방법의 수는
$4!=24$
이때, 국어책과 영어책으로 나뉜 5개의 자리 중 2자리를 뽑아 수학책을 한 권씩 꽂는 방법의 수는 ${}_5P_2=20$

□ 국 □ 국 □ 영 □ 국 □

따라서 구하는 경우의 수는
$24\times20=480$

27 부부를 각각 한 사람으로 생각하여 두 사람을 일렬로 앉히는 방법의 수는 $2!=2$
각각의 부부가 부부끼리 자리를 바꾸는 방법의 수는
$2!\times2!=4$
따라서 구하는 방법의 수는 $2\times4=8$

28 $a=5!=120$
남자 3명 중에서 2명이 양 끝에 서는 방법의 수는 ${}_3P_2=6$이고,

그 각각에 대하여 나머지 3명이 한 줄로 서는 방법의 수는
$3!=6$이므로
$b=6\times6=36$
$\therefore\ a+b=120+36=156$

29 먼저 A를 맨 앞에 세운 뒤 나머지 학생 C, D, E, F를 □ 자리에 일렬로 세우는 경우의 수는
$4!=4\times3\times2\times1=24$

A □ ∨ □ ∨ □ ∨ □ ∨

B가 A와 이웃하지 않도록 ∨ 자리 중 한 자리를 골라 세우는 경우의 수는
${}_4P_1=4$
따라서 구하는 경우의 수는
$4\times24=96$

30 1□□□□의 꼴인 정수의 개수는
$4!=24$
20□□□, 21□□□의 꼴인 정수의 개수는
$2\times3!=12$
한편, 23□□□의 꼴의 수를 차례로 나열하면
23014, 23041, 23104, …
따라서 23104는 $24+12+3=39$번째에 나온다.

15 조합

본문 091~095쪽

01 ⑤	02 ②	03 ③	04 ②
05 ⑤	06 ④	07 ⑤	08 10
09 ②	10 ⑤	11 ①	12 ①
13 30	14 11	15 60	16 ④
17 ③	18 ③	19 80	20 ⑤
21 ①	22 ④	23 60	24 ④
25 ③	26 ②	27 ③	28 ③
29 ⑤	30 ④		

01 서로 다른 7개에서 2개를 택하는 조합의 수는
$${}_7C_2=\frac{7!}{2!(7-2)!}=\frac{7!}{2!\boxed{5}!}$$

02 (가) 5명의 학생 중에서 뽑히는 순서에 따라서 학생이 맡는 직책이 다르므로 순열이다.
즉, 구하는 경우의 수는 ${}_5P_2$
(나) 5명의 학생 중에서 뽑히는 순서에 관계없이 학생이 맡는 직책이 같으므로 조합이다.
즉, 구하는 경우의 수는 ${}_5C_2$

03 ${}_6C_3=\frac{6\times5\times4}{3\times2\times1}=20$

04 ${}_7C_5=\frac{7\times6\times5\times4\times3}{5\times4\times3\times2\times1}=\frac{7\times6}{2\times1}={}_7C_2$
$\therefore\ r=2$

05 서로 다른 6명의 선수 중에 2명을 택하는 조합의 수이므로
$${}_6C_2=\frac{6\times5}{2\times1}=15$$

06 7개의 원소 중에서 순서를 생각하지 않고 4개를 선택하면 되므로 구하는 부분집합의 개수는
$${}_7C_4={}_7C_3=\frac{7\times6\times5}{3\times2\times1}=35$$

07 서로 다른 수학 참고서 5권 중에서 2권을 택하는 방법의 수는
${}_5C_2$
서로 다른 영어 참고서 6권 중에서 2권을 택하는 방법의 수는
${}_6C_2$
따라서 구하는 방법의 수는
${}_5C_2\times{}_6C_2=10\times15=150$

08 5개의 점 중에서 2개의 점을 택하는 경우의 수이므로 구하는 선분의 개수는
${}_5C_2=10$

09 어느 세 점도 일직선상에 있지 않으므로 만들 수 있는 삼각형의 개수는

$a={}_5C_3={}_5C_2=\frac{5\times4}{2\times1}=10$
만들 수 있는 사각형의 개수는
$b={}_5C_4={}_5C_1=5$
$\therefore a+b=10+5=15$

10 가로로 놓여 있는 3개의 평행선 중 2개, 세로로 놓여 있는 4개의 평행선 중 2개를 선택할 때, 이를 각각 한 쌍의 대변으로 하는 평행사변형이 단 한 개 존재하므로 구하는 평행사변형의 개수는
$${}_3C_2\times{}_4C_2={}_3C_1\times{}_4C_2=3\times\frac{4\times3}{2}=18$$

11 서로 다른 9송이의 꽃을 2송이, 3송이, 4송이의 세 묶음으로 나누는 방법의 수는 9송이에서 2송이를 선택하여 한 묶음으로, 나머지 7송이에서 3송이를 선택하여 한 묶음으로, 나머지 4송이를 한 묶음으로 하면 되므로 ${}_9C_2\times{}_7C_3\times{}_4C_4$이다.

12 서로 다른 7권의 책을 2권, 2권, 3권으로 나누어 포장하는 방법의 수는
$${}_7C_2\times{}_5C_2\times{}_3C_3\times\frac{1}{2!}=\frac{7\times6}{2}\times\frac{5\times4}{2}\times\frac{1}{2}=105$$

13 ${}_5P_2+{}_5C_2=5\times4+\frac{5\times4}{2\times1}=20+10=30$

14 $2\times{}_nC_3=3\times{}_nP_2$에서
$$2\times\frac{n(n-1)(n-2)}{6}=3\times n(n-1)$$
$n-2=9\ (\because n\ge3)$
$\therefore n=11$

15 1학년에서 4명을 뽑는 방법의 수는 ${}_6C_4$
2학년에서 3명을 뽑는 방법의 수는 ${}_4C_3$
따라서 구하는 경우의 수는
${}_6C_4\times{}_4C_3=15\times4=60$

16 남학생 4명 중에서 2명, 여학생 5명 중에서 2명을 뽑는 조합의 수는
$${}_4C_2\times{}_5C_2=\frac{4\times3}{2}\times\frac{5\times4}{2}=60$$
이때, 각 경우에 대하여 4명을 일렬로 세우는 방법의 수는 $4!=24$이므로 구하는 방법의 수는
${}_4C_2\times{}_5C_2\times4!=60\times24=1440$

17 매일 두 팀 이상씩 공연을 해야 하므로 첫째날과 둘째날에 공연하는 팀수로 나누면 다음과 같다.
(i) 첫째날 2팀, 둘째날 3팀
공연하는 팀을 정하는 경우의 수는
${}_5C_2\times{}_3C_3=10$
이 각각에 대하여 각 팀이 공연 순서를 정하는 경우의 수는
$2!\times3!=12$
그러므로 구하는 경우의 수는
$10\times12=120$
(ii) 첫째날 3팀, 둘째날 2팀
공연하는 팀을 정하는 경우의 수는
${}_5C_3\times{}_2C_2=10$
이 각각에 대하여 각 팀이 공연 순서를 정하는 경우의 수는
$3!\times2!=12$
그러므로 구하는 경우의 수는
$10\times12=120$
(i), (ii)에 의하여 구하는 경우의 수는
$120+120=240$

다른풀이
다섯 팀의 순서를 정한 후에 첫째날 공연하는 팀의 수를 정하면 된다.
$\therefore 5!\times2=120\times2=240$

18 철수를 포함하여 4명을 뽑는 경우의 수는 $a={}_9C_3$
철수를 포함하지 않고 4명을 뽑는 경우의 수는 $b={}_9C_4$
$\therefore a+b={}_9C_3+{}_9C_4={}_{10}C_4$

19 5개의 학교 중에서 3개를 택하는 경우의 수는 ${}_5C_3$
2명 중에서 한 명을 택하는 경우의 수는 ${}_2C_1$
따라서 전체 경우의 수는 ${}_5C_3\times({}_2C_1)^3=80$

20 반장, 부반장 중에서 적어도 한 명을 포함하여 선발해야 하므로 전체 경우의 수에서 반장, 부반장을 뺀 8명 중에서 4명을 뽑는 경우의 수를 빼면 된다.
$\therefore {}_{10}C_4-{}_8C_4=210-70=140$

21 ${}_7C_2-{}_3C_2-{}_4C_2-{}_3C_2+3=12$

22 7개의 점으로 삼각형을 만들기 위해 3개의 점을 선택하는 모든 경우의 수는 ${}_7C_3$이다.
그런데 일직선 위에 있는 4개의 점으로는 삼각형을 만들 수 없으므로 전체의 개수에서 빼 주어야 한다.
$$\therefore {}_7C_3-{}_4C_3=\frac{7\times6\times5}{3\times2\times1}-\frac{4\times3\times2}{3\times2\times1}=35-4=31$$

23 9개의 점 중에서 3개를 택하는 경우의 수는
$${}_9C_3=\frac{9\times8\times7}{3\times2\times1}=84$$
점 A, B, C, D, E, F 중에서 3개를 택하는 경우의 수는
$${}_6C_3=\frac{6\times5\times4}{3\times2\times1}=20$$
점 C, G, H, I 중에서 3개를 택하는 경우의 수는
${}_4C_3=4$
따라서 구하는 경우의 수는
$84-20-4=60$

24 8개의 게임 프로그램을 2개, 2개, 4개로 나누는 방법의 수는
$${}_8C_2\times{}_6C_2\times{}_4C_4\times\frac{1}{2!}=210$$
이때, 3개 조로 나눈 프로그램들을 A폴더, B폴더, 바탕화면에 배치하는 방법의 수는 $3!=6$이므로 구하는 방법의 수는
$${}_8C_2\times{}_6C_2\times{}_4C_4\times\frac{1}{2!}\times3!=210\times6=1260$$

25 ${}_{n}C_{r}=\frac{{}_{n}P_{r}}{r!}$이므로 $55=\frac{110}{r!}$

$r!=2=2\times1$

$\therefore r=2$

또 ${}_{n}P_{2}=n(n-1)=110=11\times10$에서 $n=11$

$\therefore n+r=11+2=13$

26 서로 다른 10마리의 물고기 중에서 3마리를 택하는 조합의 수이므로

${}_{10}C_{3}=120$

27 남자 7명 중에서 3명을 뽑는 방법의 수는

${}_{7}C_{3}=35$

여자 4명 중에서 2명을 뽑는 방법의 수는

${}_{4}C_{2}=6$

따라서 구하는 방법의 수는

$35\times6=210$

28 (i) 가장 작은 수가 1인 경우

2, 3, 4, 5, 6에서 나머지 2개를 택하는 경우의 수는

${}_{5}C_{2}=10$

(ii) 가장 작은 수가 2인 경우

3, 4, 5, 6에서 나머지 2개를 택하는 경우의 수는

${}_{4}C_{2}=6$

(i), (ii)에서 구하는 경우의 수는

$10+6=16$

다른풀이

6개의 숫자 중에서 3개의 숫자를 택하는 경우의 수에서 1, 2를 제외한 4개의 숫자 중에서 3개의 숫자를 택하는 경우의 수를 빼면 된다.

$\therefore {}_{6}C_{3}-{}_{4}C_{3}=20-4=16$

29 6개의 점 중에서 어느 세 점도 한 직선 위에 있지 않으므로 구하는 삼각형의 개수는

${}_{6}C_{3}=\frac{6\times5\times4}{3\times2\times1}=20$

30 10개의 점 중에서 4개를 택하는 경우의 수는 ${}_{10}C_{4}$

여기에서 사각형을 이루지 않는 다음 두 경우를 빼주면 된다.

(i) 한 직선 위에 있는 5개의 점 중에서 4개를 택하는 경우의 수는

${}_{5}C_{4}$

(ii) 한 직선 위에 있는 5개의 점 중에서 3개를 택하고, 호 위의 5개의 점 중에서 1개를 택하는 경우의 수는

${}_{5}C_{3}\times{}_{5}C_{1}$

따라서 구하는 사각형의 개수는

${}_{10}C_{4}-({}_{5}C_{4}+{}_{5}C_{3}\times{}_{5}C_{1})=210-(5+50)=155$

Memo

Memo

아름다운 샘 BOOK LIST

개념기본서 수학의 기본을 다지는 최고의 수학 개념기본서

❖ 수학의 샘

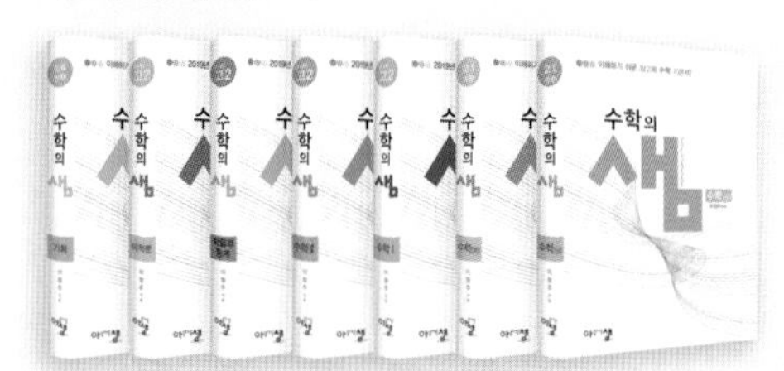

- 수학(상)
- 수학(하)
- 수학 Ⅰ
- 수학 Ⅱ
- 확률과 통계
- 미적분
- 기하

Total 내신문제집 한 권으로 끝내는 내신 대비 문제집

❖ Total 짱

- 수학(상)
- 수학(하)
- 수학 Ⅰ
- 수학 Ⅱ
- 확률과 통계
- 미적분

문제기본서 {기본, 유형}, {유형, 심화}로 구성된 수준별 문제기본서

❖ 아샘 Hi Math

- 수학(상)
- 수학(하)
- 수학 Ⅰ
- 수학 Ⅱ
- 확률과 통계
- 미적분
- 기하

❖ 아샘 Hi High

- 수학(상)
- 수학(하)
- 수학 Ⅰ
- 수학 Ⅱ
- 확률과 통계
- 미적분

수능 기출유형 문제집 수능 대비하는 수준별·유형별 문제집

❖ 짱 쉬운 유형 / 확장판

- 수학 Ⅰ
- 수학 Ⅱ
- 확률과 통계
- 미적분
- 기하

- 수학 Ⅰ
- 수학 Ⅱ
- 확률과 통계

❖ 짱 중요한 유형

- 수학 Ⅰ
- 수학 Ⅱ
- 확률과 통계
- 미적분
- 기하

❖ 짱 어려운 유형

- 수학 Ⅰ
- 수학 Ⅱ
- 확률과 통계
- 미적분

중간·기말고사 교재 학교 시험 대비 실전모의고사

❖ 아샘 내신 FINAL (고1 수학, 고2 수학 Ⅰ, 고2 수학 Ⅱ)

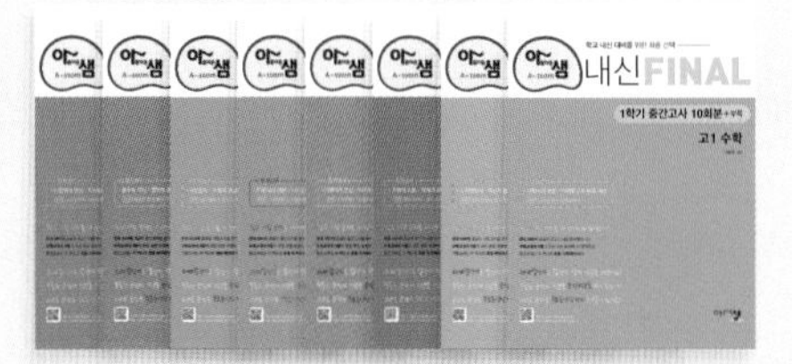

- 1학기 중간고사
- 1학기 기말고사
- 2학기 중간고사
- 2학기 기말고사

수능 실전모의고사 수능 대비 파이널 실전모의고사

❖ 짱 Final 실전모의고사

- 수학 영역

예비 고1 교재 고교 수학의 기본을 다지는 참 쉬운 기본서

❖ 그래 할 수 있어

- 수학(상)
- 수학(하)

내신 기출유형 문제집 내신 대비하는 수준별·유형별 문제집

❖ 짱 쉬운 내신

- 수학(상)
- 수학(하)

❖ 짱 중요한 내신

- 수학(상)
- 수학(하)

아름다운 샘
A~ssam
Hi시리즈

문제기본서 하이 매쓰
Hi Math
고등 수학(상)
[기본+유형]

문제기본서 하이 하이
Hi High
고등 수학(상)
[유형+심화]